Vivir sin
ANSIEDAD

n - Martin J. Kommor

Vivir sin
ANSIEDAD

Respuestas profesionales y alentadoras
sobre las fobias, los ataques de pánico y la ansiedad

ONIRO

Nota: Este libro debe interpretarse como un volumen de referencia, no como un manual de medicina. La información que contiene está pensada para ayudarte a tomar decisiones adecuadas respecto a tu salud y bienestar. Ahora bien, si sospechas que tienes algún problema médico, los autores y el editor te recomiendan que consultes a un profesional de la salud.

Título original: *The Anxiety Answer Book*
Publicado en inglés por Sourcebooks, Inc.

Traducción de Daniel Menezo

Diseño de cubierta: Valerio Viano

Ilustración de cubierta: Illustration Stock / Young Sook Cho

Distribución exclusiva:
Ediciones Paidós Ibérica, S.A.
Mariano Cubí 92 – 08021 Barcelona – España
Editorial Paidós, S.A.I.C.F.
Defensa 599 – 1065 Buenos Aires – Argentina
Editorial Paidós Mexicana, S.A.
Rubén Darío 118, col. Moderna – 03510 México D.F. – México

© 2006 exclusivo de todas las ediciones en lengua española:
Ediciones Oniro, S.A.
Muntaner 261, 3.º 2.ª – 08021 Barcelona – España
(oniro@edicionesoniro.com – www.edicionesoniro.com)

ISBN: 84-9754-246-0
Depósito legal: B-39.781-2006

Impreso en Hurope, S.L.
Lima, 3 bis - 08030 Barcelona

Impreso en España – Printed in Spain

Para Barron, Bjorn y Josh, que mantienen mis pies
en tierra firme y me permiten volar.

L. H.

Para mi familia: mi marido, Ed, mis padres, Ivonne
y Bob, mi hermana, Lisa, y mi cuñado, Weston.
Os quiero, y considero un privilegio que forméis parte de mi vida.
Gracias por todo lo que me habéis dado.

L. W.

Para Ben Kommor, que me enseña e inspira
en el tierno arte de la paternidad.

M. K.

Agradecimientos

Muchas gracias a nuestra editora, Bethany Brown, por su ayuda, su paciencia y su compromiso con la calidad. Mi gratitud constante para Jacky Sach, mi agente. Y gracias también a mis amigos de The Writer's Village, mi tabla de salvación en medio de los altibajos de la escritura. Gracias especialmente a mis queridas amigas Beth, Mimi y Cindy, y a mis hermanas, Julie y Becca, simplemente por hacer que mi vida sea mejor.

LAURIE A. HELGOE

Quiero expresar mi más profunda gratitud a las siguientes personas, por ser excelentes maestros y mentores y por su apoyo: Robert Beck, Thomas Ellis, Chris France, John Linton y Holly Cloonan. También me siento privilegiada y agradecida por haber estudiado en el Albert Ellis Institute y el Beck Institute: la educación impartida en estos centros fue tan increíble como su personal, mis compañeros y las experiencias que tuve durante ese tiempo. Mi más sincera gratitud para Shannon Froese, la doctora Natalie Shaheen, Liz Moore, el doctor Richard Granese y Esther Stephenson: vuestra amistad siempre es un tesoro, ¡pero especialmente cuando me ayudasteis a revisar los borradores de este libro!

LAURA R. WILHELM

Muchas gracias a Laurie A. Helgoe y a Laura R. Wilhelm.

MARTIN J. KOMMOR

Índice

En tu cuerpo se ha disparado la alarma. Sientes que el peligro está cerca y, sin embargo, no hay nadie que te persiga ni catástrofe alguna que amenace tu seguridad. Puede que te preocupes por algo en concreto o que estés inquieto sin motivo aparente. Sea como fuere, sabes que tus circunstancias actuales no justifican esa alarma. Pero saberlo no te ayuda mucho: te embarga la ansiedad.

Si padeces ansiedad, o vives con alguien que la padezca, sabes muy bien los problemas que puede causar. La persona con ansiedad se siente presionada. Le cuesta pensar con claridad. Experimenta la necesidad de reaccionar, pero sus reacciones, a lo sumo, sólo la ayudan temporalmente. Puede sentirse como si alguien que lleva dentro le estuviera gritando. Los miembros de su familia están hartos de animarla, e incluso esa persona se agobia al intentar explicar unos sentimientos que quizá ni ella misma entiende.

La ansiedad es la dolencia psicológica más frecuente, y todos nosotros nos hemos sentido en sus «garras» en algún momento de nuestra vida. No cabe duda de que cierta dosis de ansiedad resulta saludable e incluso necesaria; sin embargo, su exceso puede interferir en una vida sana. Afortunadamente, hemos aprendido mucho sobre la ansiedad, sobre los factores que la agravan y también sobre aquellos que la alivian. *Vivir sin ansiedad* reúne toda esta información en un formato sencillo de preguntas y respuestas, ofreciéndote así un instrumento que te permita reducir tu ansiedad y disfrutar más de la vida.

Capítulo 1

- ¿Qué es la ansiedad?
- ¿Cuáles son las causas de la ansiedad?
- ¿Cuáles son los diversos tipos de trastornos por ansiedad?
- ¿Son muy frecuentes los problemas de ansiedad?
- Si tengo problemas de ansiedad, ¿quiere decir que tengo una enfermedad mental?
- ¿Cuáles son las señales de que mi ansiedad requiere tratamiento?
- ¿Se puede hospitalizar a alguien por ansiedad?
- ¿Mis genes me hacen susceptible de padecer ansiedad?
- La forma en que me han criado ¿incide en mi grado de ansiedad?
- Si no pienso en mi ansiedad, ¿me dejará en paz?
- ¿Qué tipos de trastornos de ansiedad padecen los niños?
- La enfermedad física o la medicación ¿pueden provocar síntomas parecidos a los de la ansiedad?
- ¿De qué manera afecta el alcohol a la ansiedad?
- ¿Cómo están relacionadas la ansiedad y la depresión?
- ¿La ansiedad puede aumentar la probabilidad de suicidio?
- ¿Hay algún tipo de ansiedad que sea positivo?

¿Qué es la ansiedad?

La ansiedad es el miedo sin causa evidente. Mientras que el miedo es una reacción natural a una amenaza clara y directa a tu integridad física, la ansiedad suele considerarse algo extraño y carente de función. Imagina que estás cruzando la calle cuando de repente ves que se aproxima un coche que va acelerando. Seguramente experimentarás los siguientes síntomas, propios del miedo:

- Tu corazón se acelera
- Respiras más rápido
- Puede que empieces a sudar
- Tu mente se pone alerta
- Te domina el deseo urgente de hacer algo para ponerte a salvo

Con suerte, estas reacciones, que se producen en un breve instante, evitarán que tengas un encuentro desagradable con 1500 kilos de acero, y harán que te sientas agradecido por contar con un sistema de alarma incorporado. Por otra parte, la ansiedad resulta más agobiante que útil. Compara la lógica y la eficacia de la respuesta de miedo con estos rasgos comunes de la ansiedad:

- Puede que no sepas por qué sientes miedo
- Si hay algún motivo, no es convincente (puede ser irracional)
- La amenaza puede estar lejana en el tiempo (pasado o futuro)
- La amenaza puede estar distante geográficamente
- Cuando no sabes por qué tienes miedo, te invade un presentimiento de algo
- Dado que el miedo es impreciso, te cuesta más encontrar una solución para erradicarlo

Aparte de esto, la ansiedad crea un círculo vicioso: cuanto más consciente seas de que sientes ansiedad, más ansiedad sentirás.

¿Cuáles son las causas de la ansiedad?

Hay muchos factores que contribuyen a la ansiedad, y en cada caso concreto pueden coincidir varios de ellos. A continuación encontrarás una lista de las causas que con mayor frecuencia se asocian con el desarrollo de los trastornos de ansiedad:

Los genes. Nuestros genes son responsables de que algunos de nosotros seamos vulnerables a tener problemas de ansiedad. Si algunos de tus parientes próximos padecen ansiedad, tienes un riesgo elevado de desarrollar un trastorno de ansiedad. Puedes heredar un sistema de alarma más sensible que el de otras personas.

Las experiencias infantiles. Los sucesos y experiencias de la infancia también pueden aumentar la probabilidad de que tengamos problemas, sobre todo si esas experiencias son traumáticas y dejan en nuestra mente una alarma perpetua. El hecho de ver cómo nuestros padres reaccionan ante los acontecimientos con ansiedad y preocupación hace que, probablemente, nosotros reaccionemos igual. Si tus padres reforzaron o recompensaron la ansiedad, quizá hayas aprendido que mediante ella podías conseguir lo que quisieras.

Las experiencias posteriores. Pasar por un suceso traumático en un momento posterior a la infancia puede dar pie a problemas de ansiedad a corto plazo que, en algunos casos, se prolongan durante bastante tiempo. Hablamos, por ejemplo, del trauma originado por una violación o la participación en una guerra.

Tu forma de pensar. A menudo lo que nos alarma es nuestro propio pensamiento. Los errores de lógica son frecuentes entre las personas que padecen ansiedad. Por ejemplo, sobrestimar el peligro de una situación o infravalorar nuestra capacidad para superarla. Las personas con ansiedad pueden exagerar la faceta negativa de un acontecimiento. Pueden tener problemas para distinguir cuáles son los verdaderos riesgos de esta vida.

Los fármacos y la enfermedad. Hay diversas sustancias, legales e ilegales, que disparan la alarma de la ansiedad, igual que lo hacen algunas enfermedades físicas o mentales.

Los conflictos. A algunos nos invade la ansiedad cuando nos enfrentamos a dilemas complejos: el menor de dos males o el mayor de dos bienes. Este conflicto puede estar basado en alarmas inconscientes (p. ej., indicar la desaprobación de un progenitor) que siguen influyéndonos cuando somos adultos. Este tipo de causa se denomina «psicodinámica», porque se centra en las conversaciones, o dinámicas, que tienen lugar en nuestro interior.

El circuito cerebral. Nuestros cerebros tienen «circuitos» con sistemas de alarma incorporados, que garantizan nuestra supervivencia. En ocasiones, las estructuras cerebrales vinculadas con esos sistemas de alarma están construidas o bien funcionan de una forma distinta a la habitual.

Los problemas de ansiedad surgen de la combinación de varios factores. Cuando éstos se juntan, el trastorno de ansiedad puede ser más grave. Por ejemplo, imaginemos a una persona que tiene familiares que padecen ansiedad. De niña padeció estos problemas, que sus padres reforzaron, y de mayor pasa por un trauma importante. Es probable que esa persona tenga más dificultades que otra que sólo ha tenido que pasar por un trauma en un momento avanzado de su vida.

¿Cuáles son los diversos tipos de trastorno por ansiedad?
Los tipos primarios de trastornos de ansiedad incluyen, entre otros, los siguientes:

1. **El trastorno de ansiedad generalizado,** que se diagnostica a las personas que padecen ansiedad y preocupaciones constantes durante un plazo mínimo de seis meses.
2. **El trastorno de pánico** se diagnostica cuando alguien tiene ataques de pánico recurrentes e inesperados, y le inquieta mucho la expectativa de sufrir más episodios.

3. **La agorafobia** es el miedo a estar en lugares o circunstancias donde la huida puede resultar complicada o vergonzosa. A menudo la agorafobia se relaciona con la inquietud por tener un ataque de pánico.

4. **Las fobias**, que incluyen las *fobias concretas* y la *fobia social*, se diagnostican cuando se detecta un grado de ansiedad clínico y significativo que se desata al exponer a la persona al objeto o situación temidos; a menudo este miedo la lleva a eludir entrar en contacto con ese objeto o circunstancia.

5. **El trastorno obsesivo-compulsivo** se caracteriza por las *obsesiones*, que son pensamientos e impulsos molestos (p. ej., pensamientos sobre la contaminación) que causan una ansiedad significativa, y las *compulsiones*, que son conductas repetitivas (p. ej., lavarse las manos demasiadas veces) destinadas a protegerse de la ansiedad.

6. **El trastorno de estrés postraumático** y el **trastorno del estrés agudo** suponen revivir un acontecimiento que resultó extremadamente traumático.

¿Son muy frecuentes los problemas de ansiedad?

En Estados Unidos, los trastornos de ansiedad representan el tipo más común de problema mental, y afectan a más de 20 millones de personas. Además, en torno al 25 % de los norteamericanos adultos ha padecido una ansiedad aguda en determinados momentos de su vida. El National Institute of Mental Health (Instituto Nacional de Salud Mental, NIMH) posee datos valiosos sobre los trastornos de ansiedad entre los norteamericanos adultos de edades comprendidas entre los 18 y los 54 años. Esto es lo que revelan los estudios del NIMH:

• Anualmente, en torno a 4 millones de norteamericanos (3,6 %) reciben el diagnóstico de trastorno de ansiedad generalizado. Muchos expertos creen que este cálculo es demasiado conservador, y calculan que la incidencia de este problema ronda el 8-9 %.

• El trastorno de pánico afecta a alrededor del 1,7 %, unos 2,4 millones, de los norteamericanos adultos. Este trastorno es mucho más frecuente entre los adolescentes, grupo social donde su inci-

dencia se ha calculado entre el 3,5 y el 9 %. El trastorno de pánico tiende a alcanzar su clímax a la edad de 25 años. Una de cada
tres personas que padezcan este problema desarrollará también
agorafobia.

- El trastorno obsesivo-compulsivo afecta en torno al 2,3 %, es
decir, a 3,3 millones de adultos.
- El trastorno de estrés postraumático (TEP) afectaba en torno al
3,6 % de la población estudiada, aunque otros estudios más lo-
cales han demostrado que en algún momento de sus vidas el 8 %
de todos los adultos padecerán TEP. Aunque la incidencia de
este problema es el doble en el caso de las mujeres, cabe destacar
que en torno al 30 % de los veteranos de Vietnam desarrolló este
trastorno después de la guerra.
- Resulta complicado obtener cálculos precisos sobre la incidencia
de la fobia social, dado que, en la mayoría de las personas que la
padecen, la enfermedad no se diagnostica ni reciben tratamiento a
menos que aparezca junto a otro trastorno de ansiedad. A pesar de
ello, los estudios del NIMH revelaron que los médicos diagnostican este trastorno a 5,3 millones de adultos (el 3,7 %) cada año.
- La agorafobia afecta al 2,2 % (3,2 millones) de norteamericanos
adultos.
- Se descubrió que las fobias específicas afectaban al 4,4 % (6,3 millones) de la población estudiada.

Los trastornos de ansiedad son más frecuentes entre las mujeres
que entre los hombres; a las mujeres se les diagnostica el doble que
a ellos los trastornos de pánico, agorafobia, fobias concretas, TEP y
trastorno de ansiedad generalizado. Es posible que estos descubrimientos se deban a la tendencia femenina a buscar ayuda más rápidamente para sus trastornos mentales. Los dos únicos problemas
que tenían la misma incidencia entre los hombres que entre las mujeres fueron el trastorno obsesivo-compulsivo y la fobia social.

Si tengo problemas de ansiedad, ¿quiere decir que tengo una enfermedad mental?

Antes que nada, clarifiquemos qué es y qué no es una enfermedad
mental. Para determinar la presencia de una enfermedad mental

(que ahora suele denominarse más comúnmente «trastorno mental»), los profesionales de la salud mental estadounidenses usan criterios sintomáticos que figuran en un manual de diagnóstico, llamado *Diagnostic and Statistical Manual of Mental Disorders* [Manual diagnóstico y estadístico de los trastornos mentales], *Fourth Edition*, o *DSM-IV*. Según el DSM-IV, la enfermedad mental se define como «un síndrome o patrón conductual o psicológico, clínicamente detectable, que afecta a un individuo y que está asociado con una angustia o incapacidad presente, o bien con un riesgo significativamente aumentado de sufrimiento, muerte, dolor o discapacidad, o con una pérdida importante de libertad». Muchos de los trastornos que figuran en el DSM-IV incluyen la ansiedad entre los síntomas más destacados. Aparte de esto, los libros de texto de iniciación a la psicología suelen definir el trastorno mental como una disfunción perjudicial debido a la cual la conducta se vuelve inhabitual, perturbadora, inútil e injustificable. Por consiguiente, si tus problemas con la ansiedad te parecen atípicos, te angustian sobremanera e interfieren claramente en tu funcionamiento como persona, es posible que padezcas un trastorno mental. Éste puede ser el resultado de diversas causas; por ejemplo, la estructura del cerebro, el modo en que interactúan químicamente las células cerebrales, un aumento del estrés y formas aprendidas de pensar y comportarse.

Sin embargo, un trastorno mental no es una señal de que una persona tenga un carácter débil o un desarrollo moral limitado. Lamentablemente, éste es el estigma que podemos arrostrar o que nos preocupa. El trastorno mental tampoco implica automáticamente que la persona que lo padece esté «loca» o no rija bien. Lo cierto es que la mayoría de los trastornos mentales no hacen que la persona pierda contacto con la realidad (como sucede con la psicosis). Los trastornos de ansiedad suelen asociarse pocas veces con la psicosis, y es probable que los pacientes no presenten diferencias si se los compara con cualquier otra persona sana.

¿Cuáles son las señales de que mi ansiedad requiere tratamiento?

La ansiedad se convierte en trastorno cuando *reduce gravemente tu capacidad de trabajar, amar o jugar*. El exceso de ansiedad también pasa factura a tu cuerpo. A continuación indicamos algunos de los síntomas que obstaculizan el funcionamiento normal e indican la necesidad de someterse a tratamiento:

- Te agotas o cansas fácilmente.
- Te cuesta resolver problemas sencillos, como por ejemplo organizar las tareas del día.
- Estás tan tenso que no logras sentirte a gusto, alegrarte por nada o sentirte realizado.
- Recurres a rituales especiales para rechazar pensamientos o imágenes molestas.
- Tus síntomas te convencen de que te estás muriendo o volviéndote loco.
- La preocupación por la ansiedad reduce tu productividad.
- Temes los encuentros sociales más frecuentes, como puede ser hablar en público, salir con amigos o incluso trabajar.
- La tensión emocional se transmite a tus músculos esqueléticos, haciendo que sientas rigidez, tensión y dolor.
- Eludes las tareas y responsabilidades cotidianas, por miedo a experimentar un ataque de pánico.

Si tienes problemas para funcionar como persona, es posible que tiendas a preocuparte más, con lo que se entra en un círculo vicioso. Para interrumpir este ciclo es necesario aplicar un tratamiento, renovar la esperanza y restaurar el funcionamiento correcto.

¿Se puede hospitalizar a alguien por ansiedad?

Es posible, pero improbable. La ansiedad es un trastorno psiquiátrico, de modo que un paciente con ansiedad debería ingresar en un pabellón psiquiátrico. Sin embargo, la mayoría de estos centros sólo admiten a pacientes con trastornos mentales tan graves que puedan llevarlos a recurrir al suicidio o al homicidio; a psicóticos peligrosos o a personas incapaces de alimentarse o bañarse solas. Si bien es cierto que a algunas personas que tienen problemas de ansiedad ésta les impide hacer muchas cosas, la mayoría de esos trastornos nunca llega a ser tan grave como para adecuarse a los criterios mencionados. Cuando las personas con ansiedad llegan a ese grado de enfermedad, puede deberse a complicaciones adicionales, como el desarrollo de un trastorno depresivo grave o un problema de drogadicción. Estas complicaciones se pueden asociar a sentimientos de indefensión y tremenda desesperanza, que hacen que el suicidio parezca una solución lógica. En estas circunstancias, la admisión en un centro psiquiátrico puede ser esencial. Aunque es menos probable, se puede recurrir a la hospitalización cuando un médico quiere mantener en observación a un paciente que ha empezado a tomar una medicación nueva. Aunque la mayoría de las unidades psiquiátricas sólo admiten a pacientes que padecen un problema mental grave, existen algunas clínicas privadas que ofrecen tratamiento intensivo a personas que presentan trastornos menos graves. Estas clínicas suelen ser caras, y es posible que sus servicios no estén cubiertos por la Seguridad Social.

¿Mis genes me hacen susceptible de padecer ansiedad?

Los investigadores han detectado que en los trastornos de ansiedad existe un componente genético. Sabemos esto gracias a estudios de gemelos, que nos ofrecen una clave importante para conocer el papel que desempeña la genética. Cuando dos gemelos (que comparten los mismos genes) crecen separados en familias adoptivas distintas, es probable que las similitudes que van desarrollando sean genéticas. De modo que, si uno de ellos desarrolla un trastorno de ansiedad, estudiamos si el otro también lo padece. Parece ser que existe un 25 % de probabilidades de que dos gemelos que viven separados padezcan un trastorno de ansiedad. Para que esta probabilidad sea significativa, debe superar la media de posibilidades que tiene de padecer este trastorno cualquier otra persona, y en este caso la supera. Los descubrimientos revelan que en torno al 10 % de la población experimentará un trastorno de ansiedad en algún momento de su vida. Así, los estudios de gemelos nos proporcionan cierta evidencia de que existe un componente genético. Sin embargo, si la única causa de la ansiedad fueran los genes, los gemelos que crecen separados desarrollarían trastornos de ansiedad el 100 % de las veces. Está claro que los genes no son el único factor digno de consideración.

Parece ser que el origen de los trastornos de ansiedad se encuentra en una combinación de influencias genéticas y medioambientales. El trastorno de estrés postraumático (TEP) es un buen ejemplo de esto. El trauma es la experiencia que desata la ansiedad, pero los factores genéticos pueden contribuir a explicar por qué sólo determinados individuos expuestos a los mismos sucesos traumáticos desarrollan un TEP propiamente dicho. Para algunas personas, una experiencia que amenace su vida puede hacer que determinadas células cerebrales se comuniquen de forma distinta con sus vecinas y generen una enfermedad. Por el contrario, hay otros individuos que no son tan susceptibles biológicamente al impacto emocional de un suceso que amenace su vida, y que pueden recuperarse más fácilmente.

La forma en que me han criado ¿incide en mi grado de ansiedad?

Es evidente que el modo en que te hayan criado puede influir en tu grado de ansiedad cuando eres adulto. Hay otros factores, como tu constitución biológica y tu tipo de personalidad, que también pueden amortiguar o amplificar la influencia de tus padres. Por lo general, si tus padres eran personas tranquilas, te ofrecieron unos límites coherentes y una retroalimentación positiva, y manifestaron confianza en tus habilidades, es probable que padezcas menos ansiedad que otras personas. Éstas son algunas de las maneras en que los padres pueden contribuir a la ansiedad.

- Si estuviste expuesto a muchas situaciones aterradoras o atemorizantes, y si no tuviste muchas posibilidades de que tus padres te protegieran o consolasen, puedes correr el riesgo de tener trastornos de ansiedad tanto de pequeño como de adulto. Puede ser que de pequeño alguien te amenazara o fueras testigo de amenazas contra tus seres queridos.
- Si tus padres padecían ansiedad y reaccionaban de este modo ante cualquier circunstancia de la vida, puedes correr el riesgo de copiar algunas de las formas en que tus padres hacían las cosas.
- Sin ser conscientes de ello, los padres también pueden reforzar o recompensar la conducta ansiosa de sus hijos. Si quiero que mi hija permanezca a mi lado y no le permito tener curiosidad y explorar el mundo, es posible que la alabe cuando responda con te-

mor a cualquier tipo de conducta aventurera. Puede aprender a complacerme por medio de su conducta ansiosa, y descubrir que su ansiedad llama mi atención y me incita a protegerla.

- Otra de las maneras en que los padres aumentan la ansiedad es añadiendo su alarma a la del niño o niña. ¿Te has dado cuenta de la mirada que un niño que se ha caído dirige a un adulto? Es como si intentara imaginar cómo debe reaccionar. Si el padre se mantiene tranquilo, el niño asume que no ha pasado nada y sigue jugando. Si el padre se alarma y exclama: «¡Oh, no!», el niño se asusta y se pone a llorar.

- Algunos padres pueden tener expectativas e imponer límites que son incoherentes. Por tanto, de niños podemos hacer algo que creemos que está bien, pero albergamos dudas allá en el fondo de nuestra mente. A veces, esa falta de claridad y esas dudas generan ansiedad.

Si no pienso en mi ansiedad, ¿me dejará en paz?

Hay algunos tipos de trastornos de ansiedad que desaparecen sin medicación. Por ejemplo, un trastorno de ansiedad se puede desarrollar en medio de unas circunstancias muy estresantes (la pérdida de un empleo o la búsqueda de uno, un divorcio, una lucha por la custodia de un hijo, la noticia de que tenemos cáncer). Cuando los agentes estresantes se aceptan y gestionan mejor, o incluso se resuelven, la ansiedad puede disminuir. De todos los trastornos de ansiedad que se diagnostican, las fobias infantiles específicas son las que tienen más probabilidad de ir disminuyendo solas. Por ejemplo, si a tu hijo le dan miedo los insectos, las tormentas o la oscuridad, ten en cuenta que es normal que este tipo de problema vaya desapareciendo con el paso del tiempo. Los padres estarán más tranquilos entendiendo que los niños, a lo largo del proceso de crecimiento, experimentan temores típicos; pero también deben vigilar la aparición en su hijo de un sufrimiento prolongado y extremo y estar atentos a un funcionamiento reducido. Estas dificultades pueden indicar la necesidad de que el niño o niña reciba un tratamiento profesional.

Algunas personas siguen viviendo con su ansiedad hasta que sienten que ya no pueden seguir adelante solas, y al final comentan el problema con su médico. Hay otros individuos que permiten que el nerviosismo los agote, «tiran la toalla» y se resignan a su sufrimiento. La investigación sugiere que si los trastornos de ansiedad no se tratan, pueden conducir a la depresión. La depresión clínica es una enfermedad especialmente debilitadora que requiere un tratamiento agresivo. Aunque puedas evitar ese tratamiento debido a la limitación del tiempo o el dinero, es importante que recuerdes que existe un tratamiento eficaz. Por lo general, cuanto antes busques un tratamiento de este tipo, mejores serán los resultados para tu bienestar mental y tu calidad de vida. Cuando la gente encuentra alivio al reunirse con profesionales de la salud mental bien preparados, suelen comentar: «¡Ojalá hubiera buscado ayuda antes!».

¿Qué tipos de trastornos de ansiedad padecen los niños?
Los siguientes tipos de trastornos de ansiedad suelen darse con mayor frecuencia entre los niños y los adolescentes:

1. Los niños y adolescentes con un **trastorno de ansiedad generalizado** tienden a preocuparse en exceso por cómo les van las cosas en la escuela o en los deportes, incluso cuando nadie los está evaluando. También se preocupan por la puntualidad; pueden obsesionarse con la posibilidad de algún desastre; tienden a rehacer su trabajo si no está perfecto; y buscan siempre la aprobación y el respaldo constante de los demás.

2. El DSM-IV no incluye **el trastorno de ansiedad por separación** entre los trastornos de ansiedad; lo encuadra en el apartado «Trastornos que suelen diagnosticarse en la primera infancia o la adolescencia». Este trastorno se diagnostica cuando un niño manifiesta un grado de ansiedad atípico cuando se aleja de su casa o de la persona por quien más apego siente. Para que se lo considere como tal, este trastorno debe darse durante un mínimo de cuatro semanas, y provocar una angustia importante o perjudicar el buen funcionamiento del individuo.

3. Las fobias que se dan entre los niños pueden ser **específicas**, es decir, miedo a determinados objetos o lugares, o **sociales**, miedo a las interacciones con otros. Las fobias específicas son tan frecuentes en los niños que no se consideran un trastorno hasta que

interfieren notablemente en la vida normal del niño (p. ej., la negativa a salir a la calle por miedo a encontrarse con un perro). La fobia social es difícil de detectar entre los niños, porque a menudo éstos no pueden elegir demasiado a qué contactos sociales están expuestos. Teniendo en cuenta que los niños suelen sentir ansiedad al relacionarse con los adultos, para diagnosticar que un niño padece una fobia social es necesario que éste también manifieste una reacción fóbica al interactuar con niños de su edad. Los niños pueden expresar esa fobia agarrándose con desespero al adulto protector, llorando, mediante pataletas, «quedándose de piedra» o sumiéndose en un mutismo absoluto.

4. Los niños que padecen un **trastorno obsesivo-compulsivo (TOC)** manifiestan reacciones parecidas a las de los adultos que también lo padecen; pero la conducta compulsiva en los niños pueden confundirse con síntomas de un trastorno de déficit de atención o de hiperactividad. Algunos expertos afirman que el TOC es más frecuente entre los niños que el asma. El TOC en los niños se puede manifestar a través de la preocupación que tiene el pequeño por los números que traen buena o mala suerte; cuando hace que sus padres comprueben que todo está limpio; cuando necesita que las cosas estén ordenadas de una forma concreta; cuando atesora objetos o cuando pide constantemente que alguien corrobore sus actos.

5. El **trastorno de estrés postraumático** en un niño se puede evidenciar cuando éste tiene muchas pesadillas y luego las recrea mediante el juego.

6. Si bien no es frecuente en la infancia, el **trastorno de pánico** suele diagnosticarse por vez primera a finales de la adolescencia.

La enfermedad física o la medicación ¿pueden provocar síntomas parecidos a los de la ansiedad?

Hay ciertos síntomas parecidos a los de la ansiedad que pueden asociarse con diversas enfermedades y medicamentos. Antes de llegar a la conclusión de que padeces un trastorno de ansiedad, es esencial descartar posibles causas físicas. Como verás en determinados puntos de este libro, si tienes problemas constantes de ansiedad, recomendamos que te sometas a un examen médico completo.

La siguiente descripción ofrece información sobre la relación que existe entre las influencias físicas y médicas y los síntomas de la ansiedad.

El hipertiroidismo y la hipoglucemia pueden generar síntomas parecidos a los de la ansiedad. Las personas que tienen hipertiroidismo padecen aumentos persistentes del ritmo cardíaco, mientras que la ansiedad psiquiátrica los produce de forma transitoria y periódica. El hipertiroidismo produce frecuentemente un ligero temblor. Otros síntomas clásicos son los ojos saltones y el bocio, aunque no siempre está presente ninguno de los dos. La disfunción tiroidea también se da entre personas que padecen un trastorno generalizado de ansiedad y el trastorno de pánico; ¡ten en cuenta que la función de la tiroides es muy importante! La hipoglucemia se origina debido a unos niveles decrecientes de azúcar en sangre, y suele asociarse con una fuerte sensación de ansiedad. Esa angustia se puede aliviar rápidamente tomando una bebida azucarada.

Por supuesto, una persona que tenga un ataque cardíaco agudo evidenciará una tremenda ansiedad, y a menudo sudará profusamente. También puede quejarse de un intenso dolor en el pecho, como si se le hubiera sentado un elefante encima. Otros problemas médicos que parecen trastornos de ansiedad son: el prolapso de válvula mitral («soplo» del corazón); el hiperparatiroidismo (una disfunción que aumenta los niveles de calcio en la sangre); las arritmias cardíacas; la insuficiencia coronaria; el feocromocitoma (tumor de la glándula adrenal); el vértigo; la desintoxicación de las drogas o el alcohol. Las mujeres también suelen presentar síntomas parecidos a los de la ansiedad cuando inician la menopausia y durante el desarrollo de ésta.

Hay muchas medicinas que provocan síntomas de ansiedad, como resultado de su uso o de la interrupción del tratamiento. El nerviosismo puede ser un efecto secundario de los fármacos que facilitan la respiración a personas con asma o una enfermedad crónica de obstrucción pulmonar. Hay descongestionantes que producen inquietud, como también lo hacen determinadas pastillas que inhiben el apetito, recetadas en tratamientos de reducción de peso. La cafeína es un estimulante, y puede producir inquietud y nerviosismo. Hay otros poderosos estimulantes, como la cocaína y las anfetaminas. Cualquier estimulante (incluyendo la nicotina) puede provocar temblores leves o «ponerte a cien». Si alguien tiene una dependencia psicológica del alcohol, las benzodiazepinas o los barbitúricos, y de repente deja de tomarlos, puede sumirse en un síndrome de abstinencia grave, que incluye síntomas propios de la ansiedad. Una persona que está atravesando esta situación está expuesta a un riesgo desde el punto de vista médico; si además ese individuo tiene otras dolencias físicas, es esencial que reciba un tratamiento médico intenso.

¿De qué manera afecta el alcohol a la ansiedad?

El alcohol interactúa con la ansiedad de diversas maneras. El uso ocasional de alcohol en cantidad moderada reduce la ansiedad y funciona como «lubricante» social. Permite que se distiendan las inhibiciones y las limitaciones sociales relacionadas con la ansiedad. Muchos de los mecanismos celulares del cerebro que permiten que funcionen los ansiolíticos (p. ej., las benzodiazepinas), son los mismos que dejan que el alcohol nos tranquilice. Lamentablemente, estos beneficios pronto se pueden ver superados por los efectos adversos del consumo de alcohol; entre otros, los siguientes:

1. El alcohol afecta a muchas otras zonas del cerebro. Entre otras cosas, contribuye a la pérdida de equilibrio; reduce la memoria; confunde el sentido común y dificulta el pensamiento analítico. Estos efectos negativos nos pueden hacer sentir vulnerables y ansiosos.
2. Si bien es posible que mientras bebemos nos sintamos tranquilos, la ansiedad puede atacarnos con fuerza a la mañana siguiente, aportando además nuevas preocupaciones debido a nuestra autoindulgencia del día anterior.
3. El uso frecuente del alcohol puede producir una intensa tristeza y, en algunas personas, ataques de pánico.
4. Si una persona se vuelve adicta al alcohol, cuando deja de beber puede sentirse bastante ansiosa y agitada. Este síndrome de abstinencia forma parte del motivo de que los adictos sigan bebiendo a pesar de los graves y evidentes (para los demás) problemas que acarrea.

¿Cómo están relacionadas la ansiedad y la depresión?

Es frecuente que la depresión y la ansiedad actúen juntas. A menudo la gente pregunta cuál de las dos llega antes, la ansiedad o la depresión. Esta pregunta no tiene una respuesta clara. Estas dificultades emocionales son bidireccionales. Hay muchas personas cuya ansiedad aumenta en proporción a su grado de depresión; entonces, cuanto más ansiosas están, más aumenta la depresión y de esta manera se crea un círculo vicioso. Éstas son algunas de las formas en que la ansiedad puede contribuir a la depresión:

- **Hablar con uno mismo**. Si una mujer padece ataques de pánico y se dice a sí misma: «Soy débil... Debería poder superar esta situación... Me pasa algo malo», este tipo de comentarios hará que su ánimo decaiga todavía más. Ahora, en lugar de intentar superar los ataques de pánico, también está deprimida.
- **No realizar las actividades normales y cotidianas**. Cuanto más evita una persona a sus familiares o amigos, su trabajo y las tareas que le producen placer, menos realizada se siente. Por ejemplo, a un hombre que no va a trabajar y se queda en casa le puede embargar temporalmente una sensación de seguridad. El problema es que está encerrado en casa todo el día sin oportunidad de relacionarse positivamente con sus compañeros, y con pocas ocasiones de sentir que está haciendo algo útil. De este modo, es posible que al final del día haya conseguido eludir un ataque de pánico al no moverse, pero ahora quizá también se diga a sí mismo: «Soy un inútil. Me he pasado todo el día sin hacer nada, y ahora ni siquiera logro trabajar». La evitación, y las reflexiones posteriores sobre ella, pueden llevarlo a una depresión.

La depresión también puede aumentar el grado de ansiedad. Hace que las personas sobrestimen el riesgo de hacer algo fuera de su casa, y subestimen los beneficios de esa actividad. Cuando una persona lucha con una depresión, suele pensar: «No puedo hacer lo que necesito. No sirve de nada, ¿para qué molestarse? No tiene sentido y, en el fondo, esas cosas me dan exactamente igual». Si te sientes realmente deprimido, te parecerá que lo mejor es aislarte y apartarte de todo. Por ejemplo, después de pasar una mala noche, puede que decidas quedarte en casa y no ir a trabajar, para no tener que moverte de la cama. En ese momento, la decisión parece buena. Sin embargo, a medida que avanza el día, puede que empieces a pensar: «¡Oh, no! ¡He vuelto a faltar al trabajo! Con ésta ya van tres veces... Tengo tanto trabajo atrasado que no creo que pueda recuperarlo... ¿Y si me despiden?». El no haber realizado las actividades requeridas puede inducir a alguien a asustarse de verdad al pensar en cuáles pueden ser las consecuencias, lo cual a su vez puede aumentar la probabilidad de tener problemas de ansiedad.

¿La ansiedad puede aumentar la probabilidad de suicidio?

Aunque los pensamientos pasajeros sobre el suicidio no son raros ni infrecuentes, pensar detenidamente en acabar con nuestra vida es un proceso grave que necesita atención profesional. Los estudios revelan que las personas que tienen trastornos de ansiedad a menudo también padecen depresión; la sensación de desesperanza asociada con la depresión es el motivo más probable de que alguien piense en quitarse la vida. Es más probable que se suiciden aquellas personas que creen que sus circunstancias nunca mejorarán que aquellas otras que aún tienen alguna esperanza. La desesperanza, por definición, no se fundamenta en un pensamiento claro y preciso. El desespero asume que una persona sabe exactamente qué le depara el futuro, lo cual es imposible.

En Estados Unidos, cada año se suicidan unas 10 personas de cada 100.000. Si a alguien se le ha diagnosticado un trastorno depresivo agudo, la probabilidad de que acabe con su vida asciende a 400 entre 100.000. Está claro que esta cifra es muy superior a la que se aplica al resto de la población. En torno al 20 % de personas que padecen un trastorno de pánico o fobia social intentan *sin éxito* quitarse la vida. Si además están deprimidas, es más probable que intenten suicidarse.

Algunos otros de los factores de riesgo asociados con el suicidio que tiene éxito son:

* ser varón
* la edad: cuanto mayor, más riesgo
* la falta de pareja estable
* una enfermedad crónica

- el consumo inmoderado de alcohol
- tener un plan para suicidarse
- tener acceso a un medio que permita suicidarse
- carecer de motivos para seguir viviendo
- haberlo ensayado e intentado con anterioridad

Si piensas a menudo en el suicidio, contacta con un psicólogo para que te ayude. Si crees que el intento de suicidio es inminente, llama al 061. Los profesionales y los miembros de la familia deben ser conscientes de que las personas que dicen que se van a suicidar es probable que lo intenten. Hay que eliminar todo acceso a los posibles medios, como pistolas o pastillas. La persona con deseos de suicidarse debe estar en un lugar seguro, como un hospital psiquiátrico. Si esto no es posible, debe tener a alguien cerca durante el período de riesgo. La buena noticia es que la depresión se puede tratar bien recurriendo a la medicación y (o) la psicoterapia. Si se trata la enfermedad y el suicida potencial ve cierta esperanza, la mayoría de los impulsos suicidas se desvanecen.

¿Hay algún tipo de ansiedad que sea positivo?

La ansiedad se considera saludable cuando nos motiva a actuar para conseguir alguna meta. Igual que un buen reloj despertador, la ansiedad puede indicarnos que es hora de actuar. Si una persona siente ansiedad por acabar un informe o estudiar para un examen, hará algo para que ésta disminuya. La reducción de la ansiedad que siente es una recompensa, y le brinda un objetivo en el que fijar la vista la próxima vez que tenga que acabar un proyecto. Sin embargo, si la ansiedad es demasiado intensa, puede interferir en la consecución de la tarea, y hacer que la persona opte por eludirla.

Hay que tener presente que la ansiedad de bajo nivel es una respuesta totalmente natural a los nuevos desafíos y situaciones. Un grado soportable de ansiedad puede ser una ventaja, al funcionar como inductor del cambio y la mejora, y haciendo que estemos más alertas y prestemos más atención. Un ejemplo de esto lo vemos en un actor que se prepara para salir al escenario. Mientras la ansiedad no sea excesiva, la subida de adrenalina puede darle el impulso extra que necesita para concitar la atención del público.

A medida que vayas leyendo este libro, te ayudará recordar que las emociones no son fenómenos de «todo o nada»; aparecen en niveles o grados, igual que un termómetro tiene una escala para indicar la temperatura. Dada una circunstancia particular, ¿cuál creerías que es un grado de ansiedad soportable? Un grado cero no suele ser realista, e incluso quizá sea imposible. Recuerda que existe una diferencia entre la inquietud saludable y la ansiedad excesiva. Por lo general, para reducir tu grado de ansiedad es necesario pensar de una forma más equilibrada, y enfrentarte a tus temores en lugar de eludirlos.

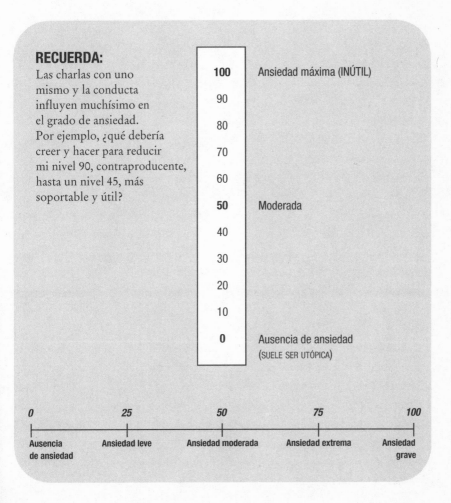

RECUERDA:
Las charlas con uno mismo y la conducta influyen muchísimo en el grado de ansiedad. Por ejemplo, ¿qué debería creer y hacer para reducir mi nivel 90, contraproducente, hasta un nivel 45, más soportable y útil?

100 — Ansiedad máxima (INÚTIL)
90
80
70
60
50 — Moderada
40
30
20
10
0 — Ausencia de ansiedad
(SUELE SER UTÓPICA)

0	25	50	75	100
Ausencia de ansiedad	Ansiedad leve	Ansiedad moderada	Ansiedad extrema	Ansiedad grave

Capítulo 2

¿QUÉ HAY DEL ESTRÉS?

- ¿Es lo mismo estrés que ansiedad?
- ¿Qué factores crean estrés?
- ¿Cómo afecta el estrés a mi cuerpo?
- ¿Qué pasará si no elimino los obstáculos que crean estrés?
- ¿Qué cambios saludables puedo introducir en mi vida para reducir el estrés?
- ¿Pueden explicarme cómo gestionan el estrés personas distintas? ¿Cuál es la mejor técnica a tal fin?

¿Es lo mismo estrés que ansiedad?

A menudo estas dos palabras se usan como si fueran sinónimos. El estrés implica una presión externa, mientras que la ansiedad describe una experiencia interna. A pesar de ello, solemos decir que «tenemos estrés» o estamos «estresados», lo cual conlleva asimismo una experiencia interna. Quizá la diferencia radica en que muchas veces la ansiedad no parece razonable, ni para quien la sufre ni para quienes lo rodean. Una persona puede sentir ansiedad sin saber por qué, o como respuesta a una inquietud que sabe que no es importante. Por otra parte, el estrés se puede entender como algo más razonable, y considerarse una reacción directa a unas circunstancias vitales difíciles. Algunas personas dirían que el estrés es más «normal» o natural, y definirían la ansiedad como más atípica o perjudicial.

Independientemente de la palabra que usemos, el estrés y la ansiedad suelen producir unos síntomas físicos parecidos. Entre otros, tensión muscular, malestar en el estómago, dolores de cabeza, aceleración del ritmo cardíaco y una sensación indefinida de presagio. Es posible que, cuando nos enfrentamos a una fecha tope, una relación conflictiva con otros o a problemas financieros, nos demos cuenta de que enseguida nos sentimos frustrados e impacientes. Estas sensaciones tan incómodas pueden mejorar cuando aprendemos formas mejores de enfrentarnos a los agentes del estrés. De no hacerlo, una persona puede correr el riesgo de desarrollar una enfermedad relacionada con el estrés, como el síndrome del intestino irritable y dolores de cabeza crónicos debidos a la tensión.

¿Qué factores crean estrés?

La respuesta a esta pregunta dependerá de la forma que tenga el terapeuta de abordar los problemas. Nosotros analizaremos las causas del estrés partiendo de dos puntos de vista principales, el cognitivo-conductual y la psicodinámica.

Diagrama (página siguiente):
Como ves, un mismo estímulo puede producir distintas emociones y conductas: ¡la clave está en lo que creas acerca de ese estímulo!

Explicación cognitiva-conductual: Cuando preguntamos a alguien las causas del estrés, la gente suele citar determinados sucesos o circunstancias de la vida. Estas causas pueden incluir acontecimientos catastróficos (que se queme la casa, un huracán, una inundación); cambios en la vida (matrimonio, divorcio, muerte de un ser querido); o las dificultades cotidianas (problemas laborales, agendas apretadas, averías en el coche).

No obstante, sea cual fuere el suceso o situación relacionados con el estrés, lo que determina el grado de estrés que padeceremos es más bien nuestra interpretación del mismo y nuestra capacidad de asimilarlo. Por ejemplo, una mujer que piense «No aguanto este trabajo tan estresante. No podré superarlo nunca», experimentará un grado de estrés más elevado que el de otra que se dice: «Ha sido un día agotador, pero lo superaré relajándome esta tarde». Incluso aunque esta persona considera que un suceso es bastante negativo o estresante, como sabe que puede superarlo, su grado de estrés se reduce y aumenta la probabilidad de que responda al estímulo de una forma adaptativa.

Explicación psicodinámica: El estrés es una sensación de tensión que nace del choque de dos «fuerzas» opuestas. Por una parte,

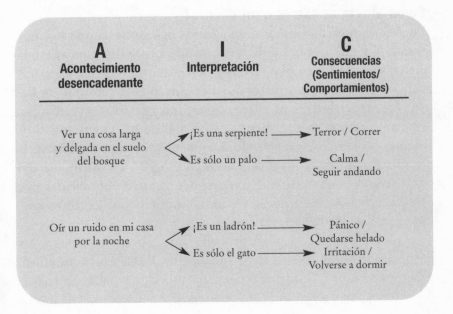

quiero hacer algo o siento que *debería* hacerlo. También es posible que quiera que *no* pase algo, o sienta que eso no debería suceder. Por otra parte, tenemos unas **fuerzas externas** opuestas (*ellos* tienen una idea distinta a lo que yo quiero o me siento obligado a hacer) y otras **internas** (*yo* me opongo a lo que quiero o me siento obligado a hacer). La tensión entre ambas fuerzas crea el estrés.

Pondremos un ejemplo. Imaginemos que soy un alumno de Empresariales a quien han pedido que realice un proyecto financiero junto con uno de mis compañeros. La nota final del curso dependerá de lo que mi colega y yo hagamos en este trabajo. Teniendo en cuenta que la persona con la que me han emparejado tiende a trabajar según la ley del mínimo esfuerzo, lo considero un obstáculo para obtener una buena nota. Mi compañero se toma a la ligera mi preocupación por nuestra nota, y los demás compañeros me dicen que si se lo cuento al profesor soy un mal compañero. Por tanto, los obstáculos a los que me enfrento son: el compañero que me ha correspondido, el código ético del resto de compañeros y mi propia timidez y aversión a todo tipo de enfrentamiento. Estos obstáculos crean fricción y estrés. El sistema ha entrado en un conflicto, y la armonía se agota rápidamente.

¿Cómo afecta el estrés a mi cuerpo?

Todos llevamos incorporado un sistema de respuesta que nos impulsa a la lucha o a la huida, que cuando nos enfrentamos a una amenaza nos induce a plantarnos y defendernos, o bien a alejarnos de una situación estresante (como mecanismo de defensa). Este sistema fue especialmente útil para nuestros antepasados cavernícolas. Semejante respuesta automática activa significativamente muchos sistemas biológicos, incluyendo el aumento del ritmo cardíaco, la presión sanguínea, el nivel de azúcar en sangre y las hormonas del estrés, como la epinefrina. Estas respuestas están controladas por diversas estructuras corporales, como el hipotálamo, la glándula pituitaria y las glándulas adrenales.

Aunque hoy día es poco probable que nos enfrentemos a los mismos estresores que nuestros antepasados de las cavernas, puede haber momentos en que nos activen unos sucesos igual de amenazadores (p. ej., un coche que se nos viene encima, una alarma de incendios). Por consiguiente, en determinados momentos nuestro sistema de alarma interno puede adaptarse bastante a las circunstancias. Sin embargo, cuando nos vemos expuestos a un estrés persistente (p. ej., el estrés laboral), y cuando nuestros sistemas de alarma permanecen activados, nuestra mente y nuestro cuerpo tendrán que pagar el precio. Hemos de ser capaces de enfrentarnos correctamente a los agentes estresantes, descansar y relajarnos para poder seguir enfrentándonos a ellos. Si no lo hacemos, no sólo puede disminuir nuestra salud emocional, sino también la física, y en un grado significativo.

Si tu cuerpo se encuentra en un estado constante de alerta ante el estrés, puedes tener problemas como, por ejemplo, la hipertensión, la arritmia cardíaca, insomnio, molestias gastrointestinales, dolores de cabeza, tensión muscular y dolor de espalda. Aparte de esto, el estrés constante puede afectar al cuerpo mediante unos hábitos perjudiciales para superar el estrés, como el de comer en exceso, fumar, consumir alcohol frecuentemente o recurrir a las drogas. A largo plazo, el cuerpo puede sumirse en un estado disfuncional, que a su vez puede aumentar el riesgo de padecer enfermedades graves y crónicas, tales como las afecciones cardíacas o el cáncer. Por tanto, es esencial que aprendamos y apliquemos formas eficaces de gestionar el estrés, y que las empleemos regularmente.

¿Qué pasará si no elimino los obstáculos que crean estrés?

...Que el estrés tendrá que encontrar una salida. A continuación exponemos algunas de las formas en que podría pasar esto, de acuerdo con las teorías psicodinámicas:

- Puedes dirigir tu ira contra otra persona. Esto te llevará a buscar motivos para pelearte con compañeros de trabajo, amigos, tu pareja o incluso el perro. Cuando hacemos que otros representen un papel en nuestros conflictos internos, estamos exteriorizando el estrés. Esto puede dar pie a problemas matrimoniales o familiares, y a que nos quedemos alienados respecto a nuestros amigos o compañeros.
- También puedes proyectar tu impotencia hacia otra persona. En lugar de admitir que te sientes estresado, puedes tratar a otros como si fueran ellos quienes lo están, cuidando de tus amigos o

familia más de lo necesario. Por supuesto, esto puede redundar en un aumento de tu estrés y dar origen a un círculo vicioso.

• Puedes somatizar tu estrés, o experimentarlo como una dolencia física. Centrarte en tus síntomas físicos puede parecer una manera más sencilla de recibir el cuidado y apoyo de los demás. El estrés también puede contribuir directamente al malestar físico (p. ej., tensión muscular excesiva, pérdida del sueño).

• Puedes sentirte «quemado» y deprimirte.

• Puedes recurrir a la bebida o a las drogas.

• Es posible que se resienta tu rendimiento laboral. Quizá cometerás más errores o sufrirás olvidos que te crearán más problemas laborales.

¿Qué cambios saludables puedo introducir en mi vida para reducir el estrés?

Algunas de las estrategias útiles incluyen tener buenos hábitos a la hora de dormir; seguir una dieta equilibrada; hacer ejercicio regularmente; practicar técnicas de relajación o yoga; forjarse un respaldo social firme. El hecho de introducir en tu día a día unos hábitos saludables ¡tiene un valor incalculable!

Intenta ver los agentes estresantes desde un punto de vista más realista, en lugar de definirlos como catástrofes. Aprende a pensar de un modo más equilibrado y preciso. Hay personas que sacan partido de considerar que sus factores estresantes son oportunidades, motivadores para actuar, cambiar, crecer y alcanzar nuevas metas.

Para obtener consuelo y fortaleza interior, recurre a tu tradición religiosa o espiritual. Son muchas las tradiciones que nos invitan a ceder a un poder superior nuestra preocupación, dolor, culpa y vergüenza, así que, ¡libérate de tales cosas!

Te puede resultar extremadamente útil contar con alguien a quien poder recurrir, formal o informalmente, en busca de consejo y consuelo, o para que te haga de caja de resonancia. Puede ser una persona que sepa escuchar bien y que te proporcione un punto de vista objetivo: alguien con quien siempre coincides en el camino al trabajo, un amigo con quien quedas para comer, un mentor o un terapeuta.

Siempre resulta positivo recordar que, en el combate contra el estrés, no estás solo. Relaciónate con personas que tengan que luchar con las mismas causas de estrés que tú, animaos mutuamente y comparte con ellas trucos para mejorar. Los grupos de apoyo, como Parents without Partner (Padres sin pareja), Alcohólicos Anónimos o un grupo de consulta para proveedores de asistencia sanitaria, pueden reducir el aislamiento y proporcionar una ayuda práctica.

¿Pueden explicarme cómo gestionan el estrés personas distintas? ¿Cuál es la mejor técnica a tal fin?

Lo más típico es que las personas reaccionen ante las circunstancias adversas de cuatro formas posibles. Cada uno de los estilos o formas de superación descritas en el cuadro tienen sus ventajas y sus desventajas:

¿Qué técnica empleas *tú* con ese problema que tienes? Como entenderás, «**Aceptar la responsabilidad**» suele ser el estilo más sano y productivo, pero también exige un trabajo muy arduo. Las otras opciones resultan más fáciles, pero generalmente te proporcionan unos *beneficios a corto plazo* a costa de un *sufrimiento a largo plazo*, y tienden a dejarte bloqueado. En realidad, «**Aceptar la responsabilidad**» (*mediante el desarrollo de un pensamiento más realista y equilibrado y de una conducta más saludable*) es el único estilo que marca una diferencia significativa para la resolución de tus problemas.

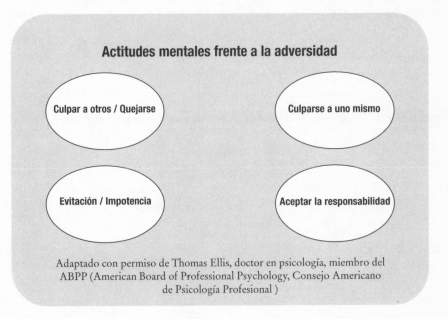

Actitudes mentales frente a la adversidad

Culpar a otros / Quejarse

Culparse a uno mismo

Evitación / Impotencia

Aceptar la responsabilidad

Adaptado con permiso de Thomas Ellis, doctor en psicología, miembro del ABPP (American Board of Professional Psychology, Consejo Americano de Psicología Profesional)

- ¿Puedo recibir ayuda sin tomar medicación?
- ¿Qué tipos de psicoterapia son los más frecuentes para tratar la ansiedad?
- ¿Cuánto tiempo suele durar la psicoterapia?
- ¿Cuánto cuesta la psicoterapia?
- No dejo de preguntarme por qué tengo tanta ansiedad. Para poder mejorar, ¿tengo que conocer la respuesta?
- La gente me dice que soy demasiado negativo. ¿Eso qué significa, y cómo puedo cambiar de forma de pensar?
- ¡No me esperaba que la terapia incluyese deberes para casa! ¿Por qué tengo que hacerlos?
- ¿Cuándo suelen acudir a una consulta las personas con ansiedad?

¿Puedo recibir ayuda sin tomar medicación?

Sí. La psicoterapia es una alternativa válida a la medicación, y tiene ciertas ventajas. En primer lugar, no experimentas los efectos secundarios físicos que puede generar una medicación. En segundo lugar, puedes desarrollar habilidades y adquirir instrumentos que te ayuden siempre que aparezca la ansiedad. Por último, y lo que es más importante, un tratamiento de psicoterapia eficaz puede producir unos cambios permanentes, que no dependen del uso de un fármaco determinado.

Si quieres recurrir a la psicoterapia con objeto de aliviar tu ansiedad, necesitarás invertir tiempo y esfuerzo. Tu motivación para mejorar es un factor clave con vistas a la eficacia de tu terapia. A menudo la psicoterapia produce una angustia transitoria, dado que conlleva enfrentarse a las causas de la ansiedad. La diferencia estriba en que eres tú el que controla la ansiedad, y no a la inversa.

Si estás pensando en someterte a terapia, recuerda que existe toda una gama de enfoques terapéuticos, que describimos con mayor detalle en la respuesta a la siguiente pregunta. Además, hay muchos terapeutas eclécticos, es decir, que emplean elementos de diversos paradigmas porque han descubierto que son eficaces para tratar a sus pacientes. Es aconsejable que, antes de iniciar una terapia, investigues para descubrir el punto de vista y el terapeuta con quien te sientas más a gusto. Aparte de esto, e independientemente de la técnica que emplee, es muy importante que los dos «conectéis».

¿Qué tipos de psicoterapia son los más frecuentes para tratar la ansiedad?

La investigación demuestra coherentemente que la terapia cognitivo-conductual (TCC) es el tratamiento más eficaz de los diversos trastornos por ansiedad. La terapia psicodinámica goza de una larga historia, pero la investigación la respalda menos. Hay una nueva terapia llamada «desensibilización y reprocesamiento por el movimiento ocular» (DRMO) que sigue sometida a debate, pero que se admite como opción de tratamiento para un trastorno de ansiedad basado en un trauma. La terapia de grupo también se ha usado en gran medida con víctimas de traumas, además de con individuos con fobia social. Otros enfoques incluyen la hipnosis clínica y la terapia matrimonial. Si bien existen muchas otras terapias, las que hemos mencionado son las que más a menudo aparecen en la literatura sobre el tema.

Debido a su importancia para los trastornos de ansiedad, a continuación analizaremos con más detalle la TCC.

La **terapia cognitivo-conductual** se centra en cambiar los pensamientos (cogniciones) y las conductas que perpetúan la ansiedad. La parte «cognitiva» conlleva la identificación y la modificación de los pensamientos irracionales e inútiles («¡Es terrible!») que contribuyen a la ansiedad. Una vez los pacientes aprenden a evaluar de una forma más realista las presuntas amenazas, y que por medio de la práctica adoptan opiniones más precisas («Es una molestia, pero la puedo superar»), pueden reducir su grado de ansiedad. Uno de los fundamentos importantes de la TCC es la idea de que nuestros sentimientos y conductas no vienen determinados por los acontecimientos reales, sino por nuestras creencias o pensamientos sobre éstos. Buena parte del trabajo de la TCC se centra en solventar conductas y ofrecer ejercicios y tareas para ayudar al paciente a introducir cambios en su vida cotidiana (p. ej., huir menos de las cosas, realizar actividades más placenteras).

Una de las técnicas más poderosas de la TCC es **la terapia por exposición**. Esta técnica conlleva exponer al paciente (gradualmente) a aquello que desata su ansiedad (p. ej., un recuerdo traumático, un estímulo fóbico). A cada paso, el terapeuta permite que la ansiedad del paciente llegue a un punto álgido y luego disminuya, antes de dar el paso siguiente, hasta que el paciente puede exponerse al desencadenante sin sentir ansiedad, o muy poca. Los estudios han demostrado claramente que la exposición es un elemento clave para el tratamiento eficaz de la ansiedad.

Las terapias que se concentran en las **relaciones interpersonales**, como la relación con la pareja, la familia y la terapia de grupo, también pueden ser muy positivas. Con este tipo de intervención, las personas llegan a entender mejor cómo comunicarse eficazmente y aprender a resolver mejor las diferencias. También se les puede enseñar algunas técnicas concretas para aliviar la ansiedad en un entorno social.

Los terapeutas que aplican un enfoque **psicodinámico** te ayudan a ser consciente de tus deseos secretos y ocultos, además de a descubrir las defensas subliminales que utilizas para reprimirlos. Este enfoque puede requerir una terapia que se prolongue desde varios meses hasta varios años. Se piensa que los deseos ocultos (es decir, cuando creemos que si pensamos en ellos, los sentimos o actuamos según ellos, recibiremos un castigo) forman parte de todos nosotros, y generan ansiedad cuando tomamos conciencia de ellos. Los terapeutas psicodinámicos creen que si reevaluamos y aceptamos esos deseos prohibidos podremos reducir la ansiedad y asumir un mayor control sobre nuestras decisiones. El enfoque psicodinámico, que se fundamenta en los estudios de caso, la observación de padres e hijos y la sabiduría convencional, está mucho menos estructurado, y por tanto resulta difícil de investigar.

¿Cuánto tiempo suele durar la psicoterapia?

La psicoterapia destinada a tratar un trastorno de ansiedad suele conllevar una sesión por semana, y a menudo concluye al cabo de pocos meses. Algunas terapias son incluso más breves, y en cambio otras pueden prolongarse durante un año o más. La duración depende del tipo de terapia y de trastorno de ansiedad, así como de la presencia de factores que lo compliquen. Éstos son algunos de los factores que afectan a la duración de la terapia:

1. Las terapias cognitivo-conductuales son típicamente más breves que las psicodinámicas. Esto se debe a que los paradigmas cognitivo-conductuales se centran en los cambios directos en el pensamiento y la conducta, mientras que los psicodinámicos optan por un enfoque más amplio, y ayudan a resolver los conflictos que generan los problemas.
2. Cuanto más se remonte en el tiempo el trastorno de ansiedad, más tiempo es posible que requiera su resolución.
3. Si un paciente presenta unos trastornos médicos o psiquiátricos añadidos, es posible que la terapia se prolongue más. Cuando la ansiedad se presenta junto a un trastorno de personalidad, el tratamiento puede ser más complicado y exigir que el proceso se dilate.
4. Si la asistencia regular a las sesiones de terapia es un problema debido a la situación económica del paciente, a obligaciones so-

ciales o profesionales o a la propia enfermedad, es probable que la terapia se espacie más en el tiempo.

Un buen indicador de lo que puede durar una terapia es cómo se lleven el paciente y el terapeuta después de dos o tres sesiones. Si se sienten a gusto el uno con el otro, la terapia a menudo es más eficaz y exitosa. También es muy importante elaborar junto al terapeuta una lista de objetivos en las primeras fases de vuestras sesiones. ¿Qué esperas conseguir al asistir a una terapia? Cuanto más específica sea tu respuesta a esta pregunta, mejor. Una lista de objetivos definidos puede servirte de mapa de carreteras, para que sepas cuáles son las metas que pretendes alcanzar con la terapia. Es igualmente esencial que vayáis evaluando los progresos a medida que se suceden las sesiones.

¿Cuánto cuesta la psicoterapia?

El precio de la psicoterapia varía dependiendo de la disciplina que siga el profesional y de la póliza de seguros que tenga el paciente, y también de la región del país. Por lo general, los psiquiatras (médicos especializados en psicología) son los que cobran más, seguidos en este orden por los psicólogos doctorados, con máster, consejeros, trabajadores sociales y enfermeras psiquiátricas. Decimos *por lo general* porque la experiencia y la reputación del médico también son factores que tener en cuenta, y pueden compensar las diferencias de formación. Los psiquiatras tienen una licenciatura en medicina, y pueden realizar exámenes físicos, ordenar pruebas de laboratorio y recetar medicinas. No todos los psiquiatras ofrecen psicoterapia; muchos remiten a sus pacientes a otros profesionales de la salud mental para que los sometan a tratamiento. Por otra parte, existen otros psiquiatras que derivan pacientes para que otros supervisen su medicación y que se centran exclusivamente en las sesiones de psicoterapia.

Las compañías de seguros médicos difieren respecto al grado de cobertura para la salud mental que ofrecen, de modo que lo mejor es estudiar el plan de que dispones actualmente. La mayoría de las compañías limitan el número de sesiones que pagan al año. La cifra más frecuente es de entre 20 y 26 visitas anuales, pero cada aseguradora tiene su política particular. Si dependes de una red de contención del gasto sanitario es posible que tengas que elegir a tu terapeuta de entre una lista de profesionales aprobados.

Las visitas pueden durar entre 45 y 60 minutos. En los casos en que el seguro no cubre el precio de la terapia, algunos médicos ofrecen lo que llaman una «escala de tarifas variables», de modo que el precio esté en función de tus ingresos. Es posible que puedas acceder a otras alternativas más económicas, incluyendo centros universitarios de consejería, clínicas sin ánimo de lucro y centros de formación terapéutica. Este procedimiento te ahorrará sorpresas desagradables, y contribuirá a que tu terapia progrese sin altibajos.

No dejo de preguntarme por qué tengo tanta ansiedad. Para poder mejorar, ¿tengo que conocer la respuesta?

No es de extrañar que quieras entender *por qué* te sientes tan ansioso. Como personas, somos procesadores de información: nos gusta entender los motivos detrás de lo que nos pasa, de manera que podamos sentir que nuestro mundo es más predecible y manejable. Si entiendes el porqué de algo tendrás más facilidad para identificar los patrones viejos y desprenderte de ellos. Quizá te orientes por un tipo de terapia que te ofrezca estas visiones (psicodinámica o psicoanalítica), y quieras explorar las fuentes de ansiedad presentes en tu historia y tus relaciones personales; esto podría ayudarte a cerrar viejas heridas y a liberar energías que dedicarás a cambiar tu conducta. Las desventajas de este enfoque son el tiempo que hay que invertir y el coste. Así que, más bien, la pregunta debería ser: «¿Hasta qué punto necesitas entender tu forma de pensar y de actuar antes de empezar a cambiarla?».

La alternativa consiste en abordar directamente la forma de pensar y la conducta que causa tus problemas (lo cual puede hacerse en la terapia cognitivo-conductual, o TCC). Este método requiere menos tiempo y sostiene que, aunque entiendas plenamente el porqué de tu ansiedad, si quieres mejoras tendrás que introducir cambios en tu forma de pensar y de comportarte.

En cuando a tu pregunta del porqué, hemos descubierto que las personas padecen ansiedad debido a una *combinación de factores*. Algunos de éstos son:

- La predisposición biológica a padecer problemas emocionales
- Una historia familiar donde haya casos de ansiedad
- El temperamento individual o los rasgos de personalidad
- La historia de aprendizaje social (p. ej., unos padres demasiado protectores; un entorno familiar impredecible y volátil)
- Factores y presiones medioambientales (p. ej., un matrimonio difícil, el paro, una enfermedad)
- La forma de pensar (p. ej., «No puedo superarlo; he perdido el control; va a pasar algo terrible»)
- Las conductas (p. ej., huir de los problemas, no dormir lo suficiente o bien no defender nuestro punto de vista, sobrecargarnos de obligaciones)

Quizá la lista anterior te ayude a identificar algunas de las fuentes de tu ansiedad y te libere para seguir adelante en el proceso de hacer algo para solventarla. Para muchas personas, el hecho de preguntarse constantemente «¿por qué?» es una distracción o una técnica de evitación, que los ayuda a no enfrentarse a la responsabilidad de hacer cambios. Pero, a veces, ¡la visión te llega *después* de haber hecho los cambios! En última instancia, de ti depende cuánto tiempo y esfuerzo quieras dedicar a explorar la pregunta «¿por qué?». Sin embargo, recuerda que saber los motivos es importante, pero raras veces basta para mejorar la calidad de vida.

La gente me dice que soy demasiado negativo. ¿Eso qué significa, y cómo puedo cambiar de forma de pensar?

Muchas personas tienen el hábito de pensar negativamente, pero esto se puede modificar. El pensamiento que poco a poco va siendo menos negativo requiere la disposición de cuestionar las ideas antiguas, inútiles, imprecisas y practicar otras nuevas, más útiles, concretas. Los dos fundamentos principales de la terapia cognitivo-conductual, que son la **terapia racional emotiva conductual (TREC)** y la **terapia cognitiva**, ofrecen explicaciones detalladas sobre la influencia del pensamiento negativo constante, además de estrategias para cambiarlo.

La TREC, que desarrolló Albert Ellis, identifica cuatro tipos de creencias irracionales que tienen todos los seres humanos. Estas creencias irracionales generan emociones extremadamente negativas, y provocan una conducta aún más perjudicial. A la gente le va mejor cuando desafía estas creencias irracionales y desarrolla una forma de pensar más racional (véase diagrama en esta misma página).

La terapia cognitiva, que fundó Aaron Beck, también sostiene que las personas cometen «errores de pensamiento» regularmente, conocidos como distorsiones cognitivas. Cuando alguien se aferra a una forma de pensar distorsionada, generalmente se siente peor; desarrollar un modo de pensar más realista y equilibrado tiende a mejorar las emociones y a la resolución de problemas. Aquí están algunos de los errores de pensamiento que Beck identificó (fuente: *Terapia cognitiva*, de Judith Beck), con algunos ejemplos y alternativas:

Creencias irracionales (provocan ansiedad, pánico, ira, rabia, furia y depresión, y son menos eficaces para resolver problemas)	Alternativas racionales (producen preocupación, irritación, tristeza o decepción, y son más eficaces para resolver problemas)
Exigencias No debería sentir ansiedad. El mundo debería ser justo y fácil.	**Preferencias** Ojalá no tuviera que luchar con la ansiedad, pero puedo superarla. Ojalá el mundo fuera justo y fácil, pero no tiene por qué serlo.
El yo global / valoraciones de otros No sirvo para nada. Ese tío es un imbécil.	**Evaluación de conducta (No juzgar el valor de una persona)** Tomé una mala decisión, pero yo no soy malo. Él se comportó mal durante nuestra conversación.
Baja tolerancia a la frustración Como esto no me gusta, no lo soporto.	**Tolerancia mejorada a la frustración** Esto no me gusta, pero puedo soportarlo.
«Terribilización» Como no me gusta sentir ansiedad, es que ésta es terrible, espantosa, horrible.	**«Antiterribilización»** Luchar con la ansiedad es un agobio, pero no es terrible ni espantoso.

El pensamiento de todo o nada: Sólo encuadras las cosas en dos categorías (bueno / malo; correcto / erróneo; ansioso / no ansioso), sin tener en cuenta que existen «zonas grises» o «intermedias».

Sentir ansiedad significa estar triste, en lugar de *Sentir ansiedad es inconveniente.*

El catastrofismo: Asumes que pasará lo peor, sin darte cuenta de que es probable que existan otras alternativas menos preocupantes.

Nunca lograré vencer mis temores, en lugar de *Si trabajo el tema, puedo aprender a vencer mis temores.*

Razonamiento emocional: Crees que algo es cierto sólo porque sientes que lo es (en realidad, ésta es una creencia muy fuerte que tienes, e incluso cuando no hay evidencias que la respalden estás convencido de tener razón).

Sé que va a romper conmigo, en lugar de *Me ha dicho que es muy feliz conmigo. No hay ninguna evidencia de que quiera romper conmigo ahora mismo.*

La lectura de la mente: Asumes que sabes lo que piensa todo el mundo, incluso cuando nadie te lo dice.

Piensan que soy un fracasado, en lugar de *No tengo manera de saber lo que piensan.*

Personalización: Crees que eres el motivo de que haya pasado algo malo o de que alguien haya reaccionado mal, sin tener en cuenta otras explicaciones más plausibles.

No me ha saludado porque he hecho algo que lo ha molestado, en lugar de *No me ha saludado porque estaba concentrado en su trabajo.*

Afirmaciones del tipo *debería / debe*: «Exiges» cómo deberían ser las cosas (p. ej., tu conducta, la conducta de otros), y exageras qué mal va todo cuando las cosas no van como esperabas.

No debería estar tan ansioso, es terrible, en lugar de *A menudo sentir ansiedad es un rollo, pero, aun así, puedo disfrutar de la vida.*

¡No me esperaba que la terapia incluyese deberes para casa! ¿Por qué tengo que hacerlos?

Muchos terapeutas dicen que lo que realmente marca una diferencia en el grado de eficacia de la terapia es lo que el paciente hace entre una y otra sesión. Por ejemplo, si te has pasado buena parte de tu vida pensando negativamente, el proceso de reforma de tus pensamientos exigirá también un tiempo y una práctica.

La forma de pensar poco realista, negativa, es un hábito. No puedes cortar en seco tus pensamientos negativos. Resulta más beneficioso aprender a sustituir tus creencias inútiles y falsas por unos pensamientos más realistas y equilibrados. Sustituir el «chip» por otro más positivo requiere un esfuerzo, ¡pero al final vale la pena!

¿Cuándo suelen acudir a una consulta las personas con ansiedad?

El momento en que una persona que padece ansiedad busca ayuda suele depender del trastorno de ansiedad concreto, de la personalidad del paciente y de lo que pase en su entorno. Éstas son algunas observaciones generales:

1. Es frecuente que una persona con ataques de pánico busque ayuda cuando padece uno de los ataques, pensando que se está volviendo loca o que tiene un ataque al corazón. Lo más típico es que vaya corriendo a Urgencias para que la examinen y medi-

quen, sin ser consciente de que padece un trastorno de ansiedad hasta que un médico se lo diagnostica. Las personas con ataques de pánico no suelen tardar mucho tiempo en buscar ayuda.

2. Por el contrario, las personas que padecen un trastorno obsesivo-compulsivo pueden pasar años sin buscar ayuda, porque se avergüenzan de su problema y lo mantienen en secreto.

3. Las personas con un trastorno de ansiedad generalizado suelen aceptar que su preocupación es normal. A veces somatizan el problema, es decir, que padecen síntomas físicos que son manifestaciones de su ansiedad. Pueden sentir dolores de cabeza debidos a la tensión, problemas gastrointestinales, dolor muscular, opresión en el pecho y dificultades para respirar; todos éstos pueden ser indicios de ansiedad. Muchas de las personas que nunca irían al médico por sentir ansiedad acudirán a su consulta al sentir estos indicadores somáticos. A menudo, los síntomas somáticos se activan cuando la persona preocupada se enfrenta a un reto especialmente difícil o a un dilema.

4. Es posible que las personas que tienen fobias concretas no busquen un tratamiento hasta que la fobia en cuestión interfiera gravemente en su funcionamiento. Por ejemplo, es probable que una persona que siente miedo a volar no busque ayuda hasta que sepa que tiene que subir a un avión por motivos laborales.

5. Las personas que padecen una fobia social pueden pasar un mal rato cuando tengan que buscar ayuda, dado que les da miedo hacer cosas que puedan humillarlos delante de otros.

6. El hecho de que una persona que padece un trastorno de estrés agudo o un trastorno de estrés postraumático busque o no ayuda dependerá de hasta qué punto los síntomas le permitan llevar una vida normal. El mero hecho de pensar en hablar o reflexionar sobre el trauma puede angustiarlos mucho, de modo que la gente evita buscar ayuda. Frecuentemente, quienes padecen TEP suelen empezar un tratamiento porque se lo piden sus seres queridos, más para satisfacer a otros que a sí mismos.

Capítulo 4

EL TRATAMIENTO FARMACOLÓGICO DE LA ANSIEDAD

- Si padezco ansiedad, ¿es que mi cerebro es distinto al de los demás?
- ¿Se puede tratar la ansiedad con medicación?
- ¿Cuáles son las ventajas y desventajas de tomar estos medicamentos?
- Me he enterado de que las benzodiazepinas tienen muchos efectos secundarios. ¿Cuáles son? ¿El BuSpar es una buena alternativa?
- De todos los fármacos disponibles hoy día para tratar la ansiedad, ¿cuáles son los más eficaces?
- ¿Cuáles son los efectos secundarios de los antidepresivos tricíclicos y los inhibidores de monoaminooxidasa (IMAO)?
- ¿Cuáles son los efectos secundarios de los antidepresivos ISRS y afines?
- Mi médico me ha dicho que se están usando nuevos medicamentos para tratar la ansiedad, como Neurontin e Inderal. ¿Son seguros? ¿Qué efectos secundarios tienen?
- ¿Qué nuevos fármacos se están estudiando para combatir la ansiedad? ¿Qué esperanzas tienen los investigadores de mejorar las medicaciones ya existentes?
- ¿Cuáles son los efectos secundarios a largo plazo de los fármacos que se anuncian en la televisión, como Zoloft y Paxil?
- ¿Cómo debo proceder si decido tomar medicación contra la ansiedad?
- Si dejo de tomar un ansiolítico, ¿volveré a sentir ansiedad?
- Para controlar la ansiedad, ¿tendré que tomar medicación toda la vida?
- ¿Hay algún medicamento que pueda tomar contra la ansiedad alguien mayor de 70 años?

Si padezco ansiedad, ¿es que mi cerebro es distinto al de los demás?

Con el paso de los años, los investigadores han intentado identificar las sustancias químicas y estructuras cerebrales que puedan estar implicadas en la ansiedad. A continuación indicamos algunos de sus descubrimientos.

- En el cerebro hay una sustancia llamada **serotonina** que se ha asociado con diversas funciones humanas, como el estado de ánimo, el sueño, la memoria y el apetito. La serotonina está activa en diversas zonas del cerebro, incluyendo la **amígdala**, una estructura que controla las reacciones de miedo y de ansiedad. La investigación sugiere que es posible que las personas que padecen trastornos de ansiedad tengan una deficiencia de serotonina. Éste puede ser el motivo de que un tipo de antidepresivos llamados ISRS (inhibidores selectivos de la reabsorción de serotonina), que aumentan el grado de serotonina en el cerebro, hayan tenido éxito en el tratamiento de los trastornos de ansiedad. Hoy día, quienes investigan los trastornos de ansiedad estudian a fondo la amígdala, y los descubrimientos indican que los recuerdos emocionales almacenados en esta porción del cerebro pueden contribuir a las fobias.

- Otra área donde la investigación es constante, y que promete grandes resultados, es la que se centra en el aminoácido cerebral **GABA**, sigla de **ácido gammaaminobutírico**. Las evidencias apuntan a que las personas que padecen ansiedad pueden tener un nivel bajo de GABA. La investigación ha demostrado que el descenso del nivel de GABA puede fomentar la ansiedad, la inquietud, los pensamientos acelerados y las dificultades para dormir. Al compensar los efectos de una sustancia química cerebral que es excitante, el glutamato, el GABA reduce la actividad cerebral y hace que el paciente esté tranquilo. Las benzodiazepinas ayudan a potenciar el efecto del GABA en tu cerebro. Actualmente la investigación se centra en los receptores concretos del GABA, e intenta identificar las funciones de cada uno de ellos. Esto abre la posibilidad de desarrollar fármacos que activen los aspectos positivos del GABA sin generar efectos secundarios adictivos.

- La tecnología cerebral moderna nos permite examinar las diferencias en el funcionamiento del cerebro. Gracias a las técnicas de diagnóstico por medio de la imagen podemos observar cómo la sangre fluye en determinadas áreas del cerebro, y percibir las diferencias en el tamaño de sus estructuras. Aparte de la amígdala, los investigadores se han centrado en el **hipocampo**, una parte del cerebro que ayuda a codificar la información creando recuerdos. Los estudios han demostrado que el hipocampo puede ser hasta un 25 % más pequeño en las personas que han estado sometidas a un estrés intenso debido a que abusaron de ellas siendo niños o por haber participado en un conflicto bélico. Esto puede explicar por qué estos individuos experimentan recuerdos vívidos o fragmentados, y por qué tienen dificultades para recordar detalles precisos de aquellos acontecimientos.

Un motivo de estímulo es que, cuanto más sepamos sobre la estructura cerebral y su funcionamiento en personas que padecen trastornos de ansiedad, más posibilidades tendremos de abordar estos problemas con fármacos y terapias más convenientes.

¿Se puede tratar la ansiedad con medicación?

Sí, hay algunos fármacos que pueden tratar la ansiedad, cada uno de los cuales tiene sus beneficios y sus desventajas. El tipo de medicación empleado suele depender del tipo de trastorno de ansiedad que padezca una persona.

Existen dos categorías de fármacos eficaces, junto con otros que constituyen una clase en sí mismos. Las dos categorías son los antidepresivos y las benzodiazepinas. Los antidepresivos, que hoy día se consideran un fármaco de primera línea contra la ansiedad, se dividen en cuatro categorías: (a) los **tricíclicos**, de uso infrecuente; (b) los **inhibidores de monoaminooxidasa** (IMAO); (c) otras sustancias más nuevas y de uso más frecuente, los **inhibidores selectivos de la recaptación de serotonina**; y (d) fármacos similares a los ISRS, como el Effexor.

Además de estas categorías farmacológicas, en el mercado hallamos un ansiolítico llamado BuSpar, así como otras medicinas para tratar diversos problemas que se han aplicado al tratamiento de la ansiedad. El uso de anticonvulsivos como Neurontin cada vez se populariza más entre los psiquiatras, aunque estos fármacos no están bien estudiados en su calidad de agentes ansiolíticos. Los betabloqueantes, como Inderal, son otro tipo de medicación que se usa frecuentemente. Por último, los antihistamínicos, como Benadryl y Vistaril, se usan en algunos casos para tratar la ansiedad.

Si estás pensando en tomar alguna medicación, es importante consultar con un médico o psiquiatra que tenga experiencia en recetar fármacos *para el tratamiento de la ansiedad*. El tratamiento de un trastorno de ansiedad puede exigir una dosis distinta de una medicación que la que resulta adecuada para tratar otros problemas. Por ejemplo, a veces es necesaria una dosis mayor de ISRS para tratar un trastorno obsesivo-compulsivo que para tratar una depresión.

¿Cuáles son las ventajas y desventajas de tomar estos medicamentos?

Examinemos cada tipo de medicación y sus ventajas e inconvenientes:

I. Antidepresivos
Ejemplos: *Tricíclicos*: Elavil, Tofranil, Norpramin, Pertofrane, Pamelor, Sinequan
IMAO: Nardil, Parnate
ISRS: Prozac, Paxil, Zoloft, Celexa, Luvox, Lexapro
Otros: Effexor, Remeron, Cymbalta

Lo bueno:
- Suelen ser eficaces
- No crean adicción como las benzodiazepinas
- Los tricíclicos no suelen ser caros

Lo malo:
- Pueden tardar de semanas a meses en hacer efecto (normalmente de dos a seis semanas)
- La ansiedad puede empeorar antes de mejorar
- Efectos secundarios temporales: dolores de cabeza, sudoración, mareos, insomnio
- Efectos sexuales transitorios y en ocasiones permanentes, como disminución de la libido, falta de erección o anorgasmia
- Los tricíclicos y los IMAO pueden ser peligrosos, cuando no letales, debido a sus numerosos efectos secundarios

II. Benzodiazepinas
Ejemplos: Valium, Librium, Xanax, Ativan, Klonopin

Lo bueno:
- Ofrecen un alivio inmediato, generalmente en cuestión de horas
- Son estupendos somníferos, sobre todo si se usan para conciliar el primer sueño

Lo malo:
- Pueden tener un efecto sedante; si la dosis es demasiado alta, puede producirse una intoxicación
- Tienen más probabilidad de causar una dependencia psicológica, y en ocasiones también física, sobre todo si el paciente ha sido alcohólico
- Si se interrumpe de repente la ingesta de determinados tipos de benzodiazepinas (las de vida media corta) al cabo de unos meses, pueden producir síndrome de abstinencia y en algunos casos convulsiones; aunque sucede raras veces, esto puede poner en peligro la vida del paciente

---

III. BuSpar

Lo bueno:
- No crea dependencia
- A veces se usa con éxito para restaurar el funcionamiento sexual originado por los antidepresivos

Lo malo:
- Es eficaz en menos personas que las benzodiazepinas
- Tarda tres o cuatro semanas en hacer efecto

IV. Anticonvulsivos
Ejemplo: Neurontin

Lo bueno:
- Parece ser un buen ansiolítico
- Mejora el sueño

Lo malo:
- Los efectos secundarios incluyen somnolencia, mareos y confusión

V. Betabloqueantes
Ejemplo: Inderal

Lo bueno:
• Reduce los síntomas físicos de «luchar o huir», como el aumento de ritmo cardíaco, la sudoración, los temblores y la respiración entrecortada
• Ayuda a reducir la ansiedad que afecta a una persona antes de hablar en público o hacer un examen

Lo malo:
• Tiene un efecto muy a corto plazo
• Los efectos físicos, como la ralentización del ritmo cardíaco, pueden ser problemáticos

---

VI. Antihistaminas
Ejemplos: Benadryl, Vistaril

Lo bueno:
• Efecto sedante, calmante
• No crean adicción, de modo que no hay que preocuparse tanto por su potencial para crear dependencia

Lo malo:
• No son tan eficaces como los otros ansiolíticos
• Los efectos secundarios incluyen la somnolencia, la sequedad bucal, el estreñimiento y la retención urinaria

Me he enterado de que las benzodiazepinas tienen muchos efectos secundarios. ¿Cuáles son? ¿El BuSpar es una buena alternativa?

Las benzodiazepinas pueden fomentar la calma al aumentar el grado de GABA en tu cerebro. Sin embargo, también pueden inducir la sedación y la falta de reflejos, la pérdida de equilibrio y una disfunción de la memoria. Algunos otros de sus riesgos son:

• Una relajación muscular excesiva, que puede obstaculizar la respiración en personas con afecciones pulmonares (supresión respiratoria)
• Tendencia a los accidentes, sobre todo si se combina con alcohol

- Para algunas personas, dependencia psicológica y/o fisiológica
- Los alcohólicos sometidos a tratamiento que usan las benzodiazepinas pueden perder el control sobre su comportamiento abstemio

La reducción de la dosis de este fármaco puede suavizar también algunos de sus efectos secundarios.

Mientras que las benzodiazepinas actúan sobre GABA, la buspirona, o BuSpar, se conoce como un agonista parcial 5HT; esto quiere decir que contribuye a aumentar el nivel de serotonina en el cerebro. Puede ser una buena alternativa para quienes estén preocupados por el potencial adictivo de las benzodiazepinas. El BuSpar presenta las siguientes ventajas: no interactúa con el alcohol para inducir intoxicación o dependencia; no reduce el funcionamiento mecánico del individuo, necesario por ejemplo para conducir un coche. Sin embargo, y como contraste al efecto rápido de las benzodiazepinas, el BuSpar puede tardar varias semanas en hacer efecto y reduce gradualmente la ansiedad con el paso del tiempo. Los efectos secundarios del BuSpar incluyen náuseas, dolores de cabeza, nerviosismo, insomnio y mareos.

De todos los fármacos disponibles hoy día para tratar la ansiedad, ¿cuáles son los más eficaces?

Los fármacos más populares para el tratamiento de la ansiedad son la nueva clase de antidepresivos, los ISRS: Prozac, Zoloft, Paxil, Lexapro y Celexa. Algunos de los antidepresivos que no son ISRS también resultan prometedores; por ejemplo, el Effexor.

Desde la década de 1960, las medicinas habituales para tratar la ansiedad han sido las benzodiazepinas, con nombres como Valium, Librium, Ativan, Xanax y Klonopin. Son bastante eficaces y actúan rápido. También pueden tener efecto sedante, y a menudo se usan contra el insomnio. La desventaja más grande de estos fármacos es que en algunas personas provocan dependencia psicológica y/o física. A veces, una persona puede «colocarse» con uno de estos fármacos, y a partir de entonces abusar de él como del alcohol o de cualquier otra sustancia intoxicante. Si una persona desarrolla una adicción fisiológica, se han dado casos en que la suspensión abrupta del tratamiento ha provocado convulsiones e incluso la muerte. Un efecto secundario más sutil de estas drogas es una ligera pérdida de memoria.

A diferencia de las benzodiazepinas, los ISRS fueron creados para tratar la depresión. Sin embargo, las abundantes investigaciones realizadas y la práctica clínica han demostrado que también son eficaces para combatir numerosas formas de ansiedad. Actualmente, los ISRS se consideran la medicación de primer orden para el tratamiento de la ansiedad. Si bien los ISRS tardan más en hacer efecto —en ocasiones, varias semanas—, no generan una dependencia fisiológica marcada. La interrupción súbita del tratamiento a base de ISRS se asocia con desagradables síntomas propios del síndrome de abstinencia, aunque raras veces provocan convulsiones o la muerte. Aparte de esto, los ISRS no producen sensación de embriaguez, y por lo general no afectan a la memoria. Lamentablemente, los ISRS son más caros porque la mayoría de las patentes de estos fármacos no han caducado. Los antidepresivos más antiguos, como los tricíclicos y los inhibidores de monoaminooxidasa, pueden ser eficaces para tratar la ansiedad y a menudo son menos caros. La desventaja es que están plagados de efectos secundarios, y son menos seguros que los ISRS.

¿Cuáles son los efectos secundarios de los antidepresivos tricíclicos y los inhibidores de monoaminooxidasa (IMAO)?

Los tricíclicos producen numerosos efectos secundarios, algunos de los cuales pueden ser peligrosos. Al principio, los pacientes pueden experimentar sequedad bucal, estreñimiento, retención de orina, hipotensión ortostática (una bajada súbita de presión al ponerse de pie), visión borrosa, taquicardia (aumento del ritmo cardíaco) y, raras veces, arritmias cardíacas (con elevadas dosis). A largo plazo, es frecuente que el paciente aumente de peso y su libido disminuya. Si alguien toma una sobredosis de estos fármacos, puede llegar a morir.

Los efectos secundarios habituales de los IMAO incluyen la hipotensión ortostática, dolores de cabeza, insomnio, aumento de peso, disfunción sexual, edema periférico (hinchazón) y somnolencia vespertina. Si se toman con algunos alimentos o bebidas prohibidos (los que contengan tiramina, como los quesos curados, las carnes ahumadas y algunos vinos), la presión sanguínea se puede disparar y provocar una crisis de hipertensión, y una posible embolia. Los individuos que toman esta medicación deben seguir una dieta estricta.

La sedación es un efecto frecuente de estos fármacos, y algunos de ellos ayudan a las personas a dormir mejor. Lamentablemente, los síntomas de la ansiedad pueden empeorar cuando se empieza a tomar estos fármacos, como sucede cuando se inicia un tratamiento a base de cualquier tipo de antidepresivo. Es mejor que la dosis inicial sea reducida y vaya aumentando poco a poco, con objeto de mantener al mínimo este efecto secundario. Algunos médicos empiezan a tratar a sus pacientes con una combinación entre un antidepresivo y una benzodiazepina. Deben transcurrir varias semanas hasta que el antidepresivo empiece a tener un efecto ansiolítico o antidepresivo. Las benzodiazepinas actúan rápidamente, y pueden ayudar al paciente hasta que surta efecto el antidepresivo.

¿Cuáles son los efectos secundarios de los antidepresivos ISRS y afines?

Los efectos iniciales de los ISRS incluyen a menudo náuseas leves, movimientos intestinales sueltos, ansiedad, dolores de cabeza y sudoración. Estos efectos suelen desaparecer al cabo de unas pocas semanas. Las personas que toman ISRS durante mucho tiempo pueden presentar un aumento de peso. Con algunos de los ISRS no es infrecuente que se den disfunciones sexuales. Éste es un efecto secundario que aparece tarde y que puede permanecer hasta que se interrumpa la medicación. En el caso de los hombres puede traducirse en una disminución del deseo sexual, la dificultad de alcanzar la erección, problemas para eyacular o eyaculación tardía (motivo por el cual este tipo de fármacos se emplea para aliviar la eyaculación precoz). En el caso de las mujeres, puede disminuir la libido, dificultar la lubricación o dificultar la consecución del orgasmo. Algunas personas se quejan de que estos medicamentos tienen un efecto sedante. Lo mejor en esos casos es tomarlos justo antes de acostarse. Un efecto secundario adicional de los ISRS es que, de vez en cuando, los pacientes tienen sueños muy vívidos.

El efecto secundario más perjudicial, aunque es muy infrecuente, es el síndrome de la serotonina. Lo más probable es que ocurra cuando se toman al mismo tiempo dos o más fármacos serotogénicos. Aunque se han dado casos aislados de que se produzca este efecto en personas que sólo tomaban un ISRS, la combinación de fármacos que hay que evitar a toda costa es la de un ISRS junto con un IMAO. El síndrome de la serotonina empieza a manifestarse por medio de aletargamientos, nerviosismo, confusión, enrojecimiento del rostro (rubefacción), sudores, temblor y contracciones súbitas de los pies. Puede dar origen a un aumento de la temperatura, rigidez muscular general, insuficiencia renal e, incluso, producir la muerte.

Sin embargo, por lo general los efectos secundarios de los ISRS se toleran mejor que los de los tricíclicos o los IMAO. En caso de sobredosis, los ISRS son mucho más seguros y menos peligrosos.

Los efectos secundarios del Effexor (venlafaxina) son parecidos a los de los ISRS, excepto ocasionalmente, cuando se produce un ligero aumento de la presión sanguínea. El Remeron (mirtazepina) puede provocar somnolencia cuando se toma en dosis reducidas, y también tiene una alta probabilidad de causar aumento de peso.

Mi médico me ha dicho que se están usando nuevos medicamentos para tratar la ansiedad, como Neurontin e Inderal. ¿Son seguros? ¿Qué efectos secundarios tienen?

El Neurontin (gabapentina), un anticonvulsivo, es un fármaco relativamente seguro, y es popular entre los psiquiatras y los pacientes porque no exige que se monitorice la concentración sanguínea, como hay que hacer con otros anticonvulsivos. Los efectos secundarios del Neurontin incluyen mareos, visión borrosa (diplopía), falta de equilibrio (ataxia), somnolencia y fatiga. Se aconseja a los pacientes que no conduzcan ni trabajen con maquinaria compleja hasta que tengan la suficiente experiencia con el fármaco para estar seguros de que no afectará a su funcionamiento normal. Otra advertencia en el caso del Neurontin es que, en muy raras ocasiones, la interrupción repentina de la medicación puede provocar convulsiones.

El uso de Inderal (propanolol), un betabloqueante, suele ser seguro, pero requiere supervisión médica. Como pasa con cualquier medicamento que precisa ser recetado, no te sientas tentado a probar una pastilla que te ofrezca algún amigo o familiar. El Inderal es peligroso para las personas que padecen asma o algún problema respiratorio grave, dado que puede empeorar estas dolencias. Los efectos secundarios del Inderal incluyen una reducción del ritmo cardíaco (bradicardia), una disminución de la presión sanguínea (hipotensión), arritmias cardíacas, insuficiencia cardíaca congestiva para personas con riesgo, depresión, fatiga, sensación de flotar, náuseas, vómitos, diarrea y calambres.

¿Qué nuevos fármacos se están estudiando para combatir la ansiedad? ¿Qué esperanzas tienen los investigadores de mejorar las medicaciones ya existentes?

Los investigadores intentan desarrollar nuevos fármacos que combinen los beneficios de las benzodiazepinas (la acción rápida) con los de los ISRS (efectividad con menos efectos secundarios). De forma paralela a las nuevas investigaciones sobre el cerebro, los estudios farmacológicos se centran en el receptor del tranquilizante natural del cuerpo, el GABA. Mientras que el efecto inhibidor de la ansiedad del GABA fue el fundamento para el desarrollo de las benzodiazepinas, la nueva investigación se centra en el centro receptor del GABA, y en identificar subunidades especializadas, como si se tratase de diversas líneas telefónicas que confluyen en una centralita. Mientras que las benzodiazepinas, como el Valium, trabajan en todas las subunidades al mismo tiempo, los nuevos fármacos intentar concretar qué combinación de subunidades deben activar. Hay diversos laboratorios farmacológicos de investigación que hoy día intentan producir ansiolíticos de efecto rápido que no incluyan el potencial de adicción, la sedación, la disfunción de memoria o la falta de coordinación asociadas con las benzodiazepinas que existen actualmente.

¿Cuáles son los efectos secundarios a largo plazo de los fármacos que se anuncian en la televisión, como Zoloft y Paxil?

Los efectos secundarios a largo plazo de los ISRS, como Zoloft y Paxil, son bastante benignos para los adultos. En general, pueden causar aumento de peso o interferencia en las funciones sexuales.

En algunos casos, un efecto secundario a largo plazo puede ser la dificultad para dormir. Hay unas pocas personas que también se quejan de que han perdido su gama habitual de emociones, y que sus sentidos se han entumecido.

Cuando los ISRS se combinan con algunos otros fármacos, pueden surgir otros problemas, como el aumento del riesgo de toxicidad hepática. Este riesgo es más frecuente en un pequeño subconjunto de la población (del 5 al 10 %) que tiene una predisposición genética a no metabolizar fácilmente los fármacos.

Las mujeres que quieren quedarse embarazadas o que quieren dar el pecho a sus hijos deben consultar antes con su médico o farmacéutico. Pueden producirse consecuencias adversas sobre el feto en pleno desarrollo o en el lactante. Los efectos secundarios a largo plazo de estos fármacos sobre los niños y los adolescentes no se conocen tan bien.

Por supuesto, si una persona empieza a padecer otra enfermedad o bien toma otro tipo de medicamento, el perfil de los efectos secundarios puede cambiar considerablemente. Una vez más, lo mejor es consultar con tu médico.

¿Cómo debo proceder si decido tomar medicación contra la ansiedad?

Te proponemos alguna sugerencias para el momento en que te estés planteando recurrir a los medicamentos para tratar tu ansiedad:

- Si el médico que te receta un medicamento no te ha tratado antes, asegúrate de que conoce tu historial médico: problemas cardíacos, hipertensión, hipotensión, embarazo, lactancia y adicciones. Tales factores podrían complicar el tratamiento.
- Pregunta a tu médico cómo funciona la medicación, y qué puedes esperar cuando comiences a tomarla. ¿Cuáles son los efectos que pretende conseguir, y cuáles los secundarios?
- Descubre qué efectos secundarios indican la necesidad de recurrir al médico.
- Por mucho que nos guste pensar que los médicos son magos, ellos dependen de ti para saber qué funciona y qué no. A veces, la receta y la dosis iniciales son justo las que te convienen. Otras,

tienes que trabajar con tu médico para descubrir la dosis correcta del fármaco más pertinente. En ocasiones este proceso puede desanimarte, pero no lo dejes. La recompensa vale la pena.

- Pregúntale al médico, sin cohibirte, cómo sería el proceso de abandono paulatino de la medicación en caso de que tuvieras que suspenderla. *Es peligroso dejar de tomar ciertos fármacos de repente*, y tendrás que irlos interrumpiendo bajo supervisión médica.
- Sigue las instrucciones de tu médico sobre cuándo y cómo tomar la medicación, y espera lo mejor.

Si dejo de tomar un ansiolítico, ¿volveré a sentir ansiedad?

Si todo lo demás en tu vida sigue igual, es posible que vuelvas a sentirla. El motivo es que la mayoría de los trastornos de ansiedad son crónicos, y con el paso del tiempo tienen altibajos. Es posible que gracias a los ansiolíticos te sientas mejor, y creas que estás preparado para dejar el tratamiento; lo dejas y descubres que la ansiedad ha regresado. Éstas son algunas excepciones importantes:

1. A veces, nuestra ansiedad está relacionada con una crisis en nuestra vida (por ejemplo, una desgracia, la pérdida de un ser querido), y se resolverá sola tanto si tomamos medicación para recuperarnos como si no. En estos casos, abandonar la medicación al cabo de unos meses puede que no produzca un incremento de la ansiedad.
2. Si has acabado un ciclo de psicoterapia mientras has estado tomando medicación, es posible que los síntomas no reaparezcan cuando abandones el tratamiento. Son muchos los factores que contribuyen a la producción de síntomas de ansiedad, incluyendo las experiencias pasadas, tus defensas, las conductas de evitación y tu forma de pensar. A menudo la psicoterapia detecta estos factores y, por tanto, los puede remediar.

Si decides suspender la medicación, habla con tu médico sobre cómo debes hacerlo. Como vimos antes, resulta peligroso abandonar repentinamente algunos fármacos.

Para controlar la ansiedad, ¿tendré que tomar medicación toda la vida?

Durante cuánto tiempo debas tomar medicación depende de muchos factores, incluyendo el tipo de trastorno de ansiedad, la presencia de otros trastornos o enfermedades, y de si te has sometido a un ciclo de psicoterapia. También parece ser que, cuanto antes haya empezado el trastorno (p. ej., a los 10 u 11 años), más crónica y tenaz puede ser la enfermedad, y más aumenta la probabilidad de que debas tomar medicación a largo plazo. Otro factor que puede sugerir una enfermedad más persistente que requiera medicación es la presencia de trastornos psiquiátricos graves entre muchos parientes cercanos.

Afortunadamente, como resultado de muchas investigaciones exhaustivas, los médicos disponen de ciertas pautas que recomiendan la duración de la medicación aplicable a trastornos concretos de ansiedad. La buena noticia es que no tienes que tomar estas decisiones solo. Deja que tu médico y tu terapeuta, si dispones de uno, te ayuden a decidir si estás listo para suspender la medicación y cómo hacerlo. Ir reduciendo progresivamente la dosis de un fármaco nos ayuda a dejar de depender de él y, en algunos casos, ésta es la única manera segura de proceder.

Además, existen psicoterapias de las que se ha comprobado que tratan eficazmente trastornos de ansiedad. De hecho, hay ciertos tipos de terapia que han demostrado ser superiores a la medicación en el tratamiento a largo plazo de algunos trastornos de ansiedad (p. ej., la terapia cognitivo-conductual para tratar el trastorno de angustia). Esto puede deberse a que las habilidades que se aprenden en la terapia cognitivo-conductual ayudan a una persona a superar el pánico. Además, estas habilidades la acompañan a largo plazo y no se interrumpen como los medicamentos.

Al recurrir a la psicoterapia para el tratamiento de la ansiedad, el individuo debe estar dispuesto a asumir la responsabilidad de abordar el problema. Ni un médico que le recete un fármaco ni un psicoterapeuta pueden ofrecerle un remedio mágico para eliminar la ansiedad. En última instancia, el paciente debe enfrentarse a sus temores y demostrarse a sí mismo que sobrevivirá a pesar de ellos.

No es infrecuente abandonar una medicación, pasar muchos años sin que aparezcan los síntomas de la ansiedad y que luego regresen de nuevo. Esto suele surgir debido a un estrés grave o al desarrollo de otro trastorno mental o físico. Mediante una evaluación y un tratamiento correctos (un ciclo de medicación y (o) psicoterapia) es frecuente que los síntomas de la ansiedad vuelvan a disminuir.

¿Hay algún medicamento que pueda tomar contra la ansiedad alguien mayor de 70 años?

Los antidepresivos ISRS son eficaces para tratar muchos trastornos de ansiedad, y por lo general son adecuados para los adultos más mayores. Sin embargo, pueden tener algunos efectos secundarios desagradables. Por ejemplo, tomar Paxil, que tiene más propiedades anticolinérgicas, puede afectar a la memoria. Por lo general, las principales desventajas de los ISRS es que al principio pueden generar más ansiedad, y hace falta bastante tiempo para que surtan efecto (entre 2 y 10 semanas). Además, las dosis para los mayores deben ser más suaves que las que suelen indicarse inicialmente para los adultos más jóvenes.

Las benzodiazepinas suelen usarse para tratar la ansiedad, pero pueden crear problemas para los ancianos. Estas medicaciones pueden interferir en la memoria en un momento en que ésta ya puede estar fallando. Si se toman antes de irse a dormir, hacen que a la persona le cueste despertarse e ir al baño durante la noche. Las benzodiazepinas pueden aumentar el riesgo de tropezar y caerse. Si existe algún problema respiratorio, estos medicamentos pueden sedar en exceso los músculos respiratorios y hacer que la persona se quede sin aliento más fácilmente. Cuando una persona no respira bien, su grado de ansiedad puede aumentar.

Capítulo 5

ESTOY PREOCUPADO, Y ESO ME PREOCUPA

- ¿Por qué me preocupo?
- Cuando expreso mi preocupación a algún miembro de mi familia y él me consuela, me siento mejor. Aun así, ¿necesito iniciar un tratamiento para mis preocupaciones?
- Siempre me inquieta mi salud. La gente me dice que soy hipocondríaco. ¿Qué puedo hacer al respecto?
- ¿Qué es el trastorno de ansiedad generalizado, y cómo puedo saber si lo tengo?
- Mi madre se pasa la vida preocupada, y yo también me preocupo mucho. ¿Quiere decir eso que me voy a pasar el resto de mi vida preocupado como ella?
- ¿Es normal que me preocupe lo que otros piensan de mí?
- De vez en cuando, siento deseos de hacer algo transgresor, como tirarle un objeto a un vecino o decirle a mi jefe lo que pienso de él. ¿Quiere eso decir que estoy desequilibrado?
- Mi hijo es policía. Cada día me preocupa recibir una llamada que me comunique que está herido o muerto. ¿Qué puedo hacer para resolver esta ansiedad?
- Una parte de mí piensa que mi pareja me engaña. Eso es algo que me preocupa constantemente. ¿Qué puedo hacer para aliviar esta ansiedad?
- ¿Qué puedo hacer para no preocuparme tanto por mi aspecto?
- Me siento culpable por estar tan preocupado, y me preocupa cómo afectará esto a mis hijos. ¿Qué puedo hacer?
- El hecho de ser perfeccionista ¿afecta a la ansiedad?
- ¿Están relacionadas la indecisión y la ansiedad?
- ¿Es posible aprender a ser menos indeciso?
- ¿La ansiedad puede dar lugar a la ira?
- No dejo de preocuparme por cómo le va a mi hijo en el colegio. Me da la sensación de que nunca estudia tanto como creo que debiera. ¿Qué puedo hacer para que se esfuerce más?
- Cuando siento ansiedad tiendo a comer en exceso. ¿Qué puedo hacer con este problema?

¿Por qué me preocupo?

Son muchos los factores que contribuyen a la preocupación, incluyendo nuestra biología, las experiencias pasadas, el entorno actual y tu forma de pensar. Para comprender la preocupación puede resultar muy útil analizar las charlas con uno mismo (lo que una persona se dice a sí misma constantemente, y sus creencias más profundas, que pueden generar o bien aumentar la ansiedad). Por lo general, la preocupación está asociada con la pregunta «¿Y si...?», una forma de pensar según la cual la persona sobrestima por norma las amenazas o peligros, y subestima su capacidad de enfrentarse a ellas. Hay muchas personas que, añadido a esto, tienen creencias supersticiosas o sobrenaturales sobre la preocupación. Por ejemplo, hay quien sostiene la idea falsa de que la preocupación lo protege o ampara a sus seres queridos. Éstos son algunos de los pensamientos que pueden usar las personas para justificar la preocupación:

- Si me preocupo por Carlos, él se sentirá mejor al saber que pienso en él. A la gente le gusta saber que piensas en ellas y oras por ellas. Es lo que hay que hacer.
- Preocuparme por otros demuestra que soy una persona cariñosa y altruista.
- Si no pienso en otros, puede que sufran. Para protegerlos y protegerme, he de preocuparme.
- Dios verá cuánto me sacrifico para hacer felices a otros, y me recompensará.

Como decíamos antes, hay personas que creen que la preocupación es una manera de producir resultados en este mundo, cuando, en realidad, para ello es necesario actuar. La conducta basada en buscar que otros nos tranquilicen constantemente y la tendencia a evitar el conflicto pueden hacer también que nos preocupemos demasiado. Estas estrategias ofrecen una recompensa a corto plazo a costa de un sufrimiento a largo plazo. Cuando una persona depende constantemente de otras para sentirse mejor, las preocupaciones pueden remitir durante un tiempo, pero a largo plazo tienden a reforzarse más; esto también sucede con el uso de las conductas de evitación. Algunos ejemplos de conducta que hacen que la preocupación te tenga bajo control es: que telefonees constantemente a tu hija a la universidad para asegurarte de que no le ha pasado nada, o no vayas a trabajar porque tienes miedo de haber cometido un error en un informe. El hecho de resistirte a llamar a tu hija y de ir a trabajar a pesar del error son formas de demostrarte que «No es tan fiero el león como lo pintan» y «Puedo superarlo aunque me sienta incómodo/a». Estos cambios en tu forma de pensar y en tu conducta son esenciales para ir minando tu preocupación.

No hay una respuesta fácil para la pregunta «¿Por qué me preocupo?», pero ten en cuenta que la preocupación es una forma habitual de pensamiento negativo, que puede mejorarse.

Cuando expreso mi preocupación a algún miembro de mi familia y él me consuela, me siento mejor. Aun así, ¿necesito iniciar un tratamiento para mis preocupaciones?

Esto depende del grado y gravedad de tus preocupaciones. Si las siguientes afirmaciones son ciertas en tu caso, quizá sería buena idea que recurras a un tratamiento profesional:

- Creo que he perdido el control sobre mi preocupación.
- Siento que no puedo dejar de preocuparme.
- Mi preocupación me angustia mucho.
- Mi preocupación me causa problemas familiares, sociales, laborales y lúdicos.

Que un miembro de nuestra familia o incluso un amigo íntimo nos tranquilice puede ser útil en el momento, pero con el paso del tiempo es probable que tus problemas con la preocupación se perpetúen. Los profesionales consideran que la búsqueda de consuelo es una «conducta de seguridad», o un mecanismo de superación a corto plazo. Digamos que me preocupa que mi esposo haya tenido un accidente con el coche, aunque no hay ninguna evidencia de ello. Le pregunto a mi hermana: «¿Seguro que está bien? ¿No le ha pasado nada?», y ella me responde: «Está bien... No ha pasado nada». Puede que en ese momento me sienta mejor, pero no he aprendido nada sobre cómo enfocar mis pensamientos negativos de una manera más realista. Lo que he aprendido es que, cada vez que me preocupo por mi esposo, puedo preguntarle a mi hermana para sentirme mejor. Para empezar a minar en serio tu preocupación, tienes que dejar de depender del consuelo ajeno. Debes aprender a ser tu propio entrenador o «consolador» racional.

Siempre me inquieta mi salud. La gente me dice que soy hipocondríaco. ¿Qué puedo hacer al respecto?

La hipocondría es un trastorno debido al cual una persona teme contraer (o cree que ya ha contraído) una enfermedad temible, y recurre constantemente a los médicos. Le preocupa su salud, y suele malinterpretar sensaciones corporales inofensivas, que ella entiende como indicadores de una enfermedad grave. La persona hipocondríaca piensa que le pasa algo grave, y que los médicos no descubren lo que es. Sigue acudiendo a consultas médicas para aumentar la posibilidad de «llegar al fondo del asunto», y no le gusta que la traten de hipocondríaca. A pesar de la evidencia acumulada que sugiere que no padece ninguna enfermedad, el hipocondríaco no cree que sus temores sean irracionales ni injustificados. La mayor parte de los individuos con hipocondría están tan aferrados a la idea de que tienen un problema médico grave que los demás asuntos de su vida quedan relegados a un segundo plano. Los aspectos vocacional, romántico, familiar y recreativo de sus vidas suelen estar en ruinas, y sin embargo ellos no se dan cuenta.

Si bien los pacientes frecuentemente visitan a sus médicos para sentirse mejor, la hipocondría persiste debido a los repetidos exámenes médicos y al consuelo del facultativo. La gente busca estrategias de consuelo temporal que, en última instancia, les eviten demostrar que esa sensación de estar enfermos es incorrecta, inútil y exagerada. Mejorar supone aprender explicaciones alternativas para las sensaciones físicas, y recurrir a explicaciones más precisas y realistas sobre nuestra salud. Además, es esencial reducir las «conductas de seguridad» (p. ej., buscar en Internet, leer libros de medicina, tomarse la presión sanguínea y la temperatura) y las de consuelo (p. ej., visitar al médico, telefonear a la enfermera) que, en la práctica, hacen que la preocupación se prolongue en el tiempo.

¿Qué es el trastorno de ansiedad generalizado, y cómo puedo saber si lo tengo?

El **trastorno de ansiedad generalizado (TAG)** es, como su propio nombre indica, una ansiedad o una preocupación que aparece a menudo y en muy diversas situaciones, y que es desproporcionada con respecto a la realidad de esas circunstancias. Las personas que padecen el trastorno de ansiedad generalizado se preocupan por su salud, la salud de los miembros de su familia, su rendimiento en los estudios o el trabajo y el rendimiento de quienes los rodean, la economía, el vecindario, la iglesia, el terrorismo, etcétera. Quienes padecen TAG pueden sentirse como si fueran «rebotando» de una a otra inquietud, y pueden sentirse a disgusto si no se preocupan por algo. Se considera que alguien padece TAG cuando:

- Durante la mayor parte de los días de un plazo mínimo de seis meses la persona se preocupa excesivamente y siente ansiedad debido a diversas circunstancias de la vida.
- A la persona le cuesta controlar su preocupación.
- La ansiedad viene acompañada de tres o más de los síntomas siguientes:
  — Nerviosismo o sensación de estar «al borde del ataque de nervios»
  — La persona se cansa con facilidad
  — Tiene dificultades para concentrarse o se queda en blanco
  — Irritabilidad
  — Tensión muscular
  — Perturbaciones del sueño
- El centro de la ansiedad y de la preocupación no está limitado a otro trastorno de ansiedad.
- La ansiedad y los síntomas que la acompañan causan un estrés importante o limitan áreas de funcionamiento sociales, laborales u otras que también son importantes.

Si cumples la mayoría de estos criterios, deberías pensar en contactar con un profesional de la salud mental para que te evalúe y, si es necesario, te someta a tratamiento.

Mi madre se pasa la vida preocupada, y yo también me preocupo mucho. ¿Quiere decir eso que me voy a pasar el resto de mi vida preocupado como ella?

La preocupación se fundamenta en las cosas que nos decimos a nosotros mismos. A menudo, cuando una persona se preocupa en exceso, es porque sobrestima los peligros del mundo y subestima su capacidad de superarlos. El hecho de que tu madre se preocupase mucho no significa automáticamente que te vayas a pasar el resto de tu vida sumido en preocupaciones. La preocupación puede convertirse en un hábito, pero por medio del trabajo duro se puede cambiar cualquier hábito. Cuando empieces a preocuparte, en vez de dejar que tu mente se plantee: «¿y si esto y aquello y lo de más allá?», lo mejor que puedes hacer es plantearte qué es lo más probable que pase. Concéntrate en las probabilidades en lugar de en las posibilidades remotas. Además, pregúntate: «¿Qué sería lo peor que podría pasar, y cómo lo encajaría?».

Quizá a tu madre le daba miedo conducir y nunca se puso al volante. Ésta es una conducta que se puede cambiar si una persona está dispuesta a cuestionarse algunas de sus hipótesis negativas. Es posible que tu madre se dijera a sí misma: «No sé conducir... Tendré un accidente... ¿Y si dejo el coche para el desguace?... ¿Y si atropello a alguien?... ¿Y si me quedo paralítica?». Si esto es lo que creía, es lógico que se sintiera angustiada al pensar en conducir, y que posiblemente evitara hacerlo. Sin embargo, hubiera estado bien que se planteara: «¿Por qué no puedo aprender a conducir?» y «Aunque es cierto que hay accidentes de tráfico, ¿qué me asegura que yo vaya a tener uno si intento conducir?». Los pensamientos que inducen a la preocupación se pueden detectar, evaluar y discutir, pero requiere un esfuerzo constante. Recuerda también que la vida plantea molestias, problemas e inconvenientes, de modo que tener la esperanza de verse exento de emociones perturbadoras no es una postura realista. Sin embargo, si te das cuenta de que te estás preocupando demasiado, puedes decidir que es mejor preocuparse lo justo antes que pasarse. La diferencia entre un problema que puede solventarse y una preocupación ¡depende de tu forma de pensar!

¿Es normal que me preocupe lo que otros piensan de mí?

Resulta útil pensar en la preocupación como algo que puede presentarse en diversos grados, en lugar de ser una emoción de «todo o nada»; viene a ser como un barómetro que refleja la temperatura exterior expresándola en grados. Es totalmente normal preocuparse por lo que la gente piense de nosotros. Vivimos en un mundo social, y la interacción con otras personas es vital. Como es natural, queremos que los demás piensen bien de nosotros. Llevarse bien con otras personas nos hace sentir a gusto, y a menudo nos ayuda a alcanzar nuestras metas sociales y profesionales.

Sin embargo, el hecho de centrarnos en el modo en que nos ven los demás puede convertirnos en personas demasiado precavidas y angustiadas. Éstos son algunos indicios de que tu grado de interés por esta faceta es excesivo o perjudicial:

- No te sientes bien contigo mismo, y **proyectas** tus sentimientos negativos. Por ejemplo, imaginas que tu jefe no está contento con tu trabajo, en lugar de admitir que eres tú el que no está satisfecho con tu rendimiento.
- Puede que estés cometiendo un error intelectual que se llama **telepatía**: asumes que sabes lo que una persona piensa de ti, cuando en realidad no dispones de evidencias que respalden tus conclusiones.
- Te dices que es *terrible* que no le gustes a alguien, cuando quizá no sea más que una molestia. La visión que tengan otros de ti no debe ser una forma de evaluarte a ti mismo, a menos que lo permitas.

Para modificar estas tendencias, acepta agradecido tus puntos fuertes e intenta aprender a aceptar tus errores, ¡porque todos los cometemos! Y no olvides que la mayoría de las personas se concentran más en sus propias prioridades e intereses que en pensar en ti. Para dejar clara esta idea, prueba a anotar todos los temas que pueden ser importantes para otros, temas que comenten, ¡*aparte de ti*! ¡Descubrirás que la lista es interminable!

De vez en cuando, siento deseos de hacer algo transgresor, como tirarle un objeto a un vecino o decirle a mi jefe lo que pienso de él. ¿Quiere eso decir que estoy desequilibrado?
Los estudios han demostrado que entre el 85 y el 90 % de personas experimenta pensamientos invasores o tiene imágenes mentales que consideran angustiosas o perjudiciales. El mero hecho de que te vengan a la mente pensamientos negativos no quiere decir que estés perturbado o seas anormal. Lo que distingue los pensamientos molestos de los psicóticos o engañosos es que estos últimos conllevan una ruptura con la realidad. Por ejemplo, una persona psicótica puede creer que ese pensamiento procede de una autoridad superior, como Jesucristo, e incluso puede sentir ese pensamiento como si lo estuviera oyendo (alucinación auditiva). Entonces la persona puede sentir que no tiene más remedio que obedecer.

Es normal que pienses en cosas que nunca harías. Si le das demasiada importancia a estos pensamientos negativos, te inquietarás sin motivo. Si tienes un pensamiento negativo e impulsivo como: «Voy a avergonzar a mi jefe delante de todo el mundo», y luego te dices: «Como he pensado esto, es que soy una mala persona» o «¡Pero cómo puedo pensar eso!», te vas a sentir mucho peor que si te dices: «Es sólo un pensamiento, y sé que nunca haría algo así».

Mi hijo es policía. Cada día me preocupa recibir una llamada que me comunique que está herido o muerto. ¿Qué puedo hacer para resolver esta ansiedad?
Toda persona que tiene a un ser querido que trabaja en un entorno peligroso, como por ejemplo un policía o un soldado, tiene derecho a preocuparse. Sin embargo, el grado de angustia depende del modo en que cada uno enfoque la situación. Ten en cuenta que en realidad lo que te preocupa constantemente no es el trabajo de esa persona. Más bien es lo que te digas a ti mismo sobre ese trabajo. Si te dices: «Seguro que hoy es cuando me llaman para decirme que lo han matado», esto es seguramente lo que te ronda por la cabeza:

1. Te estás diciendo que va a pasar algo en determinado momento. Este tipo de pensamiento (hablar con uno mismo) se llama **adivinación**.

2. Además, llegas a la peor conclusión sobre lo que podría pasar. Eso se llama **catastrofismo**.
3. Al mismo tiempo que sobrestimas el peligro y la amenaza inherentes a las circunstancias, subestimas tu capacidad de superación y la de tu ser querido.

Una de las mejores maneras de contrarrestar las preocupaciones constantes es la de aprender a poner en tela de juicio las predicciones negativas y desarrollar puntos de vista más realistas sobre las situaciones y los recursos de superación. Por ejemplo, puedes recordarte que tu ser querido está haciendo el trabajo que le gusta, que tiene capacidad para ello, que trabaja con compañeros competentes y que en el pasado ya ha gestionado bien situaciones difíciles. Además, debes tener en cuenta que existe una diferencia entre la posibilidad (podría pasar) y la probabilidad (es bastante seguro que pase). Es cierto que podrían llamarte para decirte que tu familiar está herido o ha muerto, pero ése no es el resultado más probable. Nos sentimos mejor cuando nos resistimos a convertir en probabilidades simples posibilidades negativas. La vida no ofrece garantías, pero si aprendemos formas más positivas de hablar con nosotros mismos, y si las ponemos en práctica, podemos ser más eficientes en el momento de tolerar la incertidumbre.

Además, es importante darse cuenta de que no podemos ver el futuro: no somos Dios, y nadie tiene una bola de cristal. Lo máximo que podemos decir con seguridad sobre el futuro es que no sabemos qué nos depara. Por consiguiente, es mejor intentar vivir el momento. A veces nos centramos en el bienestar de todo como una técnica para eludir atender a nuestra propia vida. Empieza a concentrarte en invertir tu tiempo de formas que tengan sentido y que sean productivas; quizás implicándote más en tu trabajo, reuniéndote con tus amigos o empezando a hacer algo nuevo, como una afición, o haciéndote voluntario de alguna asociación.

Por último, a veces nos preocupamos porque creemos que nuestra preocupación, por arte de magia, protege a otros. También podemos pensar que la persona por quien nos preocupamos no sólo quiere que nos interesemos por ella, sino que nos preocupemos. Pensamos que se sentirá mejor en medio de una situación peligrosa si sabe que nos estamos preocupando por ella constantemente. Estas ideas sobrestiman los efectos de la preocupación, considerando que puede ser beneficiosa. De hecho, creer algo así viene a ser como confiar en la magia. No tenemos evidencia de que la inquietud beneficie a nadie, pero sí sabemos que perjudica a quien se preocupa. Si quieres ayudar a un ser querido, céntrate en lo que *puedes* controlar. Envía un paquete para ayudarlo o busca otra manera de hacerlo; expresa tu amor. Por lo general es mejor controlar esos aspectos de tu vida que *de verdad* puedes controlar, y no aquellos otros donde el único control viene mediado por la magia.

Una parte de mí piensa que mi pareja me engaña. Eso es algo que me preocupa constantemente. ¿Qué puedo hacer para aliviar esta ansiedad?

Aquí es cuando debes preguntarte si tu preocupación está basada en la razón y en hechos concretos o en la imaginación y la fantasía. Si tu inquietud tiene fundamento, en lugar de enfrentarte a la verdad puedes permitir que tus sentimientos te vayan reconcomiendo. La forma más directa de descubrir la verdad es mirar a tu pareja a los ojos y preguntárselo. Para descubrir si estás imaginando cosas, formúlate las siguientes preguntas, y sé sincero contigo mismo:

- ¿Tengo alguna evidencia?
- ¿Es firme mi evidencia?
- Si le pregunto a mi pareja si tiene una aventura y me dice que no, ¿le creeré?
- ¿Hay alguna manera de que pueda convencerme de que no me engaña?
- Si contrato a un detective privado para esclarecer si mi pareja me engaña y el detective me dice que no, ¿le creeré?

Si tus respuestas demuestran que, aunque no tuvieras evidencias, tu pareja lo negara, y un detective no encontrara evidencias, seguirás preocupándote, entonces es posible que tu inquietud sea excesiva. En este caso, tu preocupación no se fundamenta en hechos o en la razón. A algunas personas sumidas en esta situación se les puede consolar, pero sólo temporalmente. A menudo es necesario recurrir a un tratamiento, porque este tipo de angustia puede invadir fácilmente toda una vida y destruir tu relación sentimental.

Si te sometes a terapia, puedes descubrir que realmente hay algo que te gustaría que fuera distinto en tu pareja o en tu relación. Puede tratarse de algo que puedas comentar con ella. Es posible que tu pareja no esté dispuesta a cambiar, pero al menos tendrás la satisfacción de saber la verdad sobre tus propias inquietudes, y saber que has hecho algo para remediarlas.

¿Qué puedo hacer para no preocuparme tanto por mi aspecto?

Vivimos en una sociedad que hace hincapié en el aspecto como el medio para alcanzar el éxito y la felicidad. Teniendo en cuenta el bombardeo de imágenes perfectas al que nos someten los medios de comunicación, no resulta difícil compararse con los personajes de televisión o cine, y con los que salen en las portadas de las revistas, y quedarse corto. Sin embargo, a pesar de las influencias sociales, el aspecto que tenga una persona no produce inquietud o angustia; el verdadero culpable es lo que la persona piense sobre eso. ¿Qué te dices sobre tu aspecto? Si te dices que tienes un aspecto que da pena, no es de extrañar que te sientas angustiado y deprimido. Pero ¿de qué evidencias dispones de que tienes mal aspecto, a pesar de que no te parezcas a un modelo de revista? ¿De dónde sacas la idea de que estás fatal? Dos metas muy importantes para mejorar nuestro bienestar emocional son que debemos aprender a resistirnos a las exigencias inútiles de la sociedad que nos induce a tener un aspecto determinado y aprender a separar tu aspecto de tu valor como persona. Es posible que, mientras crecías, aprendieras que el valor que cada uno se concede a sí mismo se basaba en tener un aspecto físico determinado. Ahora es un momento estupendo para cuestionarse esa vieja hipótesis. Inevitablemente, la gente envejece, y el cuerpo experimenta cambios. Si dramatizas esos cambios y te condenas porque los tienes, te sentirás mucho peor que si aprendes a tolerar las diferencias físicas y a aceptarte como eres. Una vez más, la clave radica en recurrir a una conversación eficaz y firme con nosotros mismos.

La autocharla que genera ansiedad

- Si quiero valer algo, debo tener buen aspecto.
- ¡Qué espanto! Todo el mundo ve esta lacra.
- No soporto esa imperfección.
- Hasta que no pierda peso no seré feliz.
- ¡Odio mi cuerpo!

La autocharla ansiolítica

- Nadie puede tener siempre un aspecto impecable, y mi «fachada» no es indicativa de mi valor como persona.
- Las personas se fijan más en sí mismas que en lo que puedan ver en mí. ¡Tengo buen aspecto!
- A pesar de que no me gusta esta parte en concreto de mi cuerpo, no es para obsesionarse. Yo soy mucho más que esa parte.
- Si quiero perder peso, puedo intentarlo, pero sabiendo que eso no determinará mi grado de felicidad. Además, si cargo con exigencias relativas a mi aspecto, lo único que conseguiré será angustiarme más, y será un obstáculo para alcanzar mis objetivos.
- ¡Mi cuerpo puede hacer muchísimas cosas! ¿Por qué condenarlo porque no es el cuerpo de una estrella de cine? Nunca juzgaría a nadie con la misma dureza con que me juzgo a mí mismo.

Es importante ser conscientes de que algunas personas están tan centradas en las imperfecciones físicas que dicen tener que su actitud las consume. El trastorno dismorfofóbico es un trastorno mental cada vez más reconocido como tal, según el cual una persona se preocupa por una imperfección imaginada o leve de su aspecto (p. ej., una nariz torcida, sus líneas de expresión, cicatrices del acné, alopecia). Es posible que otras personas ni perciban ese rasgo que tanto preocupa al afectado, pero él o ella cree que su imperfección es repulsiva. Como resultado, puede pasarse la vida mirándose compulsivamente en el espejo o bien eludiendo hacerlo; arreglándose en exceso; limpiándose la piel, recurriendo a los cosméticos o buscando la aprobación explícita de los demás. Además de evitar la escuela, el trabajo y las actividades sociales, las personas que pade-

cen trastorno dismorfofóbico tienden a manifestar un grado elevado de angustia, fantasean con la idea del suicidio y pueden llegar a
intentarlo. Hay otros problemas relacionados con el aspecto, inquietantes desde el punto de vista clínico, como los trastornos alimentarios, que predominan entre las mujeres y cada vez en más
hombres. La terapia cognitivo-conductual y la medicación (ISRS)
pueden ser eficaces para tratar los trastornos alimentarios y el TDF.
El diagnóstico y la intervención al principio del trastorno son vitales para cortar de raíz los efectos perjudiciales de estos problemas.

Me siento culpable por estar tan preocupado, y me preocupa cómo afectará esto a mis hijos. ¿Qué puedo hacer?

Para sentirse culpable, por lo general una persona suele pensar de
esta manera: «He hecho algo malo y, en consecuencia, soy una mala
persona». Una de las mejores cosas que puedes hacer por ti mismo
es desafiar esas cosas negativas que te dices y que te culpabilizan.
Ya estás luchando con un problema de ansiedad que ni has pedido
ni deseabas: ¡con eso basta! Cuando a eso le añades culpa, tienes
dos problemas: la ansiedad y la culpabilidad. Si te centras en la segunda, dispondrás de menos recursos para aliviar la primera.

Una vez te resistes activamente a centrarte en lo malo que eres
por sentirte ansioso (¡lo cual no es verdad!), es buena idea preocuparse por cómo afectará a tus hijos esa ansiedad. Aunque quieres
que ellos sean conscientes de lo que es seguro hacer y lo que no en
este mundo, y de los peligros que hay en él, es importante que crez-
can creyendo que el mundo es un lugar relativamente seguro y predecible, y que son capaces de superar las dificultades. Este tipo de
ideas fomenta una adaptación más saludable que pensar que el
mundo es peligroso y que no pueden enfrentarse a él. Vigila el tipo
de mensajes que estás transmitiendo a tus hijos. Cuando les trans-
mitas mensajes más tranquilizadores, tú también te sentirás mejor.
De la misma manera, cuando hables contigo mismo con más confianza y menos actitud condenatoria, tus hijos replicarán esa misma
actitud nueva.

Otro buen ejemplo que puedes darles es admitir que estás luchando con la ansiedad y que buscas ayuda para superarla; eso puede inducirlos a sentirse mejor si algún día necesitan buscar ayuda.

El hecho de ser perfeccionista ¿afecta a la ansiedad?

Las tendencias perfeccionistas pueden contribuir a que se sienta ansiedad. Si crees que todo lo que haces debe ser perfecto, te sentirás ansioso porque nadie puede hacerlo todo bien. Podemos aspirar a la excelencia, pero cuando exigimos perfección, nos estamos buscando problemas. Las personas perfeccionistas tienden a pensar en blanco y negro, y creen que existe un modo absolutamente perfecto de hacer las cosas. Les cuesta ver las zonas grises, o darse cuenta de que un esfuerzo al 85 o 90 % dará resultados muy satisfactorios la mayoría de las veces.

Lo más triste del perfeccionismo es que te mantiene estancado en una situación de déficit. En lugar de hacer borrón y cuenta nueva y ver todo lo que consigues como éxitos, empiezas con una expectativa del 100 %, y lo único que ves es lo que te hace estar por debajo de ella. Cuando percibes el déficit, te angustias porque no estás cumpliendo tu expectativa irreal.

Una forma sencilla para empezar a corregir esta situación es la de empezar cada día desde cero. Ten presente lo que añades por el mero hecho de ser quien eres («Hago que la gente se ría»); las pequeñas cosas que haces y por las que no sueles felicitarte («Doy de comer a mis hijos, he regado las plantas, he sacado al perro a pasear»); y, sobre todo, sé consciente de cuánto estás aprendiendo y creciendo. La ironía estriba en que a menudo ¡gracias precisamente a nuestros *errores* aprendemos y crecemos!

Intentar alcanzar la excelencia no tiene nada malo. De hecho, las personas que tienen visiones de grandes cosas son quienes las alcanzan. Además, los individuos que se sienten satisfechos por lo que han conseguido tienden a alcanzar sus fines más que las personas que se hacen trizas por todo lo que han hecho que no es perfecto.

¿Están relacionadas la indecisión y la ansiedad?

La indecisión y la ansiedad están relacionadas de varias maneras. De entrada, una persona a quien angustia una tarea tiende a postergarla. El motivo de esta demora puede incluir pensamientos tales como: «Es demasiado difícil... Nunca lo haré lo bastante bien... Los demás no creerán que está lo bastante bien». Si tienes estos pensamientos, está claro que te sentirás ansioso, y no es de extrañar que demores las tareas, temiendo lo que debes hacer. Una vez has pasado un tiempo sumido en la indecisión y se acerca la fecha tope, es posible que sientas que tu ansiedad aumenta. Ahora te dices cosas como: «He demorado esto tanto tiempo que nunca conseguiré tenerlo a tiempo... No hay manera de que lo tenga para esa fecha... Mi jefe se enfadará conmigo porque no he acabado el informe». Una vez más, es este tipo de pensamientos el que te crea ansiedad, no el mero hecho de no haber acabado la tarea.

Puedes contrarrestar estos pensamientos negativos a base de otros positivos, como: «Si me han encargado este trabajo es porque puedo hacerlo». En segundo lugar, si no estás seguro de qué se espera de ti, solicita más información. A veces nos inquietamos sin necesidad, porque imaginamos que la tarea es más difícil de lo que realmente es. Por último, puede resultar muy útil dividir la tarea en partes, y centrarte únicamente en aquella en la que trabajas, y no tanto en el producto final.

¿Es posible aprender a ser menos indeciso?

La indecisión es un hábito que cuesta mucho cambiar, como pasa con otros hábitos. Entre las diversas maneras de cambiar la conducta indecisa se cuentan alterar la forma de pensar y, en realidad, de actuar. Los pensamientos que pueden llevarte a la indecisión son, entre otros: «Es demasiado difícil... Lo haré más tarde... Esperaré hasta tener ganas». Los que pueden ayudarte a superarla son:

- «Es mejor que lo haga ahora en lugar de esperar a más tarde».
- «Es difícil, pero no demasiado.»
- «Si ahora no me apetece, seguramente luego tampoco, así que más vale que me ponga con ello y lo acabe.»

Esta forma de pensar proactiva puede inquietarte un poco e irritarte al pensar en tu tarea pendiente, pero esta conversación personal contigo mismo mantendrá tus emociones negativas en un grado que te permitirá realizar el trabajo.

Las conductas que pueden ayudar a superar un hábito de indecisión incluyen «la acción de los cinco minutos». Si hay algo que no quieres hacer en absoluto, concédete cinco minutos para abordar la tarea. Al cabo de los cinco minutos, puedes decidir: «¿Puedo seguir trabajando en esto o voy a retomar la tarea más tarde?». Es curioso, pero una vez te pones a hacer algo, no suele ser tan malo como pensabas que sería antes de empezar. En el caso de la indecisión, es muy importante no esperar a que llegue la motivación para hacer algo, porque te pasarás la vida esperando. Es mejor actuar primero, lo cual puede generar la motivación y, a su vez, más acciones. Ten en cuenta que vale la pena el esfuerzo que inviertas en superar el hábito de la indecisión. Las personas indecisas se sienten muy angustiadas o estresadas en numerosos momentos de su vida.

¿La ansiedad puede dar lugar a la ira?

Las personas que luchan con la ansiedad suelen descubrir que pierden los nervios más fácilmente y que se sienten más irritables. Si piensas en ello, no es nada bueno estar preocupado constantemente o sintiendo que tu cuerpo está a punto de estallar por la tensión. Cuando no te sientes bien por dentro, los agentes estresantes que aparezcan en tu entorno pueden tener un impacto más negativo sobre tu persona. Obviamente, la ansiedad y la ira pueden coexistir.

Sin embargo, no es realmente cierto decir que la ansiedad hace que una persona esté furiosa. Lo que hace que lo esté es lo que se dice a sí misma. Los pensamientos como «Esto no tendría que pasarme a mí», «No tengo por qué aguantar esta situación» o «Ya he tenido bastante, no puedo más» aumentarán tu ansiedad y tu ira. Aparte de esto, cuando sientes ansiedad, existe la tendencia de eludir las actividades cotidianas y las que te resultan agradables. Cuanto más eludas el tipo de cosas que te hacen sentir bien, más probable será que tengas problemas con la ira, dado que no tienes una vía que te proporcione consuelo ni una salida para la angustia.

No dejo de preocuparme por cómo le va a mi hijo en el colegio. Me da la sensación de que nunca estudia tanto como creo que debiera. ¿Qué puedo hacer para que se esfuerce más?

Recuerda que la conducta de la única persona que puedes controlar o garantizar es la tuya propia. Si te dices a ti mismo: «Mi hijo no estudia tanto como debiera... Tengo que hacer que trabaje más», esto supone básicamente poner en sus manos tu bienestar. Lo que sí puede ser cierto es que te *gustaría* que tu hijo estudiara más, trabajase más y que le fuese mejor en el colegio, pero no hay motivos para que tenga que ser así. Si te das cuenta de que lo tuyo es una preferencia, es decir, si sabes que te *gustaría*, pero que no *tiene que* suceder necesariamente, sentirás una preocupación adecuada. Si sientes un interés correcto, será más sensato establecer un sistema de incentivos y castigos para tu hijo en lo que respecta a su rendimiento escolar. No obstante, si te dices que *debe* mejorar y no lo hace, tu sentimiento no será una preocupación correcta. En lugar de ello, tu reacción será la ansiedad. Si este problema te hace sentir ansiedad, dispondrás de menos recursos para abordarlo. En este caso, lo fundamental es que te irá mejor si te centras menos en la conducta de *tu hijo* como forma de reducir tu ansiedad, y más en cómo puedes pensar *tú* en este problema, de una forma que te incomode menos.

Cuando siento ansiedad tiendo a comer en exceso. ¿Qué puedo hacer con este problema?

Cuando uno se siente ansioso, es natural querer sentirse mejor y obtener algún consuelo. Sin embargo, seguramente no te extrañará que comer para sentirse mejor sea un recurso que proporciona beneficios inmediatos y problemas a largo plazo. En el momento de comer esos alimentos que te gustan te sientes mejor, pero con el paso del tiempo desarrollas un hábito que cuesta romper, y subes de peso más de lo que quisieras.

Para mejorar este problema, recuerda que sentirse ansioso no es un motivo para comer en exceso. A muchas personas la ansiedad les impide comer. Los aspectos importantes que hay que tener en cuenta es qué te dices a ti mismo, y cómo reaccionas cuando te asalta la ansiedad. Si sueles decirte cosas como: «No lo soporto. Necesito algo que me haga sentir mejor», entonces tiene sentido que salgas disparado a buscar comida. Sin embargo, este tipo de comentarios es seguramente falso y, claramente, inútil. Cuando te dices que no puedes soportar algo, subes el listón y, por lo general, aumentas la emoción negativa que no te gustó ya de entrada. Además, si realmente no pudieras soportar algo te morirías, y éste no es el caso. Es más preciso decir: «No me gusta cómo me siento ahora, pero puedo soportarlo» o «Me gustaría que algo me ayudase a sentirme mejor, pero no tiene por qué ser necesariamente comida». Cuando eres capaz de emplear una autoconversación más realista e intensa, dispones de una estrategia que a menudo te permite mantener la ansiedad a un nivel soportable, dejándote así mayor margen de recursos para solventar tus problemas.

Si bien es tremendamente importante desafiar nuestra autoconversación inútil sobre la ansiedad y la comida, también lo es disponer de ciertas medidas conductuales para responder a ella. Vivimos en una sociedad en la que tenemos un acceso tan inmediato a la comida en grandes cantidades que comer para sentirse mejor puede convertirse en una técnica que nos impida hasta pensar. Habrá momentos en los que ni siquiera serás consciente de lo que has comido hasta ingerir muchas más calorías de las que te habías propuesto. De modo que es importante tener una idea clara sobre algunas conductas importantes. Considera las siguientes opciones.

- Lleva un diario alimentario (en la página siguiente). Si no piensas llevarlo, ¡resiste la tentación de comértelo!
- No metas en casa alimentos grasos o que te gusten tanto que no pares de «picar».
- Haz una lista de actividades placenteras que no incluyan la comida. Pega la lista en tu coche, en la nevera, junto a la mesita de noche... En cualquier sitio que la veas fácilmente.
- Escribe tarjetas o postales que puedas pegar en la nevera o los armarios de la cocina, con mensajes que te ayuden a hacer una pausa para reflexionar:

¡Las malas costumbres son pasajeras!
¿Es mi estómago el que me pide comer, o mi cabeza?
¿De verdad quiero alimentos ahora, o sólo pretendo sentirme menos ansioso?
¿Cómo me voy a sentir cuando me haya comido esto?
Comer este tipo de comida ¿encaja con las metas que me he fijado desde el punto de vista nutricional?

	Hora del día	Comida y cantidad	Entorno y circunstancia	¿Estómago o cabeza?	Grado de ansiedad antes de comer (0-100)	Grado de ansiedad tras comer (0-100)
Domingo						
Lunes						
Martes						
Miércoles						
Jueves						
Viernes						
Sábado						

Capítulo 6

COMPRENDAMOS LOS ATAQUES DE PÁNICO

- ¿Qué es un ataque de pánico?
- ¿Cómo tiene lugar un ataque de pánico?
- ¿Qué sucede en mi cuerpo cuando tengo síntomas de pánico?
- ¿Qué puedo hacer para detener un ataque de pánico?
- ¿Un ataque de pánico puede perjudicarme?
- Cuando me entra el pánico, ¿cómo puedo saber que no tengo un ataque al corazón o una embolia?
- ¿Existe alguna diferencia entre los ataques de ansiedad y los de pánico?
- Cuando tengo un ataque de pánico, ¿por qué siento que estoy perdiendo el control?
- ¿Un ataque de pánico puede enloquecerme?
- ¿El estrés provoca ataques de pánico?
- He oído que el pánico es un círculo vicioso. ¿Cómo funciona?
- ¿Qué es una crisis nerviosa? Si mis nervios no funcionan bien, ¿podría tener una?
- Tengo miedo de que mis ataques de pánico estén sobrecargando mi cuerpo. ¿Puedo enfermar debido a ellos?
- ¿Qué es la hiperventilación? ¿Puede hacer que me desmaye?
- Siento que el pánico se ha adueñado de mi vida. ¿Cómo limitan los ataques de pánico a otras personas?
- Mis amigos me dicen que no pueden saber cuándo tengo un ataque de pánico, pero sé que tiene que ser evidente. ¿Me pueden ayudar a entender esto?
- He oído que no te puede dar un ataque de pánico cuando estás relajado o riéndote. ¿Por qué es así?
- He tenido ataques de pánico durante el día pero, hace poco, me desperté una noche de repente a causa de uno de ellos. ¿Es normal?
- En verano intento no salir mucho, porque tengo miedo de que me dé un ataque de pánico. ¿Es posible que el calor aumente la probabilidad de tenerlo?
- He oído que los ataques de pánico conducen a la agorafobia. ¿Por qué? ¿Y qué es la agorafobia exactamente?

¿Qué es un ataque de pánico?

Seguramente a todos nos ha entrado «el pánico» cuando nos hemos enfrentado a una crisis; esto quiere decir que nos hemos asustado de verdad, que nos hemos disparado. Sin embargo, un ataque de pánico no es lo mismo que sentir temor o nerviosismo. Un ataque de pánico provoca la sensación de que se te viene encima una oleada de miedo. Típicamente, un ataque de pánico dura entre unos pocos minutos y media hora, pero las sensaciones pueden prolongarse más tiempo. Durante un ataque de pánico, experimentas al mismo tiempo cuatro o más de los siguientes síntomas:

- Aumento del ritmo cardíaco (palpitaciones)
- Sudoración
- Temblores o estremecimientos
- Dificultad para respirar o sensación de presión en el pecho
- Sensación de asfixia
- Dolores o molestias en el pecho
- Náuseas o malestar intestinal
- Mareo o sensación de flotar
- Sensación de irrealidad o de estar separado de uno mismo
- Miedo a perder el control o a volverse loco
- Miedo a morir
- Entumecimiento o cosquilleo en los miembros
- Sensación repentina de frío o de calor

Antes que nada, es muy importante descartar las dolencias médicas que puedan originar ataques de pánico, como por ejemplo problemas cardíacos, tiroideos o metabólicos. Una vez tu médico haya confirmado que tus síntomas no tienen un origen físico, es probable que lo que sientes sean ataques de pánico. Como pasa con otros trastornos de ansiedad, el sistema de alarma de tu cuerpo está sobrecargado. Un ataque de pánico sería como alarmas que se disparan una tras otra, hasta que el sonido resuena por todo el edificio. Tener un solo síntoma hace que la persona se sienta incómoda, pero cuando se dan varios de ellos al mismo tiempo, la experiencia es bastante amedrentadora. Aparte de esto, los síntomas parecen surgir de la nada. Si has tenido algún ataque de pánico, es posible que intentes eludir situaciones en las que pudiera volver a sufrirlo, como el trabajo, el centro comercial, un restaurante, una multitud, conducir, estar a solas... y esto tiende a debilitarte. Aunque a nadie le gusta tener un ataque de pánico, en realidad son más frecuentes de lo que podrías imaginar. Durante el pasado año, más del 30 % de estadounidenses padecieron algún tipo de ataque de pánico.

¿Cómo tiene lugar un ataque de pánico?

Aunque nos parezca que el ataque de pánico surge de la nada, suele provenir de una acumulación de síntomas a medida que interpretamos una situación negativamente. Veamos un ejemplo de una mujer que está sentada a la mesa de su oficina:

Conducta: Se da cuenta de que su corazón late un poco más rápido de la cuenta.

Pensamiento: «¡Oh, Dios mío! ¿Qué me pasa?».

Síntomas: Aumento del ritmo cardíaco; respiración más agitada.

Pensamiento: «¡Es horrible! Debe de pasar algo malo».

Conducta: No puede concentrarse en el trabajo; busca formas de huir; intenta respirar hondo.

Síntomas: Se acelera más el corazón, se intensifica la falta de aire; empieza a temblar y a sudar.

Pensamiento: «No lo soporto. Tengo que pararlo como sea».

Síntomas: El corazón va a tope; respiración entrecortada; prosiguen los temblores y la sudoración; aparece la sensación de flotar y las náuseas.

... y así hasta que la mujer cae presa de un ataque de pánico propiamente dicho.

Una vez esa mujer haya experimentado lo que es un ataque de pánico, puede desarrollar un intenso miedo a que vuelvan a aparecer esos síntomas. A menudo empezará a buscar y detectar los pequeños cambios de sus sensaciones corporales. El hecho de que una persona se inquiete debido a inocuas alteraciones físicas puede aumentar la posibilidad de que tenga más ataques de pánico. El pensamiento negativo, la respiración rápida y superficial (taquipnea) y la evitación de actividades que antes eran placenteras o productivas, debido al temor, pueden empeorar y prolongar los problemas con los ataques de pánico.

¿Qué sucede en mi cuerpo cuando tengo síntomas de pánico?

Es posible que una de las mejores armas para enfrentarse a un ataque de pánico sea comprender las sensaciones físicas que tienen lugar durante el mismo. Aunque pueda resultar difícil de creer, ninguna de las sensaciones asociadas con el pánico es perjudicial en absoluto. De hecho, estos síntomas iban originariamente destinados a protegerte de los peligros. Para entender esto, resulta útil pensar en nuestros antepasados prehistóricos. Las personas que vivían en cavernas tenían un objetivo claro: sobrevivir. Básicamente, la supervivencia significaba luchar con un depredador o huir de él. Para alcanzar este objetivo, la lucha o la huida, los cuerpos de nuestros ancestros debían reaccionar rápida y defensivamente frente a presuntas amenazas. Este sistema de respuesta es el que nos transmitieron, y todas las sensaciones que caracterizan a un ataque de pánico son en realidad parte de lo que se ha dado en llamar nuestra capacidad de «luchar o huir». En la siguiente tabla vemos algunas de las sensaciones frecuentes en los ataques de pánico, y cómo se relacionaba cada síntoma con la supervivencia:

Síntoma	Motivo
Aumento del ritmo cardíaco	El ritmo cardíaco acelerado aumenta el riego sanguíneo a los grandes músculos del cuerpo (p. ej., los cuádriceps o bíceps), aportándoles más oxígeno y ayudándolos a prepararse para luchar o huir.
Respiración entrecortada Dolor en el pecho Sensación de ahogo	Cada uno de estos síntomas está relacionado con el aumento de la respiración. Frente a un peligro, nuestra respiración se acelera para transmitir más oxígeno a los tejidos implicados en el combate o la huida. (Piensa en los momentos en que has corrido realmente deprisa.) Uno de los efectos secundarios es que los músculos pectorales trabajan muy intensamente, lo cual puede originar dolor o tensión en el pecho.
Mareo leve Sensación de flotar Sensación de irrealidad Sensación de estar fuera de uno mismo	Estas sensaciones están relacionadas con cambios asociados al aumento de ritmo respiratorio durante la lucha o la huida. Como resultado de la hiperventilación, al cerebro llega algo menos de oxígeno. Este cambio no es perjudicial en absoluto, pero puede provocar una sensación de flotar, de mareo o de confusión.
Manos frías y sudorosas Entumecimiento Cosquilleo	La sangre se aleja de la piel y de los dedos de manos y pies para impedir que una persona se desangre en caso de que se corte o reciba una herida grave. El cuerpo envía más sangre a los grandes grupos musculares, para luchar o alejarse rápido del peligro.
Sudoración	El sudor refresca el cuerpo. La sudoración también hace que el cuerpo sea más resbaladizo, lo cual obstaculiza los intentos de un atacante para apresar y herir a nuestros antepasados cavernícolas.
Náuseas o molestias abdominales	Se emplea menos actividad en los procesos digestivos; la mayor parte de la energía y los recursos corporales se centran en los grandes grupos musculares, para luchar o alejarse del peligro.
Temblores o estremecimientos	Los músculos pueden temblar porque se contraen para prepararse para luchar o huir de una amenaza.
Ramalazos de calor	El proceso de preparar al cuerpo para luchar o correr siempre supone la inversión de muchas energías, lo cual hace que sintamos calor.

¿Qué puedo hacer para detener un ataque de pánico?

Puede que esto te sorprenda, pero una de las mejores cosas que puedes hacer para reducir la gravedad de un ataque de pánico es recordarte: «No tengo por qué detener esto, y puedo soportar los síntomas». Cuanto más insistas en que no tienes un ataque de pánico o en que los síntomas cesen de inmediato, más ansiedad generarás. Así que, si te concentras en detener el ataque, ¡puedes acabar empeorando los síntomas que intentas aliviar! Tanto si hace poco tiempo que sufres ataques de pánico como si eres «veterano», ten en cuenta que los ataques de pánico no te van a matar, que no harán que tengas un ataque cardíaco y que puedes superar esos síntomas. Aquí van algunas de las cosas importantes que puedes decirte para salir de ese estado:

- «Es incómodo, pero ya lo he pasado antes. Esta vez también lo superaré».
- «No me voy a morir. *Puedo* superar esto.»
- «Esto es un rollo, pero no es el fin del mundo.»

Básicamente, no quieres exigir que nunca tengas un ataque de pánico o que cuando éste llegue cese de inmediato. De hecho, hay un tratamiento muy eficaz llamado *exposición interoceptiva*, que consiste en enseñar al paciente a *provocar* los ataques de pánico.

¿Un ataque de pánico puede perjudicarme?

Asumiendo que se hayan descartado las causas médicas y que tu doctor ha diagnosticado que padeces ataques de pánico, puedes estar tranquilo: los síntomas de pánico *no son peligrosos*. Cuando te entra el pánico, sientes que se te acelera el corazón, te tiemblan manos y piernas, sudas más, tienes sensación de mareo y de flotar, o incluso náuseas. Todos estos síntomas son molestos y pueden asustar; sin embargo, ninguno de ellos te hará daño en ningún sentido. Recuerda que el ataque de pánico se produce porque se activa tu sistema de lucha o huida. Este sistema va destinado a protegerte. Ninguno de los síntomas de un ataque de pánico va a herirte ni a matarte. Si llevas un tiempo sufriendo estos ataques, otra forma de darte cuenta de que no te estás muriendo es recordar todos los ataques que ya has tenido antes. Algunas personas han padecido cientos. Obviamente, si ya has pasado por cientos de ataques de pánico y no has muerto, la evidencia sugiere que en este caso también vas a sobrevivir.

Además, ten en mente que un ataque de pánico siempre es transitorio. Los agentes químicos que activan nuestra respuesta de emergencia irán menguando, de modo que es imposible que un ataque de pánico dure indefinidamente. Aunque es difícil acordarse de esto en medio de un episodio de este tipo, entender que las sensaciones de pánico son pasajeras y no perjudiciales forma parte importante del proceso de superación del problema. Cuanto más aprendas a pensar de forma realista en los síntomas de pánico y a reaccionar positivamente a ellos, mejor te sentirás.

Cuando me entra el pánico, ¿cómo puedo saber que no tengo un ataque al corazón o una embolia?

En primer lugar asegúrate de haberte sometido a un examen médico completo para descartar que tus ataques de pánico no tengan un origen cardiovascular, respiratorio, gastrointestinal, metabólico, endocrino-hormonal, neuromuscular o vestibular. Una vez el médico te ha garantizado que no es así, puedes estar seguro de que los ataques de pánico no provocan ataques al corazón ni embolias. En concreto, si padeces una enfermedad cardíaca, el electrocardiograma (ECG) revelará cambios eléctricos notables en el corazón. Por otra parte, durante los ataques de pánico, el ECG sólo revelará un pequeño aumento del ritmo cardíaco. Para alguien que lucha contra el pánico es útil entender los factores que diferencian un ataque al corazón o una embolia de un ataque de pánico; es buena idea que le preguntes a tu médico sobre estas diferencias, y apuntes lo que dice para que luego puedas acordarte. Por lo general, los síntomas de un ataque al corazón incluyen un aumento de la presión en el pecho, dolores en la zona y dificultad para respirar, con palpitaciones y desmayos ocasionales. La intensidad de los síntomas típicos del ataque al corazón aumentan con el esfuerzo físico y se alivian con el descanso. Por el contrario, nos parece que los síntomas de pánico surjan de la nada y pueden darse con la misma intensidad tanto en reposo como en movimiento. Además, durante un ataque de pánico, la presión sanguínea no aumenta tan drásticamente ni limita el riego cerebral hasta el punto de causar una embolia.

¿Existe alguna diferencia entre los ataques de ansiedad y los de pánico?

La gente tiende a usar las expresiones «ataque de ansiedad» y «ataque de pánico» como si fueran sinónimas. Mientras que los ataques de pánico tienen una definición clara en el manual diagnóstico de los trastornos mentales (DSM-IV), no existe una categoría propia para un ataque de ansiedad. Ten en cuenta que los ataques de pánico son episodios agudos, pero breves, de ansiedad, en los que te sientes desbordado por la experiencia física de la ansiedad (p. ej., el corazón acelerado, los sudores, las náuseas); sientes que has perdido el control, y te inquieta estar muriéndote o volviéndote loco. Los ataques de pánico pueden durar desde minutos hasta aproximadamente media hora. A veces las personas usan la expresión «ataque de ansiedad» para describir esta experiencia, pero también la usan en términos más generales para describir los momentos de su vida en que han experimentado más ansiedad. Cuando una persona está muy preocupada y siente que tiene los nervios de punta durante varias horas o días, lo que experimenta es un tipo distinto de ansiedad, pero no es pánico; posiblemente se trate de un indicio del trastorno de ansiedad generalizado. Dado que las recomendaciones de tratamiento serán distintas dependiendo del tipo de trastorno de ansiedad, es importante que un profesional bien cualificado nos dé un diagnóstico preciso.

Cuando tengo un ataque de pánico, ¿por qué siento que estoy perdiendo el control?

Los síntomas de pánico pueden ser muy amedrentadores, y la gente suele pensar que pueden conducir a una serie de conductas extrañas (por ejemplo, ponerse a gritar en un aula, atacar a alguien, salir corriendo de una reunión importante, saltar del coche, quedarse paralizado). Sin embargo, ese grado de ansiedad puede llevarnos a creer cosas que es muy improbable que sucedan.

La terapia cognitivo-conductual ayuda a las personas a tener más información sobre el pánico y las maneras de afrontarlo. Una de las frases más importantes de la terapia cognitivo-conductual es «Los sentimientos no son hechos». Esto es especialmente cierto en medio de un ataque de pánico. Durante uno de estos ataques, el cuerpo ha entrado en su programa de lucha o huida por medio de la activación del sistema nervioso simpático. Tu cuerpo reacciona como si estuviera expuesto a un peligro real, aunque lo más probable es que se trate de una falsa alarma. Como tu cuerpo se está preparando para afrontar la amenaza que crees que está ahí, está disponiéndose a apartarte del peligro. Aunque sientas exactamente lo contrario, *cuando se activan los síntomas de pánico, el objetivo primordial es la protección del organismo.* Por consiguiente, es importante que recuerdes que no vas a perder el control. Durante un ataque de pánico no hay ninguna fuerza misteriosa que te posea. Aunque es posible que tu mente siga insistiendo en que «¡No lo soporto!», *en realidad sí que puedes soportar algo que no te gusta nada.* Está claro que la confusión, aprensión y sensación de irrealidad que acompañan a un ataque de pánico son inoportunas y desagradables, pero nunca impedirán que funciones bien. Durante los ataques de pánico, las personas pueden seguir hablando en reuniones de empresa, conducir un coche, dar de comer o cambiar a sus bebés y realizar cualquier otra actividad cotidiana. De hecho, una de las afirmaciones más importantes para enfrentarse a un ataque de pánico es: «Puedo sentir ansiedad y funcionar bien al mismo tiempo».

¿Un ataque de pánico puede enloquecerme?

No. Los ataques de pánico no enloquecen a nadie, a pesar de que cuando estés en medio de uno puedas sentir lo contrario. Asumimos que «enloquecer» significa perder el contacto con la realidad (por ejemplo, tener alucinaciones y/o delirios persistentes) y ser incapaz de realizar las actividades más básicas de la vida (como asearse). Mientras que los síntomas de pánico son muy desagradables e incluso, en determinados momentos, agotadores, no tienen la capacidad de arrebatarle a nadie su cordura. *Los ataques de pánico no pueden inducir la esquizofrenia, la psicosis o el delirio.* Una persona que padece un ataque de pánico puede sentir que le aumenta el ritmo cardíaco, respira entrecortadamente, se le duermen las extremidades o siente cosquilleo en ellas, se marea o siente tensión muscular, presión en el pecho o náuseas; puede sudar más de lo normal y embargarle la sensación de ser irreal o hallarse fuera de su cuerpo, en diversos grados. Como dijimos antes, en un principio todos estos síntomas iban destinados a proteger al organismo, ninguno de ellos es peligroso y todos ellos son transitorios. Es evidente que unos síntomas diseñados para protegerte no te van a volver loco. Esto no quiere decir que los síntomas de pánico no pasen factura a tu bienestar emocional; está claro que lo mejor sería que nadie tuviera que sufrir un ataque de pánico en su vida cotidiana. Sin embargo, una de las maneras de enfocar mejor el problema radica en recordar voluntaria y poderosamente que los síntomas de pánico son inofensivos y que no pueden hacerte perder la cabeza.

¿El estrés provoca ataques de pánico?

El estrés es uno de los factores que pueden contribuir a los ataques de pánico. Éstas son algunas de las maneras en que el estrés y otros factores aumentan la probabilidad de tener un ataque de pánico:

- El hecho de que en tu vida cotidiana estés más estresado puede aumentar tu nivel de adrenalina y de otros agentes químicos que te harán más propenso a tener ataques de pánico.
- Durante las épocas de estrés, a menudo las personas contienen la respiración intermitentemente o no respiran nunca en profundidad; a menudo esto da como resultado una hiperventilación, que se asocia con todo tipo de cambios físicos (como la falta de aire, los mareos, el embotamiento, el cosquilleo y los dolores en el pecho).
- Centrarse demasiado en los cambios corporales puede hacer que una persona sea más susceptible al pánico.
- Hay que tener muy en cuenta la predisposición biológica que tenga una persona a las perturbaciones emocionales. Así, si diversos miembros de una familia han sufrido ataques de pánico regularmente, es más probable que sus descendientes tengan que luchar contra el pánico.

Cuando pienses en los factores que producen ataques de pánico, ten en cuenta que pueden ser biológicos, psicológicos y relacionados con el estrés. El primer ataque de pánico es algo muy angustioso, porque la persona no tiene idea de qué le está sucediendo o por qué. Un primer paso muy importante es descartar que los síntomas parecidos al pánico no tengan un origen médico. Sin embargo, una vez un médico ha establecido que la persona no está enferma, es importante que ésta entienda que los síntomas del pánico son molestos, pero no peligrosos. Los problemas con el pánico se perpetúan y exacerban cuando quien los sufre los teme e intenta eludir los síntomas físicos totalmente inocuos.

He oído que el pánico es un círculo vicioso. ¿Cómo funciona?

El siguiente triángulo muestra cómo los sentimientos de pánico, los pensamientos amedrentadores y la conducta de evitación se interrelacionan y se perpetúan recíprocamente.

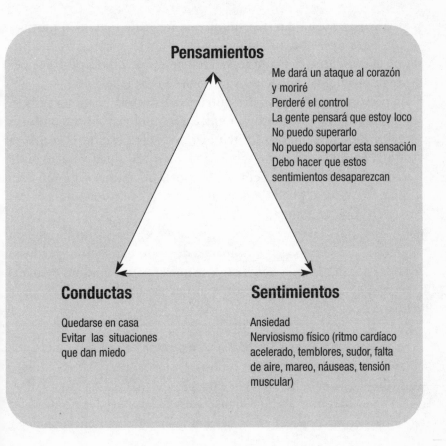

Pensamientos

Me dará un ataque al corazón y moriré
Perderé el control
La gente pensará que estoy loco
No puedo superarlo
No puedo soportar esta sensación
Debo hacer que estos sentimientos desaparezcan

Conductas

Quedarse en casa
Evitar las situaciones que dan miedo

Sentimientos

Ansiedad
Nerviosismo físico (ritmo cardíaco acelerado, temblores, sudor, falta de aire, mareo, náuseas, tensión muscular)

¿Qué es una crisis nerviosa? Si mis nervios no funcionan bien, ¿podría tener una?

Esta expresión se refiere a un concepto muy amplio, aplicable a muchas enfermedades mentales. Aunque a menudo la gente habla de una crisis de salud mental definiéndola como «crisis nerviosa», no se trata de un término profesional, de modo que carece de un significado estándar aceptado. Suele querer decir que alguien tiene una enfermedad mental de tal gravedad que ya no logra seguir adelante, realizar las actividades de la vida cotidiana o resolver los problemas ordinarios. Puede que haya perdido el contacto con la realidad y deba permanecer en un entorno seguro, como un hospital psiquiátrico o la unidad psiquiátrica de un hospital. Estas crisis pueden prolongarse durante varios días. Entre otros, los motivos para estos episodios suelen ser los siguientes:

* Una persona está tan deprimida que no tiene fuerzas o motivación para moverse, ni siquiera para salir de la cama. A medida que el individuo deprimido va creyendo que nunca podrá superar su problema, pueden invadirle deseos de suicidarse.
* La persona puede desarrollar una psicosis aguda. En este caso, el individuo no logra distinguir entre los sonidos, visiones u olores reales y los imaginarios (**alucinaciones**). Ha perdido el contacto con la realidad, y a menudo está convencido de la veracidad de determinadas ideas ridículas (**delirios**). Su sentido común está muy alterado, y puede tender al suicidio o al homicidio porque escucha una voz que lo impulsa a ello.
* En ocasiones, las personas que padecen el trastorno de pánico sienten que su miedo las incapacita del todo y que están perdiendo la cabeza. Por muy angustiosos que sean, los ataques de pánico son episodios transitorios, y no es probable que motiven la hospitalización.

La expresión «tener los nervios de punta» es una referencia popular para indicar que nos sentimos ansiosos, pero eso no quiere decir que el sistema nervioso se esté sobrecargando o vaya a fallarnos. Sin embargo, si alguien siente un nerviosismo desmesurado o temblores como consecuencia del síndrome de abstinencia (al dejar el alcohol u otras drogas o medicamentos), es posible que haya que hospitalizarlo como un caso de emergencia.

Tengo miedo de que mis ataques de pánico estén sobrecargando mi cuerpo. ¿Puedo enfermar debido a ellos?

Como es lógico, las personas se sienten mejor físicamente cuando logran controlar bien sus problemas emocionales. Mientras que el estrés prolongado y descontrolado se asocia con un aumento de los problemas de salud, no podemos decir que los síntomas del pánico «descompongan» el cuerpo de una persona. Los ataques de pánico frecuentes no lastiman los nervios. Recuerda que todos los síntomas de un ataque de pánico son el resultado del sistema de lucha o huida que se activa por medio del sistema nervioso simpático. Este sistema está diseñado para protegerte. Por el hecho de que esta respuesta se esté produciendo más de lo que te gustaría, no quiere decir que el sistema nervioso simpático vaya a agotarse, dejar de trabajar o perjudicar a otras áreas de tu cuerpo. Aunque sean desagradables, los ataques de pánico frecuentes indican que tu mecanismo de lucha o huida responde ante un montón de falsas alarmas; de nuevo, se trata de una situación incómoda, pero *inofensiva*.

Aparte de esto, debes recordar que, por cada vez que se activa tu sistema nervioso simpático, también se activa el sistema parasimpático. Éste es el sistema que se opone, o que equilibra, la reacción de lucha o huida, y este mecanismo también te tranquilizará. El cuerpo está diseñado de tal manera que la actividad parasimpática no permite que la simpática siga aumentando hasta llegar a un punto peligroso.

La idea central es que el pánico ya es lo bastante desagradable por sí solo como para que lo empeores asumiendo que perjudica a tu cuerpo. Hay un pensamiento que puede exacerbar tus síntomas de pánico y aumentar tu susceptibilidad a los ataques, que es éste: «¡Oh, Dios mío! ¡Estoy destruyendo mi cuerpo!». Esto es falso. Una charla más útil sería decirse: «No me gustan estos síntomas, pero puedo superarlos y recordarme que no perjudican a mi cuerpo».

¿Qué es la hiperventilación? ¿Puede hacer que me desmaye?

La hiperventilación consiste en respirar a un ritmo y con una profundidad excesivos frente a lo que demanda una situación determinada. Si estuvieras participando en una carrera, necesitarías que tu ritmo respiratorio fuera intenso. Si estás sentado en tu despacho preparando una reunión importante, la hiperventilación no es necesaria. Cuando hiperventilas, durante unos minutos respiras demasiado rápido. Esto da como resultado un cambio en el equilibrio del oxígeno y del dióxido de carbono en la sangre, lo cual puede asociarse con la respiración dificultosa, el embotamiento o cosquilleo de las extremidades, los mareos o la sensación de flotar, los dolores de pecho y las palpitaciones. Notablemente, el principal ingrediente de la hiperventilación es un súbito descenso del nivel de dióxido de carbono en el torrente sanguíneo, *no* en el de oxígeno. Recuerda siempre que la hiperventilación puede producir algunos síntomas físicos incómodos, pero que no es peligrosa. En el cuerpo hay mucho oxígeno, aunque no se use con la misma eficacia de siempre; es una situación molesta, *pero inofensiva*. Algunas personas detectan las alteraciones físicas relacionadas con la hiperventilación y empiezan a decirse cosas como: «No puedo soportarlo... No puedo respirar». Estas interpretaciones, erróneas y catastrofistas, aumentan la emoción de la ansiedad y empeoran los síntomas físicos. Es mucho más cierto decir que *la hiperventilación es desagradable, pero inofensiva*. De hecho, uno de los instrumentos de diagnóstico y de intervención que se usan para combatir el pánico se llama «prueba de estrés por hiperventilación». Aquí, en colaboración con un terapeuta experto, el paciente hiperventila adrede para:

1. Percibir cómo su ritmo respiratorio produce sensaciones físicas
2. Aprender que estas sensaciones no son peligrosas, de forma que le inquieten menos
3. Darse cuenta de que los síntomas molestos no indican que su cuerpo esté fuera de control

Cuando una persona hiperventila, aumenta su presión sanguínea y su ritmo cardíaco. El desmayo conlleva un aumento de la presión sanguínea y del ritmo cardíaco, seguidos por *un descenso repentino* de estos valores. Aunque puede darte la sensación de que no respiras todo el aire que necesitas o de que vas a desmayarte, es muy poco probable que una persona se desvanezca debido a la hiperventilación. En general, las personas que dicen haberse desmayado debido a la hiperventilación tienen otras tendencias que hacen más probable que se desmayen.

Siento que el pánico se ha adueñado de mi vida. ¿Cómo limitan los ataques de pánico a otras personas?

Las personas que se enfrentan a ataques de pánico frecuentes suelen tener miedo, fundamentalmente, a las sensaciones físicas incómodas, asociadas con la reacción de lucha o huida. Aparte de esto, les preocupa hacer el ridículo, hacerse daño, herir a otra persona, vomitar en público, perder el control de su vejiga o sus intestinos, ser incapaces de respirar, volverse locos, padecer un ataque al corazón o una embolia, o desmayarse. Cuando a una persona le aterra tener un ataque de pánico, su mente descarta muchos lugares y situaciones, algunas de las cuales pueden ser las que figuran a continuación:

Conducir	Las reuniones laborales
Viajar en coche como pasajero	Los ascensores/escaleras mecánicas
Los supermercados	Estar solo en casa
Los centros comerciales	Alejarse mucho de casa
Las multitudes	Los lugares desconocidos
Los cines	Salir a dar un paseo
Los restaurantes	El ejercicio
Los autobuses/metros/aviones	Las fiestas
Los puentes/túneles	Ingerir bebidas con cafeína

Mis amigos me dicen que no pueden saber cuándo tengo un ataque de pánico, pero sé que tiene que ser evidente. ¿Me pueden ayudar a entender esto?

Cuando tienes un ataque de pánico, te concentras intensamente en los cambios que se producen en tu cuerpo. Teniendo en cuenta las sensaciones que experimentas, que no te gustan nada, resulta difícil concentrarse en otra cosa. Los síntomas de pánico pueden experimentarse como un tsunami o un volcán dentro de tu cuerpo, de modo que asumes que todos los que te rodean deben de percibir tu intensa angustia. Sin embargo, esta hipótesis que aún dispara más el nivel de ansiedad suele ser incorrecta. En la mayoría de los casos, a menos que la persona que padece un ataque de pánico nos lo diga, no podemos saberlo. Así que si tus amigos o familiares te han dicho que no saben cuándo tienes un ataque de pánico, creer lo que te dicen es buena idea. Uno de los pensamientos que pueden aumentar la probabilidad de que una persona tenga un ataque de pánico y de que sus síntomas empeoren durante un ataque es éste: «Es terrible que otras personas me vean en pleno ataque de pánico». No cabe ninguna duda de que pensar algo así te hará sentir más ansioso. Una charla más útil y tranquilizadora sería decirse: «Mis amigos me han comentado que no se dan cuenta de cuándo tengo un ataque de pánico, y eso quiere decir que los demás no ven lo que siento».

He oído que no te puede dar un ataque de pánico cuando estás relajado o riéndote. ¿Por qué es así?

El hecho de estar relajado o riendo indica, probablemente, que tu mente no está centrada en una amenaza o un peligro potenciales, y esto contribuye a apartar tu atención del miedo a que te entre el pánico. Durante un ataque de pánico, tu cuerpo está concentrado y activo para protegerte del peligro (que es muy probable que sea una falsa alarma). Sin embargo, si estás realmente relajado o te ríes, estos estados suelen ser incompatibles con la reacción de lucha o huida. La activación del sistema nervioso simpático (que se produce durante un ataque de pánico) conlleva el aumento del ritmo cardíaco y de la presión sanguínea, así como la aceleración del ritmo respiratorio. Como contraste, durante un estado de relajación genuino (producido por actividades inductoras de la relajación), disminuye el ritmo cardíaco y respiratorio y desciende el grado de presión sanguínea.

A menudo la gente puede aprender formas de distraerse para no pensar en los ataques de pánico, de modo que no los esperen ni los experimenten. Un recurso útil puede ser el de dedicarse a una actividad relajante o agradable que los induzca a reír. Sin embargo, no es buena idea esperar garantías de una determinada técnica, ni depender de ella para librarse del pánico. (¿Cómo reaccionaría una persona cuando una de sus técnicas «infalibles» para superar sus ataques de pánico no funcionase?) En lugar de ello, es más beneficioso que las personas preparen sus mentes para pensar que los síntomas de pánico no son peligrosos, y que pueden superarlos. Uno de los mejores métodos para alcanzar este objetivo es provocar deliberadamente un ataque de pánico (exposición interoceptiva).

He tenido ataques de pánico durante el día pero, hace poco, me desperté una noche de repente a causa de uno de ellos. ¿Es normal?

Los estudios han demostrado que entre el 45 y el 70 por ciento de las personas que padecen trastorno de pánico experimentan ataques de pánico *nocturnos*, durante el sueño. Los ataques de pánico nocturnos suelen darse entre media hora y tres horas y media después de conciliar el sueño, fuera de la fase REM (movimiento rápido de los ojos). Esto quiere decir que es probable que en ese momento la persona no esté soñando. Los ataques nocturnos son distintos a otras perturbaciones del sueño, como despertarse de una pesadilla o sentir un terror nocturno. Aunque los terrores o pavores nocturnos puede compartir algunas características con los ataques de pánico, como por ejemplo despertarse de improviso y angustiados, existen tres diferencias importantes entre ellos:

1. Las personas que padecen un terror nocturno suelen activarse oral y físicamente, pero quien experimenta un ataque de pánico no será consciente hasta que se despierte.
2. Los terrores nocturnos van seguidos por la amnesia, mientras que los ataques de pánico nocturnos se recuerdan perfectamente.
3. Quienes padecen terrores nocturnos suelen volverse a dormir enseguida, pero quien experimenta un ataque de pánico nocturno suele ser incapaz de hacerlo.

Si bien los ataques de pánico nocturno pueden producir insomnio y reducir el buen funcionamiento del organismo al día siguiente, no son más peligrosos que los diurnos.

En verano intento no salir mucho, porque tengo miedo de que me dé un ataque de pánico. ¿Es posible que el calor aumente la probabilidad de tenerlo?

Es cierto que los síntomas de trastorno de pánico y de agorafobia aumentan durante el verano. Estar al exterior bajo el sol puede aumentar el ritmo cardíaco y respiratorio de la persona. La elevada temperatura puede producir también sensación de flotar, además de sensación de deshidratación o náuseas. Si bien estas sensaciones son desagradables para todo el mundo, pueden resultar especialmente alarmantes para quienes están luchando contra los ataques de pánico recurrentes. Recuerda que estas personas ya son muy susceptibles a detectar las alteraciones físicas de su organismo, y son expertas en pensar lo peor.

Para evitar tener un ataque de pánico, una persona puede optar por quedarse más tiempo en casa durante el verano, donde se siente menos vulnerable. El problema de esta estrategia es que cuanto más evite la persona salir de casa, más fomenta una ansiedad anticipatoria («Hará demasiado calor, no podré respirar, tendré un ataque de pánico»; aparte de esto, aumenta la probabilidad de tener un ataque de pánico cuando salga fuera y le dé el sol. (¡Y encima no podemos evitar fácilmente lo de salir de casa durante el verano!)

Tenemos la esperanza de que, a estas alturas, estés captando una de las ideas relacionadas con el pánico (y con otros trastornos de ansiedad): las estrategias de evitación proporcionan un beneficio inmediato, ¡pero empeoran las cosas a largo plazo! Aunque no te gusten los cambios físicos que sentirás cuando estés en el exterior y sometido a altas temperaturas, es mejor aguantar esa molestia e irte acostumbrando que no esconderte de ellas. ¿De verdad quieres sentirte atrapado en tu casa hasta que llegue el otoño?

He oído que los ataques de pánico conducen a la agorafobia. ¿Por qué? ¿Y qué es la agorafobia exactamente?

La agorafobia es la ansiedad intensa que puedes sentir al estar en una situación: (a) en la que crees que si tuvieras que huir te resultaría muy difícil o vergonzoso, o (b) en la que crees que no podrías recibir ayuda en caso de necesitarla. Las personas agorafóbicas tienden a evitar lugares como los supermercados, centros comerciales y cines; intentan no conducir, cruzar puentes o pasar por túneles. Seguramente te vendrán a la mente otros lugares que te dan un poco de miedo, de modo que has creado el hábito de evitarlos. Así es como los ataques de pánico pueden conducir al desarrollo de la agorafobia:

1. John va al centro comercial y tiene un ataque de pánico.
2. Entonces John empieza a pensar: «¡Es terrible esto de tener un ataque de pánico en el centro comercial! ¡Qué vergüenza! No soporto estos síntomas».
3. Ahora John asocia el centro comercial con el pánico.
4. Dado que John no quiere volver a sentir pánico, toma una decisión: «No volveré a ir al centro comercial».

El problema es el siguiente: cuanto más tiempo pase John sin ir al centro comercial, más fuerte será el miedo que sienta al pensar en visitarlo. También es posible que empiece a temer otros lugares por el estilo, y poco a poco irá limitando su vida. Entre tanto, se perderá la oportunidad de experimentar que puede sobrevivir a los ataques de pánico, aun cuando ocurran en el lugar que le da miedo.

Para algunas personas, la agorafobia se convierte en una cárcel. Pretenden crear una zona segura en la que vivir, de modo que se quedan en su casa para evitar el peligro o la inquietud. Esta conducta tiene unos beneficios a corto plazo, porque la gente puede evitar así un desagradable ataque de pánico fuera de su hogar. Sin embargo, la angustia a largo plazo derivada de estrechar y restringir las actividades es pagar un precio muy alto a cambio de eludir una inquietud pasajera.

Capítulo 7

CÓMO SUPERAR EL PÁNICO

- En mitad de un ataque de pánico resulta difícil pensar con claridad. ¿Qué puedo hacer?
- No me gusta hablar de mis ataques de pánico porque tengo miedo de provocarme uno. ¿Es importante que me someta a tratamiento para aliviar mi pánico?
- ¿Cuál es el mejor tipo de psicoterapia para el trastorno de pánico?
- ¿Hay medicinas para tratar estos ataques?
- He oído decir que provocar adrede un ataque de pánico puede ser positivo. ¿Es verdad?
- ¿Hay alguna actividad concreta que ayude a las personas que tienen ataques de pánico?
- ¿Qué es la respiración diafragmática?
- ¿Cómo puedo aprender a respirar de esta forma más lenta y profunda?
- Las técnicas de relajación no aliviaron mis ataques de pánico. ¿Por qué no?
- ¿Hay algo malo en tener una «zona segura», un lugar donde me sienta a gusto?
- He oído que mis ataques de pánico no son peligrosos, y que son mis pensamientos los que me mantienen atado. No lo acabo de entender. Cuando tengo un ataque, siento como si todo mi mundo se viniera abajo. ¿Cómo se supone que puedo usar la mente para salir de esa situación?
- Tengo miedo de conducir, porque mis síntomas de pánico podrían hacerme perder el control del automóvil y sufrir un accidente. ¿Es posible que pase algo así?
- Me gustaría hacer ejercicio pero tengo miedo, porque pienso que quizá me provoque un ataque de pánico. ¿Qué puedo hacer?
- Mi hija tiene ataques de pánico y no quiere ir sola en coche a ninguna parte. Si la acompaño a hacer recados y a sus citas, ¿la estoy ayudando?

En mitad de un ataque de pánico resulta difícil pensar con claridad. ¿Qué puedo hacer?

Una de las mejores maneras que tienes para mejorar es comprender qué sucede durante un ataque de pánico. Otra arma importante contra el pánico consiste en dejarte llevar por el ataque, capeándolo, sin intentar detenerlo. Para lograr esto, te será útil disponer de algunas afirmaciones de afrontamiento que ya hayas probado y que puedas recordarte a ti mismo. La siguiente lista contiene algunos pensamientos de afrontamiento que han ayudado a personas sumidas en un ataque de pánico. Reflexiona sobre cuáles de ellos podrían tener un impacto más beneficioso sobre tu persona. Es una buena idea tener esta lista a mano (en tu bolso, maletín o en el coche), o tomar algunas de las afirmaciones y anotarlas en tarjetas que puedas llevar a todas partes.

- La ansiedad es normal.
- Es mejor tener demasiada ansiedad que no tener ninguna.
- La ansiedad va destinada a protegerme, no a perjudicarme.
- Estas sensaciones son molestas, pero no peligrosas.
- Ya he tenido muchos otros ataques de pánico, y siempre desaparecen.
- No tengo que hacer nada para detener estas sensaciones: mi cuerpo hará que se desvanezcan solas.
- La ansiedad siempre es pasajera.
- No me ha dado un ataque al corazón ni una embolia.
- Mi corazón puede latir a esta velocidad e incluso a más.
- No voy a perder el control ni a volverme loco.
- El hecho de tener sensaciones físicas desagradables no quiere decir que haya perdido el control por completo.
- Puedo estar ansioso y, a pesar de ello, funcionar bien.
- Los demás no pueden ver lo que siento.
- No es que tenga poco aire: en realidad, estoy hiperventilando, y me sobra oxígeno.

No me gusta hablar de mis ataques de pánico porque tengo miedo de provocarme uno. ¿Es importante que me someta a tratamiento para aliviar mi pánico?

Si la persona que tiene ataques de pánico no se somete a tratamiento, sus trastornos le provocarán más problemas. Algunos de ellos son los siguientes:

- La tendencia creciente a recurrir al alcohol u otras drogas para superar el problema
- Pasar más tiempo en la unidad de emergencias del hospital
- Dedicar menos tiempo a pasatiempos, deportes y otras actividades agradables
- Más dificultades emocionales y físicas
- Un temor creciente a alejarse de casa con el coche a una distancia superior a unos pocos kilómetros
- Un mayor riesgo de intentar suicidarse

Está claro que el pánico tiene un precio, de modo que vale la pena estar dispuesto a comentar tu trastorno de pánico con un profesional experto, y someterse a un tratamiento eficaz. En cuanto a tu inquietud sobre inducir un ataque de pánico, veamos cuál es la realidad:

1. El temor y la evitación son las mejores maneras de conseguir que el pánico te domine. Hay un dicho muy sabio: «Si te resistes, el mal persiste». Al someterte a tratamiento, estás dando un paso importante para reclamar tu vida.
2. Cuando revelas tus inquietudes a un profesional no aumentas tu ansiedad, sino que más bien la alivias.
3. Incluso si llegara el peor caso que puedes imaginar y te diera un ataque de pánico, ¡estarías en el mejor sitio posible! De hecho, tu terapeuta y tú podríais aprender más sobre cómo se producen tus ataques, y estaríais más preparados para ayudarte.

A pesar de ello, puede que te sientas mejor si hablas con el terapeuta *antes* de fijar la primera cita. La mayoría de los terapeutas están dispuestos a hablar contigo brevemente para ayudarte a tomar decisiones sobre tu tratamiento. Ésta es una buena manera de garantizar que has encontrado un terapeuta que tiene la formación y la experiencia necesarias para tratar tu trastorno de pánico. Además, puede que te sientas más a gusto por el mero hecho de saber que tu terapeuta conoce tus inquietudes.

¿Cuál es el mejor tipo de psicoterapia para el trastorno de pánico?

Según los estudios realizados hasta el momento, aparte de las recomendaciones del National Institute of Mental Health, la terapia cognitivo-conductual es el tipo de terapia más eficaz para el trastorno de pánico. La terapia cognitivo-conductual (TCC) conlleva: (a) aprender a pensar de una forma más realista, y (b) ajustar tu conducta de modo que puedas responder mejor a tus síntomas de pánico. Por lo general, para poder mejorar tus síntomas de pánico, el tratamiento dura unas 12 semanas, a sesión por semana. El tratamiento puede requerir más tiempo para las personas que padecen un trastorno de pánico más grave u otros problemas adicionales. Aparte de esto, la duración del tratamiento (así como su eficacia) dependerá del grado de tu motivación y tu voluntad de practicar nuevas formas de pensar y de actuar. La buena noticia es que la TCC es muy eficaz para tratar el trastorno de pánico, y los estudios demuestran que se produce una mejoría en el 70-90 % de los pacientes tratados. Además de esto, los pacientes ya tratados experimentan menos efectos adversos y un grado de recurrencia posterior de los ataques de pánico relativamente bajo.

¿Hay medicinas para tratar estos ataques?

En general, para tratar los ataques de pánico se emplean dos tipos de medicamentos, que incluyen las benzodiazepinas y los antidepresivos; ambos tienen sus ventajas y sus inconvenientes. Las benzodiazepinas, también conocidas como tranquilizantes, pueden contribuir a calmarte para que te sientas menos tenso y más relajado. Uno de los beneficios de las benzodiazepinas es que el paciente experimenta alivio en muy poco tiempo. Sin embargo, una de sus desventajas es que pueden crear dependencia física y psicológica. Esto quiere decir que la gente llega a depender de la medicación para que alivie sus síntomas de ansiedad, en vez de aprender a superarlos solos. Con el paso del tiempo, si te vuelves dependiente de una medicación, necesitarás cada vez dosis más altas para producir los mismos efectos beneficiosos. Para algunas personas, éste puede ser un problema grave.

Los antidepresivos, especialmente los inhibidores selectivos de la recaptación de serotonina (ISRS), se usan también para tratar el trastorno de pánico. Estos medicamentos los tienes que tomar cada día, con objeto de aliviar tu ansiedad con el paso del tiempo; es decir, que no puedes tomarlos sólo los días que los necesites. Cuando se toma un antidepresivo es necesario ser constantes. Las ventajas de los ISRS es que ayudan a aliviar la ansiedad, y por lo general no crean adicción física o psicológica. Uno de sus problemas es que pueden producir efectos secundarios, que pueden incluir dolores de cabeza, náuseas, aumento de peso o disfunciones sexuales. Otra de las dificultades asociadas con el uso de ISRS u otros antidepresivos para aliviar un trastorno de pánico es que estos medicamentos no tienen un efecto rápido. Por lo general, antes de experimentar los beneficios plenos, el paciente debe dejar transcurrir entre dos y seis semanas. La decisión de empezar a tomar un fármaco para tratar el trastorno de pánico es una decisión individual, que debes comentar a fondo con tu médico o profesional de la salud mental. Cada persona tiene sus preferencias. No obstante, los estudios demuestran que la terapia cognitivo-conductual arroja mejores resultados a largo plazo que el tratamiento farmacológico por sí solo.

He oído decir que provocar adrede un ataque de pánico puede ser positivo. ¿Es verdad?

Ésta es la idea que postula una técnica terapéutica llamada **exposición o condicionamiento interoceptivo**. *Interoceptivo* significa la respuesta del cuerpo, y *exposición* se refiere al proceso de abrirse a esa respuesta física. Mediante esta técnica, trabajas para que cada vez sientas menos temor de los síntomas asociados con el pánico; esto se consigue creando tú mismo los síntomas. Una de las señales distintivas del trastorno de pánico es la sensibilidad a la ansiedad, es decir, el temor a los síntomas relacionados con ella. De hecho, a menudo se define el pánico como «el miedo al miedo», porque a la persona le asusta experimentar las sensaciones producidas por la reacción de lucha o huida. Sin embargo, *este miedo intenso a que llegue el pánico es lo que impide que el problema desaparezca*. Cuanto más intenta una persona eludir los síntomas, más intensa y duradera será la angustia. Cuando las personas llegan al punto en que ya no les aterrorizan los ataques de pánico, y están más dispuestas a soportarlos, el pánico deja de tener tanto poder sobre ellos.

En el caso de la exposición interoceptiva, trabajas con tu terapeuta para inducir los síntomas de pánico que tanto te angustian. Este proceso se hace gradualmente y con colaboración. Puede incluir técnicas como:

1. Subir y bajar corriendo unas escaleras, para aumentar el ritmo cardíaco y producir sudoración
2. Respirar rápidamente con una pajita para hiperventilar
3. Mirar un espejo para producir una sensación de irrealidad

Aunque al principio es posible que la exposición interoceptiva resulte un tanto incómoda, es una técnica estupenda para que tus síntomas de pánico te molesten menos.

Para contribuir a clarificar esta idea, imagina que, justo cuando pasas por delante del televisor, ves una escena muy sangrienta de una película de miedo. La primera vez que ves la imagen, es posible que te sientas muy asustado o que te dé asco (incluso aunque te gusten las películas de miedo). No obstante, si contemplaras la escena cien veces, ¿crees que cuando la hubieras visto tanto te produciría el mismo efecto que la primera vez? ¡Seguro que no! Ésta es la idea en que se basa la exposición interoceptiva: te expones repetidas veces a unas sensaciones que, al principio, son muy desagradables, de modo que con el paso del tiempo te vayan causando menos problemas. La exposición interoceptiva reduce tu sensibilidad a la angustia, te demuestra que tienes cierto control sobre lo que pase en tu cuerpo y te permite refutar esas ideas tan terribles que antes asociabas con tus síntomas de pánico.

¿Hay alguna actividad concreta que ayude a las personas que tienen ataques de pánico?

La exposición interoceptiva conlleva enfrentarse a los síntomas de pánico que te dan miedo, y habituarte a ellos sin aplicar técnicas relajantes. Al hacerlo, aprendes que «*Puedo* soportar esto, no va a acabar conmigo. No me estoy volviendo loco, no tengo un ataque al corazón y no voy a perder el control». Sin embargo, lo más importante es que verás claramente que las malas sensaciones vienen y se van. A continuación indicamos algunas de las técnicas que se emplean en la terapia cognitivo-conductual para enfrentarse a síntomas de pánico concretos (recuerda que estas técnicas se realizan en colaboración, y entendiendo claramente el motivo que subyace en ellas):

- Para el pensamiento «Esto es un ataque al corazón»: Usa una bicicleta estática, corre sin moverte del sitio, sube y baja corriendo las escaleras, sal a caminar cuando fuera haga calor
- Para el pensamiento «No puedo respirar»: contén la respiración, respira a través de una pajita, hiperventila durante al menos 60-90 segundos
- Para el pensamiento «Estoy tan mareado que me voy a desmayar»: da vueltas en una silla giratoria durante al menos un minuto o mueve la cabeza de un lado a otro durante 30 segundos
- Para el pensamiento «Es terrible sentirse irreal o despegado de uno mismo»: hiperventila, contempla un punto fijo en la pared o mírate en el espejo durante al menos 90 segundos
- Para el pensamiento «Estoy perdiendo el control»: mira videoclips o lee pasajes de libros donde se describan escenas de locura
- Para el pensamiento «Sería espantoso tener un ataque de pánico en público»: imagina que tienes un ataque de pánico en público, y fuérzate a salir corriendo de una reunión social

¿Qué es la respiración diafragmática?

La respiración diafragmática, también llamada respiración lenta, o readaptación respiratoria, es una técnica empleada para regular tu ritmo respiratorio. Muchas de las personas que luchan contra el pánico son hiperventiladores crónicos, lo cual quiere decir que tienen el hábito de respirar demasiado rápido. Mientras que el ritmo respiratorio normal oscila entre 8 y 16 inspiraciones por minuto, las personas que padecen trastorno de pánico pueden llegar a respirar hasta 30 veces. La respiración acelerada tiene sentido cuando se hace ejercicio o deporte; sin embargo, no resulta eficiente ni útil durante las actividades cotidianas normales, como trabajar en una oficina o ir a la escuela. De hecho, la respiración somera y crónica se asocia con un aumento de tensión en el cuerpo, así como con otros síntomas físicos. La respiración diafragmática es un instrumento para corregir un ritmo respiratorio demasiado rápido y fomentar el equilibrio en los niveles de oxígeno y dióxido de carbono en el riego sanguíneo.

La respiración diafragmática se centra en ayudar a una persona a aprender cómo respirar usando el músculo del diafragma (es el músculo amplio situado debajo de los pulmones), en lugar de los músculos pectorales superficiales. Piensa en cómo respiran los bebés. Si contemplas a un bebé dormido, verás que su estómago sube y baja cada vez que inspira y espira. Usa su diafragma para respirar, algo que se supone que deberíamos hacer todos durante las actividades normales. Sin embargo, a medida que crecemos, muchos de nosotros empezamos a depender de nuestros músculos pectorales para inspirar y espirar. Esto es algo que hacemos cuando nos sentimos tensos o estresados. También nos acostumbramos a mantener el estómago metido hacia dentro, lo cual obstaculiza la respiración óptima. Con el paso del tiempo, la respiración pectoral somera puede convertirse en un hábito que aumenta la probabilidad de tener un ataque de pánico. La respiración diafragmática permite una inspiración más lenta y profunda.

¿Cómo puedo aprender a respirar de esta forma más lenta y profunda?

Para aprender a usar la respiración diafragmática, debes tener en cuenta que es una técnica que requiere su tiempo. Los beneficios importantes dependen del trabajo intenso y regular. Recuerda que la respiración diafragmática va destinada a ayudarte a cambiar tu ritmo respiratorio habitual. Aunque cuando tienes un ataque de pánico el hecho de respirar lento te puede aliviar, no debes depender de la costumbre de acudir a la respiración diafragmática para controlar el pánico. Es probable que cualquier intento de concentrarte en detener, evitar o resistir los síntomas de pánico, los fortalezca con el paso del tiempo. La respiración diafragmática no es un arreglo rápido, sino un cambio en el estilo de vida.

Puedes usar esta rutina práctica para aprender a respirar con el diafragma:

1. Busca un entorno tranquilo y cómodo donde nadie te interrumpa.

2. Decide si prefieres estar sentado o tumbado. Hay gente que prefiere cerrar los ojos.
3. Asegúrate de llevar prendas cómodas y holgadas.
4. Coloca la mano derecha sobre el centro de tu estómago.
5. Coloca la mano izquierda sobre la parte superior de tu pecho (sobre el esternón).
6. Respira por la nariz mientras cuentas hasta cuatro.
7. Mientras inspiras, saca el estómago de modo que sientas cómo empuja a tu mano derecha. Imagina que estás hinchando un globo en tu estómago, y que el aire penetra por tu nariz y sigue un camino imaginario hasta éste.
8. Espira mientras cuentas hasta cuatro dejando escapar el aire a través de los labios. Imagina que estás dejando escapar el aire del globo que llevas en el estómago, no expulsándolo con fuerzas. A medida que el estómago se vaya contrayendo, debes sentir cómo la mano derecha va bajando.
9. Ten en cuenta que la mano izquierda sobre el pecho debe moverse menos que la derecha sobre el estómago.
10. Repite este proceso durante 10 minutos. Si te sientes raro, recuerda que toda nueva habilidad requiere una práctica y que esta técnica te ayudará a controlar mejor tu ansiedad con el paso del tiempo.
11. Planifica momentos del día para practicar esta técnica al menos una vez, pero, si es posible, mejor que sean dos.

Las técnicas de relajación no aliviaron mis ataques de pánico. ¿Por qué no?

No todo el mundo reacciona igual a las técnicas que inducen la relajación. A algunas personas les funciona bien la técnica de calmar su cuerpo y mejorar su reacción ante el estrés mediante la relajación muscular progresiva, la imaginación o la visualización. Sin embargo, hay otras personas a las que la inducción estructurada de la relajación o los «momentos tranquilos» deliberados pueden llevarlas a centrarse más en los cambios que experimentan sus cuerpos, lo cual podría aumentar la posibilidad de que les entre un ataque de pánico. Pondremos un ejemplo: un hombre que padece ataques de pánico se va a trabajar y se dedica a su estresante actividad cotidiana en un banco durante diez horas; soporta la hora de viaje en transporte público, cena con su familia y luego corta el césped... y todo esto sin sentir pánico. Al cabo de un día tan largo y agotador, decide «relajarse» leyendo un libro mientras se sienta en la mecedora, en un entorno tranquilo, como puede ser el comedor de su casa. Lo curioso es que ¡precisamente entonces le da el ataque de pánico! ¿Por qué? Porque a lo largo de todo el día, este individuo se concentró en tareas que debía realizar, y no en las fluctuaciones de su cuerpo. Fue sólo cuando se sentó en la mecedora cuando empezó a darse cuenta de que el corazón le latía a un ritmo más rápido de lo que consideraba normal. Una vez hecha esta observación rápida sobre su ritmo cardíaco, automáticamente pensó: «¡Oh, no! ¡Algo va mal!», lo cual hizo que su corazón latiera más rápido y se le entrecortase la respiración; esto provocó unas interpretaciones más negativas de estos síntomas, y así sucesivamente.

¿Hay algo malo en tener una «zona segura», un lugar donde me sienta a gusto?

Una zona o conducta segura es todo aquello que una persona usa para decir: «Estaré bien siempre que_____» (me quede en determinado lugar, vaya con cierta persona, tenga un objeto concreto, me comporte de determinada manera, etc.). Las zonas y conductas seguras ofrecen alivio y seguridad momentáneos para quien lucha contra el pánico; sin embargo, no son buenas estrategias a largo plazo. Inevitablemente, la conducta segura acaba perdiendo su efectividad, y por lo general limita más tu vida. Éstos son algunos ejemplos de conductas seguras:

- Permanecer en lugares seguros (suele ser la propia casa)
- Asegurarse de estar con una persona «segura» (madre, esposo, etc.)
- Tener a mano un frasco de pastillas
- Llevar un teléfono móvil a todas partes
- Hacer que tu marido te siga con su coche mientras vas al trabajo con el tuyo
- Asegurarse de tener siempre cerca una bebida
- Conducir siempre por las carreteras nacionales en vez de por la autopista

- Usar distracciones (p. ej., subir el volumen de la radio, cantar, etcétera)
- Buscar el consuelo ajeno

Para vencer de verdad los síntomas de pánico, debes demostrarte a ti mismo que tus sensaciones son temporales e inofensivas, y que puedes soportarlas. Cuanto más evites enfrentarte a los sentimientos de pánico mediante la conducta segura, menos podrás observar los síntomas del pánico desde un punto de vista más realista. Las conductas de seguridad te permiten aferrarte a tus predicciones catastrofistas sobre las fluctuaciones físicas inofensivas. Debes recordar siempre que la evitación es el mejor aliado de la ansiedad, y que las conductas de seguridad son una forma excelente de eludir el problema. La conducta segura te impide otorgarte el reconocimiento por gestionar tu ansiedad; en lugar de ello, te inducen a pensar que la controlan el hecho de estar en casa, tener a mano el móvil, llevar las pastillas u otras conductas de seguridad. Fíjate que no estamos diciendo que siempre sea malo buscar ayuda: lo que debes intentar es irte desprendiendo gradualmente de estos recursos de seguridad, de modo que puedas sentirte mejor al ver tu capacidad de superar tus síntomas de pánico por tu cuenta. Puedes trabajar para que inunde tu interior esa sensación de seguridad por medio de una charla positiva contigo mismo y acerca de tus propios sentimientos de fortaleza, en lugar de depender de conductas de seguridad restrictivas.

He oído que mis ataques de pánico no son peligrosos, y que son mis pensamientos los que me mantienen atado. No lo acabo de entender. Cuando tengo un ataque, siento como si todo mi mundo se viniera abajo. ¿Cómo se supone que puedo usar la mente para salir de esa situación?

Tener un ataque de pánico puede ser una experiencia aterradora; nadie puede esperar que salgas de ella usando la cabeza. Sin embargo, si entiendes en qué consiste un ataque de pánico y practicas respuestas más positivas a él, puedes mejorar. Se ha descrito el pánico como «el miedo al miedo»; básicamente, la gente se asusta por los síntomas asociados con el temor que tiene el cuerpo o la reacción de emergencia. Esto puede suceder automáticamente. Desde el mo-

mento en que tuviste tu primer ataque de pánico, cuando posiblemente no tenías ni idea de lo que te estaba pasando, es probable que
hayas empezado a decirte algunas cosas bastante inquietantes sobre
tus síntomas: «No puedo soportarlo; Es terrible; No puedo volver
a pasar por esto; Por favor, Señor, no dejes que me entre el pánico;
Me estoy volviendo loco; No puedo funcionar de esta manera».
Quizá, con cada ataque sucesivo, también has tenido este tipo de
diálogo interno. Lo que perpetúa el trastorno de pánico no son los
síntomas por sí solos, sino estos pensamientos *más* los síntomas.

Paradójicamente, cuanto más te resistes a los ataques de pánico,
más probable es que los tengas. Temer a los ataques de pánico (que
dependen de lo que te digas a ti mismo) les otorga más poder sobre
tu persona; por el contrario, cuando estás dispuesto a tener ataques
de pánico, más poder adquieres sobre ellos. Por tanto, desarrollar
una charla de superación más realista y equilibrada es beneficioso
(p. ej., «Esto no me gusta, pero puedo soportarlo; Es muy molesto,
pero no terrible; No quiero volver a sentir pánico, pero si me pasa
podré asimilarlo; Tener ataques de pánico no es lo mismo que volverse loco; Aunque tenga pánico, puedo funcionar»). Los pensamientos no cambian fácilmente, pero si practicas diciéndote estas
cosas precisas y útiles, lo tendrás más fácil para resolver los problemas.

Hemos hablado mucho sobre los pensamientos relacionados
con los síntomas de pánico, porque comprender este vínculo es
esencial. No obstante, debes tener en cuenta que, en el caso de los
síntomas de pánico y las sensaciones de miedo, también se produce un «efecto de asociación condicionada». Debido a repetidos ataques de pánico, es posible que hayas llegado a asociar una sensación de terror con tu corazón acelerado y tu falta de aliento. Ahora,
cada vez que se te acelera el corazón o sientes cierto ahogo, te invade una sensación de terror. En este punto, esta relación te puede parecer arraigada e inevitable. Sin embargo, un factor importante para
mejorar los síntomas de pánico es romper el nexo entre la sensación
de terror y los síntomas físicos. Esto lo podrás hacer en una terapia,
produciendo deliberadamente los síntomas y dejando luego que tu
sensación de terror te invada y pase; al final, los síntomas de pánico irán cediendo ¡y ya no sentirás miedo! Cuantas más veces in

duzcas activamente los síntomas y permitas que tu cuerpo se vaya insensibilizando frente a ellos, menos terror sentirás. Puede que siga irritándote e incomodándote sentir las fluctuaciones corporales asociadas con un ataque de pánico, pero trabajar duro para liberarte del terror y la angustia te proporcionará grandes beneficios a largo plazo. En última instancia, el verdadero alivio frente al pánico nace de erradicar el temor a sus ataques, mediante una autocharla más precisa y la exposición a los síntomas del pánico.

Tengo miedo de conducir, porque mis síntomas de pánico podrían hacerme perder el control del automóvil y sufrir un accidente. ¿Es posible que pase algo así?
A muchas personas les da miedo conducir porque creen que los síntomas de pánico reducirán su capacidad de conducir un vehículo. Éste es otro de los casos en que *los sentimientos no son hechos*. A pesar de que las sensaciones de pánico pueden llevarte a sentir que has perdido el control o que no puedes concentrarte, sigues teniendo el control y eres capaz de hacerlo. Recuerda que el pánico nace del sistema de protección de tu cuerpo, que reacciona ante falsas alarmas de peligro. Cuando los mecanismos que fueron diseñados para protegernos se activan inesperada e innecesariamente, pueden inquietarnos y ser desagradables; sin embargo, esos síntomas no son peligrosos. La activación del sistema nervioso simpático significa que el cuerpo está listo para la acción. Si bien el cuerpo afectado por el pánico preferiría que esa acción fuera una huida o una elusión de la situación concreta, en medio de un ataque de pánico una persona es capaz de seguir conduciendo. Aquí la idea básica es que un ataque de pánico en un coche puede asustarnos y perturbarnos, pero, aun así, podemos seguir conduciendo nuestro vehículo sin aumentar el riesgo de lesionarnos o de herir a otros. La mejor manera de saber esto es intentar ponerlo en práctica.

Cuanto más evita conducir un individuo, más se arraigan en su vida las interpretaciones catastróficas, que pueden empeorar sus síntomas de pánico.

Me gustaría hacer ejercicio pero tengo miedo, porque pienso que quizá me provoque un ataque de pánico. ¿Qué puedo hacer?

Mientras tu médico lo apruebe, lo mejor que puedes hacer es empezar a hacer ejercicio gradualmente. Cuanto más tiempo evites hacerlo, más tiempo sentirás miedo. Recuerda que *la evitación es el mejor amigo de la ansiedad*. La forma más eficaz de sentir menos miedo a hacer ejercicio (o a cualquier otra cosa, ya puestos) es enfrentarse a ese temor. Además, debes ser consciente de que lo más probable es que no te angustie el ejercicio por sí mismo, sino el hecho de tener un ataque de pánico mientras lo practicas. Pero, cuanto más insistas en no tener un ataque de pánico durante tus actividades cotidianas, más grandes serán las probabilidades de que te entre. Las personas que luchan contra el pánico tienden a ser más sensibles a cualquier cambio en las sensaciones físicas, y a concentrarse más en ellas. Además, cuando perciben alguna fluctuación (p. ej., ritmo cardíaco acelerado, sudoración, estremecimientos), la interpretan muy negativamente (p. ej., «Me va a dar un ataque al corazón; No puedo soportarlo; Voy a morir; Voy a perder el control; Mi cuerpo no puede aguantar esto»). Lo que produce y mantiene los ataques de pánico es la combinación de sensaciones físicas inocuas y la autocharla catastrófica sobre ellas.

Al empezar a hacer ejercicio gradualmente, te harás un favor en varios sentidos. Primero, empezarás a darte cuenta de que tus creencias catastróficas sobre las alteraciones físicas son falsas. Aunque tu corazón se acelera mucho y sudes profusamente, no te morirás, perderás el control ni te volverás loco. Descubrirás que, aun en medio de un ataque de pánico, puedes funcionar durante el ejercicio y sobrellevar los síntomas. En segundo lugar, te expondrás precisamente a los síntomas que te dan miedo, lo cual es un paso excelente. Cuantas más veces experimentes un ritmo cardíaco acelerado, sudoración, temblores…, más te irás desensibilizando a estas sensaciones. Con el paso del tiempo te molestarán menos. Un estudio reciente demostró que los paseos de baja intensidad reducían la sensibilidad a la ansiedad, pero que el ejercicio más intenso producía incluso mejores resultados. En tercer lugar, son incontables los estudios que han demostrado que el ejercicio es beneficioso para reducir el estrés y la depresión.

Cuando empieces un programa de ejercicios, es buena idea ir fijándote en cuáles son tus progresos, no sólo en el terreno físico sino también en el emocional. Unos datos por escrito que demuestren que los ejercicios te cuestan menos que antes y que vas mejorando tu inquietud por los síntomas pueden ser una gran motivación para que sigas haciendo ejercicio.

Mi hija tiene ataques de pánico y no quiere ir sola en coche a ninguna parte. Si la acompaño a hacer recados y a sus citas, ¿la estoy ayudando?

Lo más probable es que no sea muy correcto decir que la estás ayudando. Se supone que estás ayudando a tu hija porque la quieres y porque ella te pide que la acompañes. No hay duda alguna de que no quieres que sufra más al ver cómo rehúsas acompañarla adonde necesita ir. Sin embargo, lo mejor que puede hacer la familia es encontrar un equilibrio entre ayudar a un ser querido y no adaptarse a sus síntomas de ansiedad o fomentarlos. Ten cuidado de no fortalecer la ansiedad anticipatoria de tu hija permitiéndole indefinidamente eludir los síntomas y las situaciones que ella teme. Formularte las siguientes preguntas te puede ayudar a analizar mejor cómo responder a las peticiones de tu hija:

- ¿Hasta qué punto te inquieta llevar a tu hija a esos sitios?
- ¿Estás dispuesta a llegar a compromisos factibles con ella de tal modo que te sientas mejor al hacerle de conductora y ella pueda empezar a ser más responsable de su vida?
- Si no quieres llevarla, ¿qué te estás diciendo que te induce a seguir adelante y hacerlo? Quizá pienses que ella no soportaría que la llevases o que sería terrible si no llegara adonde necesita ir. Por el contrario, el hecho de que no la llevaras con el coche a todos los sitios adonde quiere ir sólo sería molesto, no terrible. Además, puede ser una motivación para que ella busque tratamiento.

Capítulo 8

ENTENDAMOS LAS FOBIAS

- ¿Cuál es la diferencia entre un miedo y una fobia?
- ¿Cómo se desarrollan las fobias?
- ¿Cuáles son los tipos de fobias más frecuentes?
- ¿Cuántos tipos distintos de fobias existen? ¿Cuáles son algunos de los más infrecuentes?
- ¿Todas las fobias se tratan igual? Si es así, ¿cuál es el tratamiento estándar?
- ¿Qué es la jerarquía de exposición?
- ¿Pueden darme algún ejemplo de jerarquía de exposición?
- ¿Puedo recurrir al hipnotismo para librarme de mi fobia?
- Me dan miedo algunos animales y situaciones. ¿Cómo sé si les tengo fobia?
- ¿Cuál es la diferencia entre una superstición y una fobia?
- ¡He oído que se puede usar la realidad virtual para tratar las fobias! ¿Cómo funciona?

¿Cuál es la diferencia entre un miedo y una fobia?

Sentimos miedo cuando nos preocupa recibir algún mal. El miedo nos motiva a evitar aquello que nos espanta. Un miedo puede ser razonable, lo cual quiere decir que existe un riesgo real de recibir un daño, o irracional, lo cual significa que la mayoría de las personas no se preocuparían si estuvieran en esa situación. Si sales al jardín y ves una serpiente venenosa que se te acerca, que gritaras y entrases corriendo en la casa sería comprensible, incluso inteligente. Por otra parte, si alguien te enseña una foto de una serpiente venenosa, tu reacción de gritar y salir corriendo será más difícil de entender. Esta última reacción es la evidencia de una fobia a las serpientes. En ambos casos, reaccionas de inmediato a un estímulo o situación concretas, lo cual te permite alejarte de la fuente de «daño». Esto es lo que convierte un miedo en una fobia:

1. Es irracional (p. ej., la reacción ante la foto de una serpiente) o excesiva (p. ej., preocuparse por si vamos a encontrarnos una serpiente).

Y

2. Sabes que tu miedo es irracional o excesivo, pero este conocimiento no alivia tu temor.

Y

3. Tu vida se perturba debido a la necesidad de evitar el objeto o la situación temidos (p. ej., no vas al parque con tus hijos por temor a encontrarte una serpiente).

¿Cómo se desarrollan las fobias?

Una fobia se puede desarrollar como respuesta a una o más de las siguientes circunstancias:

1. Experimentar un acontecimiento traumático. Por ejemplo, puedes sentir miedo a volar después de un vuelo con muchas turbulencias, o miedo a conducir después de verte envuelto en un accidente de coche.
2. Ser testigo de un acontecimiento traumático. En este sentido,

una persona que vea en televisión las escenas del rescate tras un accidente de aviación puede sentir miedo a volar. Un niño que crezca junto a una madre que siente pánico a los ratones puede desarrollar el mismo miedo. Esto se conoce también como **aprendizaje por observación** o **modelaje**.

3. Las fobias asimismo pueden ser el resultado de que el cerebro vincule ciertos estímulos con la sensación de miedo, lo cual se denomina **condicionamiento clásico**. Por ejemplo, una persona puede conectar su sensación de miedo con perros, serpientes, abejas, arañas, tormentas, ascensores o túneles.

En general, en la mayoría de las fobias hallamos tres temas subyacentes, que son: el temor a resultar heridos o a morir; el temor a quedar atrapado o a perder el control por estarlo; y el temor a lo extraño, insólito o inesperado.

¿Cuáles son los tipos de fobias más frecuentes?

Dado que las fobias se diagnostican según su categoría y no por sus nombres específicos, no disponemos de una lista larga y organizada de fobias que vayan de las más usuales a las más infrecuentes. La fobia social, que se calcula afecta a entre el 3 y el 13 % de la población, sería probablemente más frecuente que cualquiera de las otras fobias concretas e individuales (p. ej., la claustrofobia, la aracnofobia...). Como categoría, se calcula que las fobias específicas afectan a entre el 7,2 y el 11,3 % de la población. De las fobias específicas, el miedo a los perros, o cinofobia, parece ser la más frecuente. La agorafobia casi siempre se diagnostica junto a un trastorno de pánico, y se calcula que éste afecta a entre el 1 y el 3,5 % de la población.

En cuanto a los miedos, las encuestas han revelado que el miedo a hablar en público es el más común. Si bien el temor a hablar en público puede constituir una fobia social, éste es el único caso en que ese miedo afecta negativamente al funcionamiento de la persona o provoca un estrés agudo. La mayoría de las personas que temen hablar en público no lo hacen.

¿Cuántos tipos distintos de fobias existen?
¿Cuáles son algunos de los más infrecuentes?

Un hombre que está muy interesado en esta pregunta, llamado Fredd Culberston, la ha convertido en una afición, y ha recopilado nombres de fobias. A la hora de escribir este libro, Culberston ha identificado unas 530 fobias, todas las cuales están en una lista en la página web phobialist.com. Su colección, que ha reunido a partir de libros de referencia y revistas médicas, es un recurso popular. Las fobias están ordenadas alfabéticamente, desde *ablutofobia*, el miedo a lavarse y bañarse, hasta *zoofobia*, el miedo a los animales. Éstas son algunas de las más insólitas:

- Araquibutirofobia, miedo a que la mantequilla de cacahuete se pegue al paladar
- Bogyfobia, miedo al Boggie (el coco)
- Cenofobia o centofobia, miedo a las cosas o ideas nuevas
- Filemafobia, miedo a los besos
- Socerafobia, miedo a los suegros
- Xantofobia, miedo al color o a la palabra «amarillo»

Hay que tener en cuenta que casi cualquier cosa se puede convertir en una fobia si provoca (a) un miedo excesivo o irracional que (b) da como resultado una evitación además de (c) un funcionamiento reducido o una angustia intensa. Una fobia puede parecer desconcertante hasta que comprendemos la historia de la persona y cómo llegó a asociar con el peligro el objeto o la situación.

¿Todas las fobias se tratan igual? Si es así, ¿cuál es el tratamiento estándar?

El tratamiento más aceptado para aplicar a una fobia es la terapia de exposición. Esta terapia puede realizarse al nivel de la imaginación (cuando el paciente imagina lo que le da miedo) o en directo (enfrentándolo directamente al estímulo o situación temida). Antes ya hemos hablado de los beneficios de una exposición reiterada al estímulo fóbico para inducir la habituación. Además, la exposición ayuda a las personas a que les molesten menos aquellas cosas que antes los asustaban. Al enfrentarse al objeto o circunstancia temidos, es importante aplicar unos pasos graduales que induzcan el desarrollo de una sensación de dominio sobre los temores. La investigación ha demostrado que la desensibilización al miedo es más profunda si el individuo se permite sentir ansiedad en cada fase del proceso de exposición, dejando que ésta disminuya de forma natural, en vez de intentar pensar en otra cosa o resistirse a ella.

Veamos un ejemplo de cómo podría darse una terapia de exposición. Si tienes miedo a los puentes, tu tratamiento podría empezar haciéndote leer cosas sobre puentes, o viendo algún vídeo donde aparezcan algunos. Al principio, es probable que hacer esto te produjera cierta ansiedad. Sin embargo, a medida que te fueses obligando a contemplar las imágenes de los puentes, tu ansiedad iría disminuyendo con el paso del tiempo. Una vez te sintieras cómodo haciendo estas actividades, pasarías a tareas más difíciles, como imaginar que pasas por un puente con el coche o a pie. Una vez más, al meterte en estos escenarios imaginados, sentirías una ansiedad que iría reduciéndose a medida que siguieras imaginando esos episodios. Cuando esa tarea imaginativa ya no produjera angustia, sería el momento de enfrentarse a los puentes de la vida real. Tus tareas consistirían entre otras en ir a ver un puente, luego ir en coche junto a tu pareja por un puente pequeño, luego hacerlo a solas, y poco a poco ir enfrentándote a experiencias con puentes más dificultosas.

¡La clave está en enfrentarte a tus miedos! La terapia de exposición se ha convertido en el proceso estándar para el tratamiento de las fobias, debido al excelente fundamento de las investigaciones, que la respaldan.

¿Qué es la jerarquía de exposición?

La clave para superar cualquier fobia radica en exponerte gradualmente a lo que temes. Independientemente de cómo se haya desarrollado la fobia (y seguramente hubo diversos factores que la indujeron), la reacción fóbica siempre se aprende y, por lo tanto, se puede desaprender. Los estudios sugieren que una persona funciona mejor cuando se enfrenta a sus temores gradualmente (pensemos en una escalera), y comprueban una y otra vez que han dominado una faceta de su miedo. Cuando una persona participa en la terapia cognitivo-conductual, trabaja con su terapeuta para diseñar los pasos que dará para enfrentarse a sus miedos. La idea central de la terapia de exposición gradual consiste en empezar con aspectos más asimilables del estímulo que te da miedo, pasando luego a tareas más difíciles. A menudo resulta útil escribir los pasos necesarios en tarjetas, y luego trabajar con el terapeuta para ordenar las tareas en un grado de dificultad creciente.

Cuando un terapeuta recurre a la jerarquía de exposición, hace que su paciente sea consciente de sus **unidades de ansiedad subjetiva (nivel UAS)**. Este número va desde el 0 (sin ansiedad / tensión / temor) hasta el 100 (el mayor grado de ansiedad / tensión / temor). Durante la exposición, el terapeuta evalúa los niveles de UAS de un paciente mientras éste se enfrenta a cada elemento jerárquico. Para alcanzar la habituación o desensibilización frente a cada uno de ellos, es necesario que el paciente permanezca en la situación concreta hasta que el nivel de UAS haya descendido al menos a la mitad.

¿Pueden darme algún ejemplo de jerarquía de exposición?

Éste es un ejemplo de la jerarquía de exposición que podría aplicarse en el caso de la fobia a los ascensores. El paso 1 representa la actividad que genera menos ansiedad, y el 11 la más temida:

1. Leer textos sobre los ascensores y mirar fotos.
2. Mirar vídeos o escenas de la televisión donde haya personas que suben y bajan en ascensores.
3. Observar a personas reales usando ascensores.
4. Junto a un familiar, entrar y salir de un ascensor dejando la puerta abierta.
5. Junto a un familiar, estar dentro de un ascensor cerrado.
6. Junto a un familiar, subir en ascensor una planta y bajar otra.
7. Junto a un familiar, ir aumentando gradualmente el número de plantas que suben o bajan.
8. Estar a solas en el ascensor con la puerta cerrada.
9. Subir y bajar una planta solos.
10. Seguir a solas en el ascensor, aumentando poco a poco el número de plantas que se suben o bajan.
11. Practicar ir solo en el ascensor al menos una vez al día durante varias semanas.

¿Puedo recurrir al hipnotismo para librarme de mi fobia?

Aunque se puede recurrir a la hipnosis para librarse de una fobia, el proceso no acaba con ellas «por arte de magia». No todas las personas tienen la misma facilidad para que las hipnoticen. Existen evidencias de que las personas que son más susceptibles al desarrollo de una fobia lo son también a la hipnosis, y por tanto son buenas candidatas para aplicar este tratamiento. La hipnoterapia trata las fobias sustituyendo la asociación entre los estímulos (p. ej., las alturas, los puentes, volar, disparos) y la ansiedad por una sensación de seguridad, valor y confianza. El concepto de terapia de exposición se incluye en la hipnosis, haciendo que el cliente imagine los pasos en la jerarquía de exposición en lugar de pasar por cada fase físicamente. La hipnosis y la autohipnosis asimismo se emplean para fomentar la relajación frente a los estímulos fóbicos. Existen muchas similitudes entre la relajación y la hipnosis; de hecho, se dice que en estado hipnótico una persona se encuentra profundamente relajada. La investigación que comparaba la autohipnosis con la relajación descubrió que los sujetos que usaban la primera se sentían más satisfechos y confiados con la técnica como forma de administrar su ansiedad que quienes usaban la relajación, aunque ambos tratamientos resultaban eficaces.

Debes recordar que la idea de que la hipnosis te «desconecta» mientras otra persona te «arregla» es un mito. El paciente de hipnoterapia sigue consciente, y la terapia se considera un esfuerzo compartido, no la actuación de un prestidigitador.

Me dan miedo algunos animales y situaciones. ¿Cómo sé si les tengo fobia?

Si tú y la mayoría de las personas de tu vida estáis de acuerdo en que tu miedo es excesivo o no es razonable, es posible que tengas una fobia. Si sientes pavor a estar al lado de osos salvajes aunque en ocasiones hay gente que puede estar junto a ellos sin que les pase nada, a pesar de ello tu miedo se considera más que razonable. Por otro lado, si te dan pánico todos los perros, teniendo en cuenta que las probabilidades de que te ataque uno son relativamente limitadas y los beneficios de pasar tiempo con ellos son elevados, puede que sientas un miedo irracional. Los adultos con fobia son conscientes de la naturaleza irracional de sus temores, pero saberlo no les ayuda a reducirlos.

Las personas con fobias sienten angustia y en ocasiones pánico cuando *se enfrentan* al estímulo temido. También se sienten agitadas y angustiadas cuando anticipan *la posibilidad* de encontrarse con el objeto de su miedo. A esto lo llamamos **ansiedad anticipatoria**. Por último, por lo general las fobias se caracterizan por evitar el objeto o situación temidos. Por ejemplo, si tienes fobia a los perros, es posible que rehúses visitar a amigos que tienen perro y sólo frecuentes los lugares donde se prohíbe su entrada.

¿Cuál es la diferencia entre una superstición y una fobia?

Una fobia es un miedo intenso e irracional a un objeto o situación. Un ejemplo de esto es el miedo a los puentes. Caerse de un puente puede ser mortal, pero las probabilidades de que eso pase son escasas. *La persona fóbica sabe que su miedo es irracional.* Lo que no puede es controlar su reacción de temor. Si el estímulo o la situación temidos son un elemento común en la vida del fóbico; su vida puede trastornarse y su grado de estrés ser elevado.

Una superstición es una creencia o práctica común, pero falsa, que puede suscitar miedo o esperanza. Suele basarse en la ignorancia, la magia o la creencia en lo sobrenatural. Algunos ejemplos son la creencia de que una persona que se cruce con un gato negro o rompa un espejo tendrá mala suerte. Aunque esta creencia es irracional y no se fundamenta en la evidencia, la persona supersticiosa la acepta como auténtica. El individuo supersticioso puede hacer de todo para evitar los acontecimientos que teme, o para producir los resultados que desea. Si la superstición es propia de un solo individuo y no la comparte con otros, se puede definir como una ilusión: se trata de una creencia falsa que no respaldan ni la lógica ni las evidencias, *y* que no se comparte con otros.

¡He oído que se puede usar la realidad virtual para tratar las fobias! ¿Cómo funciona?

Dado que se ha demostrado en repetidas ocasiones que la terapia de exposición es eficaz para el tratamiento de las fobias, un paso natural ha sido el de usar los avances en la tecnología para aumentar la sofisticación de la exposición. En el caso de algunas fobias, el paciente puede enfrentarse gradualmente al temor de una forma bastante directa. Por ejemplo, si tienes fobia a los perros, puedes mirar fotos, ver vídeos donde salgan perros, ver a otras personas acariciando a estos animales; puedes contemplar a un perro desde un extremo del parque, y luego ir acercándote a él poco a poco, intentar acariciarlo... En el caso de otros miedos, resulta bastante más difícil y/o costoso enfrentarse al temor. Por ejemplo, esto pasa con el miedo a volar. Subirse a varios aviones para desensibilizarse a este temor es complicado (desde el punto de vista logístico) y muy caro. ¿Y qué pasa con la fobia a las tormentas? No podemos hacer que la Madre Naturaleza descargue una tormenta eléctrica «a la carta». A veces, también resulta complicado reunir a un grupo de personas para facilitar la exposición al miedo a hablar en público.

Tradicionalmente, estas limitaciones se habían sorteado sobre todo usando la exposición imaginativa. Según esta técnica, el paciente imagina el objeto, situación o recuerdo temidos tan vívidamente como le sea posible, para evocar los síntomas de miedo y promover la habituación. Aunque la exposición imaginativa sigue siendo muy útil y eficaz, hay determinados temores que se solventan mejor recurriendo a la tecnología de la realidad virtual. En este caso, el paciente lleva unas gafas que contienen las imágenes visuales y los sonidos propios de la situación temida. Por ejemplo, en el caso de alguien con miedo a volar, se le somete a una simulación que contiene: esperar en la pista de despegue, acelerar para el despegue, despegar, volar con buen tiempo, volar con mal tiempo y aterrizar. También hay simulaciones de la realidad virtual para las tormentas, hablar en público y el miedo a las alturas. Mientras el paciente se permita sumergirse en el escenario de la realidad virtual, es probable que se produzca la activación del recuerdo del temor y los síntomas fisiológicos asociados con él. La habituación o desensibilización se consigue cuando te permites vivir ese escenario hasta que el grado de ansiedad se reduce al menos al 50 %. A base de exposiciones reiteradas, los síntomas de la ansiedad disminuyen y el paciente adquiere una información correctiva sobre su temor irracional, que antes estaba arraigado. Hasta el momento, los estudios sugieren que la terapia a base de realidad virtual es extremadamente eficaz.

Capítulo 9

MÁS DATOS SOBRE FOBIAS CONCRETAS

- ¿Podrían darme más ejemplos de fobias concretas?
- ¿Puede la medicación ayudar a eliminar fobias concretas?
- ¿Qué es la claustrofobia, y cómo se trata?
- Me ha costado muchísimo entender el miedo a volar que siente mi hermana. Tiene un trabajo importante que le exige volar largas distancias, y a su marido le encanta viajar. ¿De verdad una fobia puede inducir a una persona sensata a arruinar su vida?
- ¿Cómo puedo superar mi miedo a volar?
- Hace cuatro años que no voy al dentista porque me aterra pensar en sentarme en aquella silla y sentirme atrapada. ¿Qué puedo hacer al respecto?
- ¿Qué me puedo decir para tener el valor de ir al dentista?
- He oído que abordar gradualmente una fobia puede ayudarme. ¿Cómo puedo abordar mi fobia a conducir?
- ¿Qué es la fobia a la escuela?
- Cada mañana tengo que discutir con mi hijo porque no quiere ir a la escuela. La verdad es que su miedo no parece fingido. ¿Qué debo hacer?
- Cada vez que se acerca un viernes 13 me pongo de los nervios. ¿Es un día de mala suerte?

¿Podrían darme más ejemplos sobre fobias concretas?

Según el DSM-IV, el manual de diagnóstico que utilizan los profesionales de la salud mental, las fobias concretas se clasifican dentro de los cinco tipos siguientes:

1. Las del **tipo animal** incluyen el miedo a ciertos animales, como por ejemplo serpientes, ratones, insectos y arañas. Por lo general estas fobias aparecen en la infancia, y a menudo desaparecen a medida que el niño madura.
2. Las del **tipo entorno natural** incluyen el miedo a las alturas, las tormentas, el fuego, el agua o determinados fenómenos naturales, como las tormentas eléctricas, los huracanes, los tornados o los terremotos.
3. El **tipo sangre/inyección/herida** incluye el miedo a ver sangre o a ver a alguien herido. Las personas que sufren esta fobia tienen miedo de que les pongan una inyección o que las sometan a otros procedimientos médicos invasores. A diferencia de otras fobias y de la mayoría de los trastornos de ansiedad, la fobia del tipo sangre/inyección/herida conlleva la posibilidad de desmayarse. El desmayo se produce debido a un súbito aumento de la presión sanguínea y el ritmo cardíaco, seguido de un repentino descenso de ambos. En la mayoría de los otros problemas de ansiedad, la presión sanguínea y el ritmo cardíaco se elevan, pero no van seguidos de un descenso súbito de estos valores.
4. El **tipo circunstancial** incluye una gran variedad de situaciones, como volar, ir en ascensor, conducir, ir en autobús, pasar por un túnel o un puente, o estar en determinados lugares, como centros comerciales o restaurantes.
5. **Otras** es una categoría de fobias concretas que no encajan en las cuatro anteriores. Incluye el miedo a los espacios abiertos, a contraer una enfermedad o a ingerir ciertos alimentos.

Los tipos más frecuentes de fobia entre los adultos son las de los tipos circunstancial y entorno natural; en el caso de los niños, son habituales las del entorno natural y las del tipo animal.

La incidencia de fobias específicas en la población general ronda el 9 %. A lo largo de toda la vida, la posibilidad de tener una fobia es del 10-11 %.

¿Puede la medicación ayudar a eliminar fobias concretas?

Por lo general no se recomienda seguir una medicación para resolver fobias concretas. Los antidepresivos pueden resultar útiles para el tratamiento del trastorno de pánico, la agorafobia, la fobia social, el trastorno obsesivo-compulsivo y el trastorno de estrés postraumático; sin embargo, no parecen ser tan útiles para aliviar una fobia específica. En lugar de ello, el tratamiento recomendado es la terapia cognitiva-conductual (TCC). Con la TCC, aprendes a enfrentarte a tus miedos de modo que el estímulo no te aterre tanto. Se considera que la terapia de exposición (exponerte gradualmente al objeto temido) es esencial para abordar una fobia. En cuanto a la medicación, es importante mencionar que los fármacos pueden ser útiles cuando, al principio del tratamiento, un paciente siente tanta ansiedad que no se lo puede exponer a sus temores sin ayuda. Sin embargo, la medicación no es un sustituto para aprender las habilidades de gestión de la ansiedad, ni de pasar por el proceso de desensibilización al estímulo que da miedo. Si pensamos en ello nos daremos cuenta de que, si te fías de una medicación concreta para superar el miedo a volar o a hablar en público, lo que aprendes es que estarás bien mientras tomes las pastillas. Entonces, ¿qué pasará cuando no las tomes? Las personas que no usan medicación desarrollan una mayor confianza en su capacidad de gestionar una fobia.

¿Qué es la claustrofobia, y cómo se trata?

Aproximadamente 2 de cada 100 adultos padecen claustrofobia. Esto significa que tienen miedo a sentirse atrapados o encerrados, y les inquieta no conocer una posible ruta de escape. Cuando una persona siente claustrofobia, le parece que el aire que la rodea se calienta y se vuelve rancio; empieza a sentir que no logra respirar satisfactoriamente, y empieza a pensar: «se me caen encima las paredes». Las personas claustrofóbicas temen la sensación de calor y ahogo, y hacen lo que sea para evitar lugares donde ésta se produzca, como ascensores, cines atestados de gente, tiendas pequeñas y concurridas, exámenes médicos, fiestas y coches o autobuses llenos. Cuando un caso grave de claustrofobia no recibe tratamiento, la persona puede irse distanciando cada vez más de sus semejantes. No obstante, dado que la claustrofobia es una respuesta aprendida (aunque contribuyan a ella otros factores biológicos o psicológicos), esta respuesta incómoda y debilitadora puede desaprenderse.

De forma similar a como sucede en el tratamiento de otras fobias, la exposición al miedo es clave para cualquier intervención que pretenda tener éxito. También es beneficioso desarrollar una autocharla más realista y aprender técnicas de gestión de la ansiedad (procedimientos de relajación, reacondicionamiento de la respiración).

Autocharla ansiosa de los claustrofóbicos:
Estoy atrapado. ¡Tengo que salir de aquí!
¡No puedo respirar!
¡No puedo soportarlo!
¡No me puede dar un ataque de pánico delante de toda esta gente!

Autocharla positiva para superar la claustrofobia:
No estoy atrapado: he elegido enfrentarme a este miedo.
Hay aire de sobra.
Esto es soportable. Cuanto más compruebe que puedo superarlo, mejor lo superaré.
No quiero que me entre el pánico, pero ¿qué pasa si me entra? ¡Lo más probable es que nadie se entere!

Me ha costado muchísimo entender el miedo a volar que siente mi hermana. Tiene un trabajo importante que le exige volar largas distancias, y a su marido le encanta viajar. ¿De verdad una fobia puede inducir a una persona sensata a arruinar su vida?
Las verdaderas fobias no se limitan a generar inquietud o aprensión, sino que provocan un terror y un pánico absolutos. El paciente es muy consciente de la naturaleza irracional del miedo, pero no puede alterarla. Para comprender su angustia, imagina que te dijeran que tu trabajo requiere que coloques la palma de la mano sobre una vela encendida durante varios minutos, y que todos los demás harán lo mismo. Después de unos cuantos contactos dolorosos con la llama, te entra el pánico cada vez que piensas en ir a trabajar. Empiezas a eludir ese angustioso destino. La persona fóbica reac-

ciona como si estuviera sumida en un peligro terrible, tanto como si se estuviera quemando viva. También puede sentirse estúpida por sentir ese miedo intenso. Las fobias pueden entorpecer mucho una vida, y si no se tratan, pueden volverse crónicas. La mejor manera de ayudar a tu hermana es aceptar que su angustia es real, pero al tiempo comunicarle que tiene disponible un tratamiento eficaz.

¿Cómo puedo superar mi miedo a volar?

Si tu ansiedad te impide tomar un avión, probablemente es que padeces **aviofobia**, miedo a volar. Para decidir qué debes hacer, siempre es buena idea evaluar tu motivación para volar. Esto lo puedes hacer basándote en un análisis del coste/beneficios, anotando en un papel las ventajas y desventajas de las dos opciones, es decir, volar o no volar. Tener una impresión clara de los pros y los contras de cada una de tus opciones puede ayudarte a decidir si quieres dar o no los pasos necesarios para sentirte más cómodo volando.

Si el miedo que tienes es al hecho de que el avión pueda estrellarse, pero sabes que volar es la forma más segura de transporte, es posible que no quieras confiar en los datos. En este caso es muy necesario tomar una decisión, porque tendrás que decidirte a creer qué nos dice la evidencia sobre los viajes en avión.

Conocer algunos de los datos puede serte de utilidad (Fuente: anxieties.com):

- Tus probabilidades de morir en un accidente aéreo son de 1 entre 7.000.000.
- Cuando se suman las horas de formación, los pilotos tienen tanta formación y práctica como los médicos.
- Por cada hora que pasa volando, a un avión lo someten a 12 horas de revisiones.
- Los aviones están diseñados para resistir turbulencias más extremas que cualesquiera a que pueda someterlos la Madre Naturaleza.

La evidencia respalda que estás mucho más seguro en un avión que dentro de un coche. Puede que esto resulte difícil de creer, debido a que los accidentes aéreos llaman la atención de los medios de comunicación. Cada día del año hay accidentes de tráfico en nuestro país. A menudo no llegan a salir en los diarios, pero cada vez que un avión se estrella, aparece en los periódicos, en la televisión y en todas partes. Esta atención de los medios puede inducirte a creer que la probabilidad de que un avión se estrelle es mucho mayor de lo que es en realidad. Nadie puede garantizar que un medio de transporte sea seguro al cien por cien, pero los aviones gozan de los mayores índices que puedas imaginar cuando se los compara con otros medios de locomoción. Has de decidir si quieres quedarte con los hechos o con tu razonamiento emocional de que el avión se estrellará.

Si quieres volar, lo mejor es irte exponiendo gradualmente a los estímulos asociados con el vuelo y, por último, subirte a un avión y volar. Puedes aprovechar muchos de los programas que te ayudan a abordar en un aula tu miedo a volar, y al final subirte a un vuelo programado con el resto de tu clase. Otra buena opción es la terapia de exposición mediante realidad virtual para superar la aviofobia.

Hace cuatro años que no voy al dentista porque me aterra pensar en sentarme en aquella silla y sentirme atrapada. ¿Qué puedo hacer al respecto?

Primero, decidir si quieres enfrentarte a tu fobia dental, si crees que te será realmente beneficioso hacerlo. Puedes hacer una lista de las ventajas y desventajas de ir o no ir al dentista. Seguramente te darás cuenta de que los beneficios de no ir son a corto plazo, dado que lo que haces es demorar alguna posible molestia temporal. Sin embargo, las desventajas de no ir probablemente tendrán incidencia a largo plazo. Pregúntate: «¿Hasta qué punto es importante asegurarme de que tengo una dentadura sana?». ¿Estás dispuesto/a a soportar ciertas molestias transitorias para mantener la buena forma de tus dientes? Si respondes «sí» a esta pregunta, aquí van algunos consejos para ayudarte a sentarte en el sillón de la consulta:

1. Examina lo que te estás diciendo sobre ir al dentista. ¿Te estás diciendo «Estaré atrapada» o bien «No podré soportar el dolor»? Cuestiona estos pensamientos. ¿Es cierto que estarás atrapada? ¡No! Si le dijeras al dentista que quieres levantarte de la silla, te

dejaría hacerlo. ¿Es verdad que no podrías aguantar el dolor? Primero, no sabes si te va a doler y, segundo, si no pudieras soportar algo te morirías, caso que no se da cuando las personas van al dentista.

2. Desarrolla algunos comentarios de superación para asistir a la cita, como, por ejemplo, recordarte a ti mismo los beneficios de la salud dental.

3. Sin embargo, como pasa con la mayoría de los miedos, en última instancia el temor al dentista se reduce al momento de ir a la consulta. Si quieres exponerte a esa situación, puedes hacerlo gradualmente comentando a tu dentista que tienes un problema con este proceso. Muchos dentistas dejan que la gente vaya a su consulta, se siente en la silla y observe los instrumentos; en otras palabras, que practiquen en preparación para futuras visitas reales. Al exponerte a unas actividades cada vez más desafiantes, permitirás el proceso de habituación, lo cual te ayudará a sentirte menos angustiada al pasar por esa experiencia.

4. Una vez estés en la consulta del dentista, recuerda que una opción viable es la de distraerte. Algunas consultas de dentista están equipadas con objetos que te permiten distraerte, como auriculares para escuchar música. También puedes recurrir a la relajación, la visualización o a las técnicas de meditación, útiles cuando estás sentada en la silla y te están interviniendo.

¿Qué me puedo decir para tener el valor de ir al dentista?

Éstas son algunas de las cosas que te pueden resultar útiles:

- A nadie le gusta especialmente ir al dentista, pero por lo general es mejor seguir adelante y acudir a la visita que no hacerlo.
- Los dentistas de hoy día son más eficaces para resolver los problemas dentales, y los progresos en este campo han logrado que las intervenciones sean mucho menos dolorosas.
- La inyección de novocaína sólo duele un segundo, y luego el dolor desaparece.
- El dentista cuidará de mis dientes, de modo que pueda disfrutar de ellos muchos años.
- La visita de hoy al dentista evitará sufrimientos futuros.

- Cuando haya concluido mi vista al dentista me sentiré mejor, y me preocupará menos el estado de mis dientes.

Usar comentarios más realistas es un factor importante para sentirse mejor cuando haya que ir al dentista. Para disponer de comentarios «a la carta» que puedas hacerte, debes partir de tu temor específico y escribir luego una afirmación o contraargumento más realista. Por ejemplo, si te da miedo sentirse atrapado cuando estés en el sillón, te puedes decir lo siguiente: «No estaré atrapado. El dentista interrumpirá su trabajo y me permitirá levantarme cuando yo quiera».

He oído que abordar gradualmente una fobia puede ayudarme. ¿Cómo puedo abordar mi fobia a conducir?

1. Siéntate cinco minutos dentro del coche con el motor apagado.
2. Siéntate cinco minutos dentro del coche con el motor encendido.
3. Ve en el asiento del pasajero durante un paseo en coche por el vecindario.
4. Ve en el asiento del pasajero durante una vuelta en coche por el centro de la ciudad.
5. Ve como pasajero por la autopista.
7. Conduce una manzana a solas.
8. Conduce varias manzanas por el barrio a solas, girando a derecha e izquierda.
9. Conduce por el centro de la ciudad llevando de pasajero a alguien de tu familia.
10. Conduce a solas por el centro para llegar a una dirección concreta.
11. Conduce por la autopista llevando de pasajero a alguien de tu familia.
12. Conduce a solas por el carril derecho de la autopista, y sal por la primera salida.
13. Conduce a solas por la autopista, cambiando de carril; sal por la tercera salida.
14. Y así sucesivamente.

A medida que vayas logrando realizar cada actividad y te provoque la mitad de ansiedad que antes, pasa a la fase siguiente. Hasta que no sientas escasa angustia al realizar una de las fases, no pases a la siguiente, que te costará un poco más.

¿Qué es la fobia a la escuela?

Hay muchos niños que prefieren faltar a la escuela antes que ir, al menos de vez en cuando. Sin embargo, la fobia a la escuela, a la que hoy día se denomina más frecuentemente «conducta de rechazo a la escuela», puede convertirse para algunos niños en un patrón problemático. Según la Asociación de Trastornos de Ansiedad de América, este problema afecta a entre el 2 y el 5 % de los niños de edades comprendidas entre 5-6 y 10-11 años. Esta conducta de evitación de la escuela puede ser más evidente después de las vacaciones escolares o las de verano.

La conducta de rechazo a la escuela es un problema grave, ¡pero puede tratarse! Sin embargo, una de las cosas más perjudiciales que pueden hacer unos padres es contribuir a que su hijo/a se salte las clases. Cuanto más evite la escuela un niño, más echarán raíces en su mente sus creencias negativas. Al eludir la escuela, el niño acumula más ansiedad anticipatoria. Además, no puede comprobar si sus predicciones negativas se cumplen y, por tanto, que las cosas no son tan malas como piensa.

Cada mañana tengo que discutir con mi hijo porque no quiere ir a la escuela. La verdad es que su miedo no parece fingido. ¿Qué debo hacer?

Pocas cosas hay que parezcan más problemáticas en medio de una mañana ajetreada que el hecho de que tu hijo o hija se niegue a ir a la escuela. Nuestra tendencia natural es enfadarnos y gritarle para que se comporte como debe. No obstante, enzarzarse en una batalla campal con tu hijo cuando no quiere ir a la escuela (sobre todo esas mañanas que tenemos tanto que hacer) no es, seguramente, lo mejor para conseguir que asista al colegio. Es mejor centrarse en investigar cuál es el motivo que se oculta tras la conducta de tu hijo/a de rechazo a la escuela, y luego recurrir a habilidades de resolución de problemas para ayudarlo a superar sus temores.

Primero, descubre a qué le tiene miedo tu hijo. Habla con él o ella cuando estéis relajados, quizá mientras compartís una actividad agradable. Ten en cuenta que el motivo del miedo no es el mismo para todos los niños. Algunos temen que sus profesores les griten; otros sacar una mala nota en un examen; otros que sus compañeros los avasallen; y otros temen que, si dejan a su madre todo el día, cuando vuelvan a casa no la verán. Si tienes alguna idea sobre lo que tu hijo se dice a sí mismo para sentir esa ansiedad, estarás más capacitado para ayudarlo. Busca también algún síntoma físico: insomnio, dolores de cabeza o de estómago, náuseas y diarrea.

Facilita al personal de la escuela (maestros, tutores y director) que pueda ayudar a tu hijo, informándoles sobre los problemas de ansiedad que tiene. Transmíteles lo mucho que valoras su ayuda para mejorar la conducta de rechazo a la escuela y el bienestar de tu hijo. ¡Trabajad juntos! Éstas son algunas de las técnicas que te ayudarán en el proceso de que tu hijo regrese a la escuela:

1. Prueba un proceso gradual: quizá que tu hijo/a vaya al colegio sólo una parte del día, aumentando poco a poco el tiempo que pasa en la escuela cada semana.
2. A algunos niños les va muy bien asimilar antes de clase el día escolar: por ejemplo, pasando unos minutos en el gimnasio o en el despacho del tutor antes de entrar en el aula.
3. Proporciona a tu hijo alguna nota o foto que lo anime, que sepa que estás pensando en él y que por la tarde volveréis a veros.
4. Enseña al niño o niña alguna técnica de control de la ansiedad, como algún ejercicio de relajación o de respiración profunda.
5. Para aumentar la motivación de tu hijo, crea una jerarquía de recompensas y cumple con ella predecible y coherentemente.

Cada vez que se acerca un viernes 13 me pongo de los nervios. ¿Es un día de mala suerte?

El experto Donald Dossey calcula que en Estados Unidos hay entre 17 y 21 millones de personas que padecen **paraskevidekatriafobia,** el miedo al viernes o martes 13 (el miedo al 13 se llama **triskaidekafobia**). Sin embargo, muchos desconocemos por qué el viernes 13 llegó a asociarse como un día de mala suerte:

- Según un mito nórdico, había doce dioses cenando en un banquete cuando llegó un dios al que nadie había invitado, Loki, con lo que el número aumentó a trece. Loki fue quien maquinó la muerte de Balder el Hermoso, el dios de la alegría. Cuando Balder murió, la tierra se oscureció y se dolió por él.
- La palabra inglesa «Friday» (viernes) recibe su nombre de una diosa nórdica, Frigg, la diosa del amor y la fertilidad, y doliente madre de Balder. Frigg fue desterrada a los montes, donde se unió a un grupo de doce brujas, que transformó en un aquelarre.
- Judas Iscariote, el traidor, fue el decimotercer invitado en la Última Cena.
- El 13 de octubre de 1307, el rey Felipe IV de Francia ordenó la disolución de la Orden del Temple, lo cual condujo a la tortura y ejecución de cientos de caballeros templarios.

El problema con estas «evidencias» es que no tienen en cuenta las tragedias que han tenido lugar en fechas que no eran viernes 13, y que no consideran muchas de las asociaciones positivas que han tenido los viernes y el número 13 a lo largo de la historia y en la tradición. Por ejemplo:

- En Israel se considera que el viernes 13 es un día de una tremenda buena suerte.
- Según el judaísmo, el día de reposo empieza el viernes por la tarde, el Bar Mitzvá se realiza a la edad de 13 años y el calendario lunar hebreo tiene 13 meses.
- A los niños italianos se les regala un amuleto de oro en forma de número 13 para asegurar su buena suerte y prosperidad de adultos.
- En Norteamérica hubo 13 colonias originales; 13 fueron las barras y estrellas de la bandera norteamericana, y fue la decimotercera enmienda la que concedió la libertad a los esclavos.
- El famoso chocolate Hershey se lo debemos a un hombre que nació un viernes 13, Milton Hershey; y muchos cinéfilos están agradecidos a ese día porque en él nació Alfred Hitchcock.

Estas listas demuestran que resulta tan fácil acumular evidencias a favor del viernes 13 como lo es cargar las tintas en su contra.

Si observamos algunas de las maneras de evitar la «mala suerte» de este día quizá podamos captar el humorismo del tema. Por ejemplo, en Francia, un grupo de personas que se hacían llamar «los decimocuartos», solían ofrecerse como invitados a comidas o cenas para remediar la mala suerte de tener trece invitados. El folclore recomienda subir a la cima de una montaña y quemar todos tus calcetines que tengan agujeros, o hacer el pino mientras comes un trozo de cartílago. Afortunadamente, hoy día disponemos de buenos tratamientos para esta fobia. Y, dicho sea de paso, cierta mujer de 49 años está muy agradecida por no haberse quedado en casa el 13 de febrero de 2004, viernes, porque fue ese día cuando se llevó el premio gordo de 10,2 millones de dólares en el casino MGM Grand de Las Vegas.

Capítulo 10

MÁS DATOS SOBRE LA FOBIA SOCIAL

- ¿Qué es la fobia social?
- ¿Por qué me da tanto miedo hablar en público?
- ¿Qué puedo hacer parar superar mi miedo a hablar en público?
- ¿Puedo tomar algún medicamento para aliviar mi miedo a hablar en público?
- En la escuela, mi hija se está encerrando en sí misma y no responde a las preguntas que le hacen. Su profesor cree que padece fobia social. ¿Cuáles son las características de la fobia social en los niños, y cómo puedo ayudarla?
- ¿Cuál es la diferencia entre la agorafobia y la fobia social?
- Tengo muchos temores sociales. Empezaron cuando estaba en el instituto y me daba miedo hablar en público. Luego me era imposible comer en público. A partir de ese momento, no pude usar el lavabo público y, más recientemente, me fue imposible ir a ninguna fiesta. Me empiezo a preocupar bastante. ¿Esto es poco habitual?
- He visto anuncios en televisión que dicen que Zoloft puede ayudarme para superar mi fobia social. ¿Cómo es posible que un fármaco me ayude a socializar más?
- Cuando voy a una fiesta me siento incómodo, y al final acabo deseando haberme quedado en casa. ¿Cómo sucede esto?
- ¿Cómo puedo mejorar mis problemas con la fobia social?
- ¿Cuáles son algunas de las conductas que puedo usar para desensibilizarme frente a mi ansiedad social?

¿Qué es la fobia social?

Hay personas que desarrollan un intenso temor a avergonzarse o humillarse en público. Aunque se dan cuenta de que su preocupación puede ser excesiva e incluso absurda, su grado de ansiedad sigue siendo aplastante. A esto lo llamamos **fobia social**, y también se conoce como trastorno de ansiedad social. Las personas que padecen fobia social lo pasan muy mal en una o más circunstancias en las que tienen que relacionarse con otros o bien realizar ciertas actividades, como por ejemplo:

- Comer en público
- Escribir cheques en público
- Hablar en público o miedo al escenario (dado que estos miedos son tan frecuentes, que sólo se consideran fobia social cuando producen una incapacitación o una angustia significativas)
- Hablar con un jefe u otra figura de autoridad
- Citarse con alguien (para más información sobre este temor, véase el capítulo 15)
- Ir a fiestas
- Usar los lavabos públicos

Si tienes una fobia social, es posible que imagines que los demás siempre te están observando y, sin que los veas, riéndose de ti o criticándote. También tiendes a pensar que todo el mundo es competente en esa situación menos tú. Las personas con fobia social tienden a sobrestimar lo amenazantes o condenatorios que son los demás, y a subestimar su propia capacidad de enfrentarse a situaciones sociales. A pesar de ello, los individuos que padecen una fobia social pueden funcionar bastante bien a menos que se vean obligados a realizar esa actividad pública que tanto temen. En ese momento, cuando se vean abocados a esa reunión social tan temida, pueden sentir una marcada ansiedad anticipatoria, además de una gran angustia. Afortunadamente, en torno al 80 % de las personas que se someten a tratamiento cognitivo-conductual por este motivo, algunas de las cuales toman fármacos recetados por un profesional, sienten una gran mejoría.

¿Por qué me da tanto miedo hablar en público?

Ten en cuenta que probablemente el miedo a hablar en público es el número uno que padece todo el mundo, de modo que no estás solo. Son aproximadamente entre 40 y 60 los millones de personas que comparten este temor contigo.

Cuando siente miedo a hablar en público, la gente suele tener ideas en mente del estilo de: «Voy a quedar en ridículo. No sabré qué decir. Pensarán que soy tonto. No sabré cómo responder a sus preguntas. Nunca lo olvidaré. Tengo que ser perfecto. Si lo estropeo, será una tragedia». Obviamente, este tipo de autocharla aumenta tu timidez y te crispa, haciendo que detectes cualquier pequeño error en todo lo que haces y dices. Al centrarte en cualquier problema de tu exposición, te pones más nervioso, con lo cual se pone en marcha un círculo vicioso.

Lo primero que tienes que hacer para averiguar cómo mejorar este problema es analizar tu motivación. ¿Cuáles son los beneficios de sentirse más a gusto hablando en público? ¿Cuál es el precio que hay que pagar? Hay personas que pueden pasar felizmente por esta vida sin tener que hablar en público. Otras, al eludir esta actividad, pueden sentir que están perdiendo oportunidades o una experiencia importante de la vida. Si quieres hablar en público, en la siguiente pregunta hallarás algunas técnicas que te ayudarán a superar tu temor.

¿Qué puedo hacer para superar mi miedo a hablar en público?

Éstas son algunas de las maneras de superar tu miedo y prepararte para hablar en público:

1. Desafía lo que te dices. Si te has preparado para dar una charla, decirte «No sabré qué decir» es falso.
2. Cuestiona tus propias predicciones sobre lo peligroso o amenazante que será tu público:

- ¿Exactamente cómo puede ser peligroso un público?
- ¿Qué es lo peor que podría pasar?
- Incluso si cometieras un error, ¿sería muy grave?

- ¿Acaso la mayoría de las personas no cometen errores cuando hablan en público?

3. Recuerda algunas conferencias que hayas oído o reuniones a las que hayas asistido:

- Una vez acabó la conferencia, ¿cuál fue realmente tu opinión de cómo lo había hecho el orador?
- ¿Fuiste a tu casa y hablaste de su competencia durante la cena, pensaste en ella por la tarde, se lo contaste a tus amigos al día siguiente? Probablemente no.
- Debes recordar que, por lo general, la gente está más concentrada en sí misma que en otras personas.

4. Exponte a situaciones en las que hables en público. Puedes convertirte en un experto en la autocharla, pero si nunca te concedes una oportunidad para probar suerte, no es probable que pierdas tu miedo a hablar en público. Si quieres, puedes elaborar una lista de cosas que podrías hacer para aumentar tu grado de comodidad en estas circunstancias, como dar un anuncio en un entorno social en el que te sientas cómodo o practicar una charla con un amigo. Con el paso del tiempo, podrás abordar tareas más complejas.
5. Únete a una organización donde te ayuden a mejorar tu actuación en público y a sentirte cómodo al hacerlo. La clave está en la práctica.
6. Cuando hables, lleva contigo algunas notas para reducir la ansiedad que te pueda producir olvidarte de lo que vas a decir.
7. Habla con personas que suelen hablar en público y pregúntales sobre su experiencia. ¿Empezaron sintiéndose tan cómodos como ahora al hablar en público? Seguramente no, pero a medida que fueron dando charlas, se sintieron cada vez mejor. Pregúntales también si siguen sintiendo cierto grado de ansiedad o nerviosismo. Seguramente te dirán que sí.

No olvides que cierto grado de ansiedad puede incluso mejorar tu actuación: lo que te aguza la mente y te hace tocar de pies en el suelo es la adrenalina. Convéncete de que debes convertir la ansiedad en excitación, ¡y canaliza esa energía en tu discurso! Además, recuérdate: «Nadie que esté fuera de mí puede ver cómo me siento por dentro».

¿Puedo tomar algún medicamento para aliviar mi miedo a hablar en público?

Existen algunos medicamentos que pueden aliviar la ansiedad asociada con la fobia social. Las personas pueden sentir alivio al tomar benzodiazepinas, ISRS y antidepresivos IMAO, así como betabloqueantes. Estos últimos suelen usarse para paliar este tipo de fobia social. Hacen efecto al cabo de poco tiempo, y el cuerpo los metaboliza rápidamente, de modo que puedes usarlos cuando estés a punto de dar una conferencia. Otra de las ventajas de estos fármacos es que no crean dependencia. Ten en cuenta que los betabloqueantes reducen tu presión sanguínea, así que asegúrate de que sea un médico quien te los recete, de modo que pueda hacerte un diagnóstico y un seguimiento. Además, recuerda que, aunque la medicación puede ayudarte a reducir los nervios propios de las situaciones de estrés, la mejor manera de combatir una fobia es enfrentándote a tus miedos.

En la escuela, mi hija se está encerrando en sí misma y no responde a las preguntas que le hacen. Su profesor cree que padece fobia social. ¿Cuáles son las características de la fobia social en los niños, y cómo puedo ayudarla?

Los niños que padecen fobia social sienten un temor intenso a las situaciones en las que se espera de ellos que socialicen o hagan algo en público. Como resultado, se les puede acelerar el corazón, pueden sudar, sentir dolores de estómago o de cabeza, llorar o «quedarse petrificados». Los niños que tienen este problema temen el hecho de tener que iniciar una conversación con sus compañeros o hablar delante de un grupo, dos cosas que suelen ser esenciales para moverse bien en una escuela. Por tanto, los niños que sienten ansiedad social pueden tener una experiencia académica difícil, porque no quieren responder a preguntas en clase o hacer amigos por medio de una charla superficial. La Anxiety Disorders Association of America (Asociación Norteamericana para los Trastornos de Ansiedad) hace una lista de los siguientes síntomas de la fobia social:

- Incomodidad y pasividad cuando el niño es el centro de atención.
- Evitación o rechazo para iniciar conversaciones, juntarse con amigos o llamar a personas por teléfono.
- Escaso contacto visual.
- Habla en voz baja o no se le entiende bien.
- Apenas interactúa con sus compañeros.
- Siempre está al margen del grupo social, y parece abstraído.
- Incomodidad cuando tiene que hacer algo delante de otros, como, por ejemplo, responder a una pregunta en clase.
- Se preocupa porque otros lo evalúen negativamente, lo humillen o lo ridiculicen.

Debes respaldar a tu hija, pero al mismo tiempo animarla a que haga cosas que le permitan reducir esa ansiedad. Esto lo puede conseguir aprovechando las oportunidades que tenga de relacionarse con otros niños, por ejemplo en grupos de juegos, actividades de la iglesia, visitas al parque y asistencia a fiestas de cumpleaños. También es buena idea ayudar a tu hija a que aprenda a hablar por su cuenta; por ejemplo, que llame por teléfono a un amigo, le pregunte a un dependiente dónde está lo que busca o pida su propia comida en un restaurante.

Si sientes ansiedad social, vigila los mensajes que envías a tus hijos. Les enseñamos mediante nuestra forma de vivir, y si cuando estás en una situación social te muestras temerosa y agobiada, tu hija puede interiorizar la idea de que hablar con otros es demasiado difícil o vergonzoso. Si luchas con tu propia ansiedad social, éste es un buen momento para buscar ayuda. A menudo nuestros hijos nos impelen a enfrentarnos a nuestras limitaciones, de modo que podamos ayudarlos a superar las suyas.

Por último, mientras tú y tu hija trabajáis juntas, detecta y recompensa los pequeños progresos, dado que esto la ayudará a edificar su confianza, orgullo y motivación para continuar con el proceso. El éxito al enfrentarse con este miedo le proporcionará una valiosa experiencia con la que podrá contar durante toda su vida.

¿Cuál es la diferencia entre la agorafobia y la fobia social?

Las personas con agorafobia tienen miedo de (1) salir de casa; (2) estar solas, y (3) estar en situaciones en las que se puedan sentir atrapadas, indefensas e incapaces de huir. Estos miedos se producen cuando van en transporte público, están inmersas en una multitud, asisten a lugares atestados de gente (cines, restaurantes, supermercados o grandes almacenes) o bien hacen cola. Esas personas sienten tanto miedo de que les dé un ataque de pánico y de sentirse indefensas que evitan los lugares donde pueda sucederles algo así. Muchas de ellas acaban enclaustrándose en sus casas.

Por el contrario, los individuos que padecen una fobia social no se inquietan tanto por la posibilidad de sentirse atrapadas o indefensas, sino que se preocupan más por las actividades públicas habituales, que pueden dar pie a que otros los critiquen y humillen. Mientras que los individuos con fobia social pueden tener ataques de pánico, es probable que la ansiedad asociada con la fobia social provoque sonrojos, sudores y sequedad de boca. Los individuos que tienen fobia social pueden resistirse a llamar la atención sobre sí mismos o interactuar con otros, pero por lo general no evitan el entorno social hasta el punto de quedarse casi siempre en su casa.

Tengo muchos temores sociales. Empezaron cuando estaba en el instituto y me daba miedo hablar en público. Luego me era imposible comer en público. A partir de ese momento, no pude usar el lavabo público y, más recientemente, me fue imposible ir a ninguna fiesta. Me empiezo a preocupar bastante. ¿Esto es poco habitual?

Aquí describes lo que llamamos **fobia social generalizada**. Esta variante de la fobia social se diagnostica cuando una persona padece cierta variedad de miedos sociales, incluyendo situaciones en las que tiene que hacer algo en público o relacionarse con otras personas. La fobia generalizada es más grave e incapacita más que una fobia social específica. Por lo general, empieza cuando la persona es más joven, y los individuos que la padecen suelen ser solteros y sentir un temor más agudo respecto a la interacción con otros. Lamentablemente, también se asocia con la depresión clínica y el alcoholismo. Tu inquietud es lógica, dado que estas fobias pueden ir aumentando en intensidad hasta que se someten a tratamiento. Empieza haciendo que te examine un profesional de la salud mental con experiencia en el tratamiento de los trastornos de ansiedad. Lo mejor es contar con una evaluación conjunta de un terapeuta que ofrezca terapia de exposición junto con la de un psiquiatra que pueda decidir si te ayudaría tomar alguna medicación. Se ha descubierto que tanto la terapia cognitivo-conductual como los fármacos, tales como los antidepresivos ISRS, las benzodiazepinas y los beta-bloqueantes, son muy útiles en el tratamiento de la fobia social.

He visto anuncios en televisión que dicen que Zoloft puede ayudarme para superar mi fobia social. ¿Cómo es posible que un fármaco me ayude a socializar más?

Si padeces fobia social, mientras desempeñas actividades normales en público sientes un intenso temor a que te humillen. La más frecuente es hablar en público. Otras situaciones temidas incluyen firmar documentos en presencia de otros, comer en lugares públicos, someterse a una entrevista, usar lavabos públicos e ir a fiestas. La ansiedad se convierte en una gran barrera para socializar. Este trastorno puede ser crónico, angustioso y debilitador.

Hay algunos fármacos que pueden resultar útiles, incluyendo los antidepresivos ISRS, entre los cuales figura Zoloft. Estos medicamentos activan una sustancia química cerebral llamada **serotonina**, que se asocia con la sensación de bienestar, para que esté presente y activa entre las células del cerebro. Por lo general, el cuerpo no sólo produce sustancias químicas, sino que también las metaboliza. Los ISRS permiten que sea menor el grado de serotonina que se descompone. Como resultado, la serotonina dura más y tiene una mayor influencia sobre las células nerviosas. Los ISRS, que en principio se diseñaron para tratar la depresión clínica al mejorar el estado de ánimo, son eficaces también para reducir los síntomas de ansiedad. Por tanto, si las actividades públicas habituales te causan ansiedad, y si recibes tratamiento a base de ISRS, es posible que la disminución en tu grado de ansiedad te permita tener más relaciones sociales.

Cuando voy a una fiesta me siento incómodo, y al final acabo deseando haberme quedado en casa. ¿Cómo sucede esto?

Si analizas la secuencia de tus pensamientos, sentimientos y conducta desde tu anticipación de la fiesta hasta tu conclusión de que no la soportas, verás cómo cada uno de los pasos origina el siguiente, haciendo que tu ansiedad se dispare. Pondremos un ejemplo:

Secuencia de la fobia social

Pensamiento: «No quiero ir a la fiesta. No me lo pasaré bien».

Sentimientos/sensaciones: Ansiedad, tensión, nerviosismo
Rigidez en el cuello, hombros
o estómago
Aumento del ritmo cardíaco

Conducta: Tropieza mientras sube las escaleras de camino a la fiesta, se le cae el bolso, se vuelca y deja escapar su contenido

Pensamiento: «Pero, ¡qué idiota soy! Ya he quedado en ridículo».

Sentimientos/sensaciones: Ansiedad, tensión, nerviosismo,
vergüenza, ira
Más rigidez en el cuello/hombros
Náuseas
Aumento del ritmo cardíaco,
sudoración

Conducta: Coge una bebida y se retira a un rincón, donde no conversa con nadie

Pensamiento: «Nadie me mira. A nadie le importa que esté aquí. Saben que no tengo nada interesante que decir».

Sentimientos/sensaciones: Ansiedad, tensión, nerviosismo,
vergüenza, ira
Rigidez en cuello/hombros
Náuseas
Ritmo cardíaco elevado, sudores
Temblor de las manos

Conducta: Cuando alguien choca con ella accidentalmente, se le derrama parte de la bebida y pide excusas repetidas veces.

Pensamiento: «¡Qué tonterías digo! Ya sabía que no tenía que haber venido. Tengo que salir de aquí».

Conducta: Sale a escondidas de la fiesta, sin decir nada a nadie.

Sentimientos/sensaciones: Menos ansiedad y tensión
                              Se reducen los síntomas físicos
                              ALIVIO

Pensamiento: «¡Gracias a Dios que me he ido! Nunca volveré a una fiesta».

Resultado: La evitación se refuerza debido a un alivio *transitorio*, pero se perpetúan los problemas con la ansiedad.

¿Cómo puedo mejorar mis problemas con la fobia social?

Las personas con fobia social sobrestiman la dureza con que los juzgarán otros y subestiman su capacidad de superar esas críticas. Dos factores importantes para desafiar la fobia social son: tener unos pensamientos más realistas sobre el grado del escrutinio a que nos someten otros, y el reconocimiento de nuestros puntos fuertes. Es buena idea recordar que por lo general la gente está mucho más centrada en sí misma y en sus vidas que en ti. Para demostrarlo, escribe una lista de todos los temas en que podría estar pensando una persona *aparte* de en ti.

Lo que es más importante, practica modificando lo que te dices sobre las situaciones sociales. En la página siguiente encontrarás algunos ejemplos para transformar la autocharla que produce ansiedad en una que sea más realista y tranquilizadora:

Autocharla ansiosa	Autocharla más realista
No sabré qué decir.	Ya se me ocurrirá algo.
Pensarán que soy un inútil.	No les puedo leer la mente, ni controlo lo que piensan. Me limitaré a hacerlo lo mejor que pueda.
Siempre me pongo nervioso y actúo como un tonto.	Está bien estar un poco nervioso. Mis amigos dicen que me desenvuelvo bien. Considerarme un tonto no me ayuda.
No debería sentir tanta ansiedad: la gente se reirá de mí.	Me siento como me siento, y nadie que esté fuera puede ver cómo me siento por dentro.
Siempre he sido tímido. Nunca lo superaré.	El hecho de ser tímido no quiere decir que no pueda aprender a sentirme más a gusto hablando en un grupo.
El rechazo es terrible.	El rechazo forma parte de la vida, y a todo el mundo le pasa a veces. Ser rechazado es un inconveniente, pero puedo superarlo.
Si no causo una primera buena impresión, no me darán el trabajo.	No puedo controlar cómo me ven otros, pero haré lo que pueda. Si no consigo el puesto, me sentiré decepcionado, pero no será el fin del mundo.
Soy demasiado sosa como para que nadie me pida una cita.	Tengo muchos puntos fuertes, y considerarme sosa me hace sentir mal. La gente no es sosa: sólo las conversaciones pueden serlo.
No puedo soportar cometer errores delante de otros. Será horrible no poder responder a todas esas preguntas.	A nadie le gusta cometer errores, pero si los cometo puedo soportarlo. No tengo por qué ser capaz de responder a todas sus preguntas. Si no sé la respuesta, les diré que ya la buscaré y se la comentaré.

¿Cuáles son algunas de las conductas que puedo usar para desensibilizarme frente a mi ansiedad social?

Las conductas de la página siguiente son estupendas maneras de enfrentarse a situaciones a las que temes. Albert Ellis se refería a muchos de estos actos como ejercicios «que atacan la vergüenza». Al adoptar una conducta que consideras arriesgada, te demuestras a ti mismo que puedes soportar sentimientos que creías que te iban a superar. Empiezas a liberarte de las preocupaciones constantes sobre cómo te juzgan otros. Si una idea te suena extraña, ¡pues bueno! ¡Piensa en la agradable sorpresa que tendrás cuando descubras que puedes hacerlo!

Por último, si temes y te resistes a la charla superficial con otros, desafíate a ver su valor. Vivimos en un mundo social, y esta charla forma parte de la vida en el entorno académico, profesional y social. Puedes inventar y practicar temas de conversación posibles para mejorar tu grado de comodidad. A muchas personas les ayuda pedirle a un amigo que practiquen la conversación con ellas, ejercitándose en iniciar y mantener una conversación. Dos buenas estrategias suelen ser las de preguntar a las personas sobre sus experiencias y descubrir aspectos que te interesan y de los que puedes hablar.

Aceptar un cumplido

Hacer un cumplido

Esforzarte por hablar con tres personas del trabajo a las que apenas conoces

Hacer un anuncio durante una reunión de padres de alumnos

Dar un anuncio durante una reunión en la iglesia

Comer a solas en un restaurante lleno

Ofrecerse a escribir algo en la pizarra durante una reunión de trabajo

Ofrecerse para llamar a los participantes a una reunión

Beber delante de otros

Enviar un correo electrónico que contenga errores deliberados

Verter un vaso de agua, adrede, en un restaurante

Iniciar una nueva afición, donde es posible que cometas errores

Levantar la mano para hacer una pregunta en clase

Ofrecerte voluntario para hacer un brindis en público

Tardar más, deliberadamente, en pagar un artículo en una tienda

Pedir un artículo que no esté en la tienda

Pedir una cita a cinco personas con el objetivo de que te digan que no

Parar en todos los pisos cuando subes en ascensor

Llevar un paraguas grande y negro cuando hace un sol radiante

Llevar al trabajo o a la escuela un zapato de cada color

- ¿Qué es el trastorno obsesivo-compulsivo, y qué tiene que ver con mi ansiedad?
- No dejo de revisarlo todo constantemente: mis cerraduras, mi horno, la plancha. Sé que no hay necesidad, pero siento que debo hacerlo. ¿Qué problema tengo?
- ¿Es muy frecuente el TOC? ¿Cuál es su proceso típico?
- ¿Significa el TOC que tengo un problema importante en el cerebro?
- ¿Cuál es la diferencia entre una obsesión y una compulsión?
- ¿Pueden darme algún ejemplo de obsesión?
- ¿Pueden darme algún ejemplo de compulsión?
- ¿Cómo se relacionan las obsesiones y las compulsiones?
- ¿Cuál es la diferencia entre un trastorno de personalidad obsesivo-compulsivo y un trastorno obsesivo-compulsivo?
- ¿Cómo afecta a una familia el TOC?
- Padezco TOC y me siento fatal conmigo mismo. ¿Cómo se relacionan ambas cosas?
- ¿Qué son los rituales, y qué hace que sean beneficiosos o perjudiciales?
- Soy buen organizador, y me gusta tenerlo todo en orden. ¿Eso quiere decir que soy compulsivo?
- Parece que soy incapaz de enviar un e-mail o escribir una carta sin revisarlos varias veces. ¿Quiere decir que tengo TOC?
- Algunos de mis amigos me han dicho que mi hijo, de 9 años, tiene TOC. ¿Cómo puedo saber si es verdad?
- Soy bastante quisquillosa, y mis amigos dicen que soy «anal». ¿De dónde sale ese apelativo, y qué significa?
- Creo que mi tendencia a apostar es una adicción, pero la llamamos «apuestas compulsivas». ¿Una adicción es lo mismo que una compulsión?

¿Qué es el trastorno obsesivo-compulsivo, y qué tiene que ver con mi ansiedad?

El **trastorno obsesivo-compulsivo**, o TOC, es un trastorno de ansiedad debido al cual la persona experimenta **obsesiones** recurrentes (pensamientos, impulsos o imágenes invasores e inductores de ansiedad) y/o **compulsiones** (conductas o actos mentales destinados a reducir la ansiedad que sólo logran intensificar el problema). Las obsesiones y las compulsiones se alimentan mutuamente, y en última instancia empeoran la ansiedad. Las obsesiones generan ansiedad, y las compulsiones intentan reducirla, pero sólo lo consiguen temporalmente. Las obsesiones vuelven con más fuerza, las compulsiones se repiten y amplían, etc. El siguiente esquema muestra cómo los pensamientos, sentimientos y conductas dan pie a otros similares, manteniendo los síntomas del TOC:

Obsesiones

Pensamientos o imágenes invasores relativos a la contaminación, la moralidad, la sexualidad, el peligro

Angustia

Ansiedad, vergüenza, asco

Compulsiones

Conductas o actos mentales repetitivos para aliviar la angustia provocada por las obsesiones

Alivio temporal

Obsesiones

Pensamientos o imágenes invasores relativos a la contaminación, la moralidad, la sexualidad, el peligro

Angustia
Ansiedad, vergüenza, asco

Compulsiones
Conductas o actos mentales repetitivos para aliviar la angustia
provocada por las obsesiones

Alivio temporal
... y el proceso sigue y sigue

Angustia duradera

No dejo de revisarlo todo constantemente: mis cerraduras, mi horno, la plancha. Sé que no hay necesidad, pero siento que debo hacerlo. ¿Qué problema tengo?

Si te dedicas a hacer este tipo de cosas repetidamente, más de una hora al día, es posible que padezcas lo que llamamos **trastorno obsesivo-compulsivo**, o **TOC**. Las comprobaciones excesivas pueden constituir una compulsión: la tendencia a realizar conductas repetidas y desagradables. Las personas que padecen TOC experimentan pensamientos o imágenes y compulsiones perturbadoras (que pueden ser actos físicos o rituales mentales). Si tu rutina de comprobarlo todo es realmente una compulsión, éstos son dos criterios importantes que considerará un profesional experto antes de diagnosticar que se trata de un caso de TOC:

1. Eres consciente, al menos hasta cierto punto, de que las obsesiones o compulsiones que experimentas son excesivas o irracionales.
2. Las obsesiones y compulsiones: (a) son tremendamente angustiosas; (b) te ocupan más de una hora al día; o (c) interfieren significativamente en tu forma de vida habitual.

Obviamente, un manual de autoayuda no puede diagnosticar que tienes este problema. Si tu hábito de comprobarlo todo te angustia u obstaculiza tu vida, consulta con un profesional experto para que te examine y recomiende un tratamiento.

¿Es muy frecuente el TOC? ¿Cuál es su proceso típico?

Según el National Institute of Mental Health (Instituto Nacional de Salud Mental), en torno al 2,3 % de la población padecerá TOC en algún momento de su vida. En otras palabras, el TOC afecta en torno a 1 de entre 43 personas en algún momento de su existencia. Debido a que quienes padecen este trastorno son reacios a admitir sus síntomas, las cifras de que disponemos pueden ser inferiores a las reales. Sin embargo, esto va cambiando a medida que la gente va aprendiendo más sobre este problema, y los investigadores han detectado un aumento significativo del grado de incidencia comparado con el que ofrecían estudios anteriores.

El inicio de la enfermedad suele darse a finales de la adolescencia o cuando la persona ronda los veinte años, pero también puede aparecer durante la infancia. Es típico que este trastorno se vaya manifestando gradualmente. Los hombres y las mujeres tienden a mostrar la misma vulnerabilidad al TOC, pero es más probable que las mujeres busquen un tratamiento. El TOC es una enfermedad crónica, que tiene síntomas que aumentan y disminuyen y que pueden empeorar debido al estrés y a los cambios hormonales. Hay quien puede padecerlo varios años antes de buscar un tratamiento, lo cual suele obstaculizar gravemente sus actividades escolares, laborales, sociales y familiares. El TOC puede tener una especial influencia negativa en un matrimonio; es posible que uno de los cónyuges se consuma realizando compulsiones como punto de referencia para su vida, mientras el otro se siente confuso e impotente. Los individuos que padecen TOC también pueden luchar contra la depresión, el insomnio y otros problemas de sueño, la inquietud excesiva, la ansiedad social, fobias concretas y ataques de pánico. También se ha demostrado la relación entre el TOC y los trastornos alimentarios, y entre él y el síndrome de Tourette (tics). Teniendo en cuenta la carga que puede suponer para una persona el TOC, cuanto antes se diagnostique el problema y se inicie el tratamiento, mejor.

En los estudios que comparan la proporción de las diversas compulsiones, la comprobación constante y la limpieza eran las más frecuentes, seguidas en orden descendente por: contar, la necesidad de preguntar o confesar, la simetría/rituales de orden y el hacer acopio de cosas. La mayoría de las personas con TOC tienen numerosas obsesiones, y en torno a la mitad de ellas informan que practican múltiples rituales compulsivos. Notablemente, la naturaleza de las obsesiones y compulsiones puede cambiar con el paso del tiempo.

¿Significa el TOC que tengo un problema importante en el cerebro?

Se considera que el TOC es un problema neuroconductual. Los siguientes descubrimientos nos ofrecen evidencias de que el cerebro de las personas que padecen TOC difiere de los de aquellas que no lo tienen:

• Los escáneres cerebrales demuestran una hiperactividad de los ganglios basales, el núcleo caudado y las regiones orbitales frontales de los cerebros con TOC, comparados con otros que no lo padecen.
• En el TOC se han detectado niveles inadecuados de serotonina; los numerosos estudios han demostrado que los síntomas de TOC se reducen como respuesta a la medicación (ISRS) que aumenta el grado de serotonina en el cerebro. La poderosa contribución biológica del TOC queda aún más clara debido al hecho de que, si tus padres lo padecieron, tienes más probabilidad de tenerlo tú también.

En general, al cerebro afectado por TOC le cuesta mucho decir: «Ya vale. No tengo que volver a hacer esto». Un cerebro con TOC dice: «Hazlo otra vez. Más, más, más». Los expertos en este campo se han referido al TOC como «un candado mental» (Schwartz), un «embotellamiento cerebral», un «hipo mental» (Rappaport) y «*correo basura* cerebral» (Chansky), por mencionar sólo algunos. Las repeticiones de pensamientos y conductas tienen lugar porque la mente se ha impuesto la exigencia de una garantía. Básicamente, en todos los pensamientos y conductas propios del TOC subyace la idea «Tengo que estar seguro». Lamentablemente para las personas que se dejan guiar por este mensaje, la vida no ofrece certidumbres o garantías completas.

La buena noticia es que se ha demostrado que el tratamiento eficaz mediante la terapia cognitivo-conductual o la medicación reduce la hiperactividad cerebral propia del TOC y aumenta los niveles de serotonina. La gente que padece TOC recupera el control sobre sus síntomas y mejora su calidad de vida.

¿Cuál es la diferencia entre una obsesión y una compulsión?

Las obsesiones son pensamientos, y las compulsiones son conductas. Éstas son las definiciones de ambos términos:

Las **obsesiones** son *pensamientos, impulsos o imágenes mentales* que tienen lugar sin que lo queramos, y que nos causan estrés. Las personas que muestran síntomas suficientes como para considerar que padecen TOC tienden a recibir estos pensamientos o imágenes desagradables al menos durante una hora al día. Algunos ejemplos de obsesiones: preguntarte si tienes las manos limpias o pensar que la mano que acabas de estrechar para saludar a alguien no lo estaba. Las obsesiones también pueden consistir en pensar que has dejado el horno encendido y que se podría iniciar un incendio. Algunas personas con TOC experimentan imágenes recurrentes, invasoras e indeseadas de actos violentos o sexuales.

Las **compulsiones** son *conductas* inoportunas, como lavarse las manos constantemente; colocar las cosas en un orden determinado; atesorar tus pertenencias y no ser capaz de tirar nada; comprobar un horno para asegurarse de que está apagado; o pasar el aspirador repetidas veces por la alfombra. En general, las personas que realizan compulsiones admiten que su conducta es excesiva e irracional, pero creen que no podrían resistir dejar de hacer tales cosas.

¿Pueden darme algún ejemplo de obsesión?

Por lo general, las obsesiones conllevan un sentido exagerado de responsabilidad personal y la necesidad de certidumbre. Ésta es una lista de categorías y ejemplos de obsesiones:

Lesiones físicas

Esa vela podría iniciar un fuego.
Un ladrón podría atacarme mientras duermo.
Mientras bajo por las escaleras se me podría caer mi bebé.
¿He atropellado a alguien? (mientras conduces)

Contaminación

He tocado la manija de la puerta: seguro que tiene un montón de gérmenes que me pondrán enfermo.
Mejor no le doy la mano: podría contagiarme de sida.
No puedo sentarme en el suelo: enfermaré y moriré.
¿Esa camarera ha tocado mi hamburguesa?

Certidumbre

¿He cerrado la puerta?
¿Está apagada la plancha?
¿Se me ha olvidado poner el sello en la carta que he echado al buzón?
Antes de irme, ¿me despedí de ella?

Orden

Si las toallas no están perfectamente alineadas, me siento mal.
No soporto que el edredón esté arrugado.
Para hacer mis deberes, necesito tres lápices perfectamente alineados.
Si los cuadros de la pared no están totalmente rectos, no puedo ver la tele.

Números

Para asegurarme de que la puerta está cerrada, necesito comprobar el cerrojo 21 veces.
Tengo que cepillarme los dientes 45 segundos; ni uno más, ni uno menos.
La luz está apagada cuando he accionado el interruptor 12 veces.
Antes de irme a dormir, debo repetir esa oración 10 veces.

Religiosidad/escrupulosidad

Si pienso eso es que soy mala persona.

Si no rezo lo suficiente, a mi familia le pasará algo malo.
Tengo miedo de robar algo.
El maestro debe castigar a los niños que molestan a otros.

Atesorar
Tengo que guardar esta basura: puede que haya tirado algo importante.
No puedo tirar esas revistas y periódicos: puede que algún día los necesite.
Cuantos más diarios tenga, mejor.
No puedo deshacerme de los deberes antiguos de mi hijo; son demasiado importantes.

Pensamientos / imágenes sexuales
He soñado con un hombre. Debo de ser gay.
No puedo evitar imaginarme a mi jefe sin ropa. ¡Soy un caso!
Si accidentalmente me toco un pecho, soy una pervertida.

¿Pueden darme algún ejemplo de compulsión?
Las compulsiones son conductas repetitivas o actos mentales que reducen la ansiedad a corto plazo, pero que a largo plazo conducen a un deseo cada vez más fuerte de realizar la compulsión. De esta manera, las compulsiones se alimentan a sí mismas y pierden eficacia con el paso del tiempo, al exigir así más energía o complejidad. Éstas son algunas categorías y ejemplos frecuentes:

Lavar y limpiar: pasar el aspirador después de que alguien entre en el cuarto; lavarse las manos repetidas veces.

Comprobación: detener el coche varias veces para comprobar que no hemos atropellado a nadie; comprobar repetidamente la cerradura.

Tenerlo todo en orden: alinear los artículos en la alacena según su orden alfabético; colgar las prendas exactamente en el mismo punto cada día.

Contar: contar el número de rendijas en la acera o el número de carteles junto a la carretera.

Repetir / hacer de nuevo: escribir una nota sencilla hasta 25 veces, para asegurarse de que «está bien»; revisar una y otra vez el talonario para comprobar que no nos hemos equivocado.

Atesorar: guardar objetos inútiles; inspeccionar la basura para comprobar que nadie tiró algo «valioso».

Orar: repetir una oración constantemente para alejar los malos pensamientos.

¿Cómo se relacionan las obsesiones y las compulsiones?

Antes hemos comentado la diferencia entre las obsesiones y las compulsiones. Ahora daremos un ejemplo de cómo se relacionan ambas cosas. Primero, la persona empieza a tener pensamientos obsesivos: «No puedo soportar el suelo sucio»; «¿Estará sucio el suelo?»; «¿Eso del suelo es suciedad?»; «¿Ya ha pisado alguien el suelo?». Esos pensamientos inoportunos y reiterados provocan una angustia que se manifiesta como ira, pánico o ansiedad. Para aliviar esa presión, la persona recurre a lo que llamamos *compulsión*. En el ejemplo descrito, si creo que no puedo soportar la suciedad en el suelo y este pensamiento me angustia, paso el aspirador: una compulsión. La compulsión es algo que hago para aliviar la ansiedad creada por el pensamiento obsesivo. Lo interesante es que, una vez he pasado el aspirador, me siento mejor. Al menos a corto plazo, siento alivio. Sin embargo, la próxima vez que alguien pase por ahí o me parezca que alguien ha dejado caer algo al suelo, mi ansiedad volverá a aparecer porque empiezo a tener los pensamientos negativos: «¡Oh, no! ¿Está sucia la alfombra?»; «¿Qué es eso que hay ahí?»; «Será mejor que lo limpie». Las obsesiones son los pensamientos que producen angustia. Las compulsiones son los actos que se hacen repetidas veces para aliviarla. El problema es que el alivio dura poco. Al ejecutar una compulsión, la persona perpetúa su ciclo de angustia duradero.

¿Cuál es la diferencia entre un trastorno de personalidad obsesivo-compulsivo y un trastorno obsesivo-compulsivo?

A muchas personas les cuesta entender la diferencia entre el trastorno obsesivo-compulsivo (TOC) y el trastorno de personalidad obsesivo-compulsivo (TPOC). Antes que nada, el TOC se considera un trastorno de ansiedad, mientras que el TPOC es uno de los trastornos de personalidad. Aunque un trastorno de ansiedad provoca una gran desazón a quien lo padece, un trastorno de personalidad no es necesariamente problemático para quien lo tiene. Los trastornos de personalidad tienen que ver con patrones de pensamiento, sentimiento y relación que se apartan significativamente de las expectativas que tiene la cultura donde vive el individuo. En otras palabras, que quienes realmente pueden inquietarse son las personas que viven y trabajan con alguien que padece trastorno de personalidad. Las personas con TPOC tienden a relacionarse con el mundo de algunas de estas maneras:

- Tienden a ser muy perfeccionistas, lo cual interfiere en la consecución de sus tareas.
- Se concentran mucho en las reglas, los detalles y el orden, hasta el punto que pierden de vista el objetivo de la actividad.
- Quieren controlar cómo se hace todo, y debido a esto les cuesta delegar responsabilidades.
- Valoran el trabajo y la productividad más que las actividades de ocio y las amistades.
- Son rígidos e inflexibles en lo relativo a cuestiones morales y éticas.
- Asumen que, si los demás se comportasen más como ellos, el mundo sería un lugar mejor.

Aparte de esto, el TOC se desarrolla más como una enfermedad, e incluye un patrón de pensamientos y conductas agobiantes, inoportunos y repetitivos; el TPOC es una forma permanente y arraigada de reaccionar ante las personas y las circunstancias.

¿Cómo afecta a una familia el TOC?

El hecho de ser testigos de la conducta ansiosa y repetitiva de un miembro de la familia que padece TOC puede resultar frustrante, lo cual conduce a luchas por el poder y a conflictos. Si bien el conflicto persistente en una familia no basta para inducir el TOC, puede empeorar sus síntomas. Lo mejor es que los miembros de la familia se unan y actúen juntos contra el TOC, en lugar de hacerlo contra la *persona* que tiene el trastorno. Enfrentarse al TOC en familia puede ser un auténtico desafío, pero discutir a menudo con el paciente, gritarle o echarle la culpa tiende a empeorar las cosas. Si eres pariente de alguien que sufre este trastorno, ten en cuenta que ese miembro de tu familia no ha elegido padecer TOC; se trata de una disfunción neuropsiquiátrica de naturaleza involuntaria. Debes recordar que:

- Esa persona no se lava las manos más de 75 veces al día (llegando a enrojecérselas y saltarse la piel) con el propósito de molestarte o llamar tu atención; lo hace para aliviar la presión vinculada al pensamiento de que tiene las manos sucias y de que, en consecuencia, le pasará algo malo.
- Tu hija no se acerca cada dos por tres a comprobar el estado del horno para molestarte; lo hace porque el TOC le hace pensar «Tengo que estar segura de que el horno está apagado, y no lo estoy. ¿Qué pasa si se provoca un incendio porque nos lo hemos dejado encendido?».
- Por extraña que parezca, la conducta o los rituales compulsivos se llevan a cabo para neutralizar los pensamientos obsesivos y reducir los síntomas de estrés.

Entender cómo funciona el TOC es un gran instrumento para los miembros de la familia, que los ayudará a que sus emociones negativas no pasen a mayores. Recuerda que los temores del TOC son muy reales para la persona que los siente. Colaborar en el tratamiento del paciente es muy beneficioso. Los miembros de la familia que detectan los «trucos» del TOC son grandes entrenadores que enseñan a distinguir «los pensamientos de Silvia» de «los pensamientos del TOC». Además, los miembros de la familia pueden ser excelentes motivadores para realizar una exposición gradual y eficaz para prevenir la reacción. Está claro que no debes presionar a tu hija para que se enfrente con un miedo propio del TOC que en ese momento le parece insuperable; pero tampoco debes fomentar la evitación de sus temores, hasta el punto de que el TOC eche raíces más profundas en su vida.

Padezco TOC y me siento fatal conmigo mismo. ¿Cómo se relacionan ambas cosas?

Recuerda que padeces un trastorno neuropsiquiátrico derivado de determinadas formas de pensar. Éstas son algunas de las características del TOC que pueden minar el concepto que una persona tenga de sí misma:

1. **Las dudas sobre la persona** son un rasgo típico del TOC. Tu TOC te dificulta el fiarte de tus percepciones. Por tanto, compruebas las cosas, sigues sin fiarte, y las vuelves a comprobar. Resulta difícil sentir confianza en uno mismo cuando siempre estás cuestionando lo que sientes.
2. **Sentirse responsable** es otra característica del TOC. Sin embargo, la versión de la responsabilidad propia de este trastorno va más allá de *tu* conducta, incluyendo acontecimientos que escapan a tu control. Por ejemplo, crees que al pensar cosas negativas harás que sucedan cosas malas. Además, te obsesionas por las decisiones, creyendo que *se supone* que debes conocer todos los resultados posibles de las mismas, y tomar la decisión perfecta. Si algo sale mal, es culpa tuya.
3. **La culpa** va de la mano con un sentimiento excesivo de responsabilidad. El mero hecho de tener un pensamiento negativo pasajero te puede hacer sentir como si hubieras cometido un crimen.

De modo que, cuando pensamos en aquello a lo que te enfrentas (la expectativa de ser totalmente responsable mientras, al mismo tiempo, dudas de cada paso que das), es comprensible que te sientas mal contigo mismo. Has dado un primer paso importantísimo, que es admitir que tienes este trastorno. El siguiente paso es tener claro que ese problema no eres TÚ. Por medio del tratamiento, puedes aprender a distinguir entre tus pensamientos y conducta de los que te «impone» el TOC.

¿Qué son los rituales, y qué hace que sean beneficiosos o perjudiciales?

Un ritual es una conducta repetida. Los rituales se pueden hacer individualmente o dentro del contexto de una comunidad o grupo religioso. Los humanos se sienten atraídos por naturaleza hacia los rituales sociales (desde la ceremonia de boda hasta el beso de despedida) como forma de señalar los acontecimientos y transiciones importantes. Estos rituales pueden proporcionar una sensación de vínculo a los miembros de una familia o comunidad, y contribuir a mostrar respeto hacia el paso de una fase importante de la vida a otra. Los rituales religiosos pueden ofrecer una pausa en las rutinas de esta vida, permitiendo reflexionar al individuo y proporcionándole una mayor conciencia. Las personas también desarrollan rituales de forma natural para facilitar las transiciones y organizar el día: desde la taza de café por la mañana hasta las oraciones antes de dormir.

Determinar si un ritual es saludable o perjudicial depende de cómo te haga sentir la realización del ritual, y el motivo que haya detrás de él. Si repites una conducta porque quieres, te sentirás bien, y tendrá consecuencias positivas; por tanto, el ritual parece ser saludable. No obstante, los siguientes indicadores sugieren que un ritual puede no ser sano:

- Cumples con un ritual repetidas veces por miedo, y para evitar que pase algo malo. Por ejemplo, crees que si no besas a tu hijo en las dos mejillas antes de que se vaya a la escuela, le pasará algo terrible.
- El ritual te lleva mucho tiempo, más del que te gustaría. Por ejemplo, tienes tantos rituales antes de comer que cuando te sirves la comida ya está fría.
- Cada vez que haces el ritual lo refuerzas, sumiéndote en un círculo vicioso.

Puede que nos resulte útil considerar el ejemplo de la oración. Algunas personas oran porque tienen miedo de que, si no lo hacen, a uno de los miembros de su familia le pasará algo malo. Durante el día pueden orar cientos de veces: cada vez que cruzan la calle, salen de casa, contestan al teléfono, etc. Este tipo de rituales, que claramente nacen del miedo, son angustiosos. Producen un alivio a corto plazo y perpetúan el sufrimiento a largo plazo.

Por otra parte, las personas que oran repetidamente durante el día porque les alegra o las ayuda a sentirse más cerca de Dios y a elevar su espíritu, considerarán seguramente que la oración es un ritual beneficioso para ellas. Si bien la conducta que vemos en estos dos ejemplos es parecida, el motivo que subyace en el ritual es el que determina si es perjudicial o beneficioso.

Soy buen organizador, y me gusta tenerlo todo en orden. ¿Eso quiere decir que soy compulsivo?

Existe una diferencia entre ser un *buen* organizador y ser un organizador *compulsivo*. Los buenos organizadores tienen la capacidad de gestionar grandes cantidades de información, una agenda apretada e incluso a otras personas. La organización es muy útil cuando hace que las cosas vayan con mucha mayor suavidad y eficacia. Por ejemplo, al archivar los documentos en categorías separadas, podrás localizar el documento que quieras fácil y rápidamente. Si lo dejas en un montón, tendrás que revisarlo al completo para poder encontrarlo. A veces, fomentar el orden puede ayudarnos a sentirnos más tranquilos y con más control sobre nuestra vida.

Pero cuando la organización adopta la cualidad de una compulsión, las dificultades superan estos beneficios. La conducta asociada con una compulsión es repetitiva y excesiva, y va más destinada a neutralizar un miedo que a hacer la vida más fácil. Por ejemplo, piensa en la capacidad organizativa de alguien que lleva a sus hijos a la escuela y al entrenamiento de fútbol, dirige un negocio en vías de expansión, se presenta como voluntario a actividades extra y organiza un club de lectura. Ahora, compáralo con alguien que se pasa las horas muertas en casa, contando sus pares de calcetines o colocándolos (y recolocándolos) en un orden concreto dentro de los cajones. En el primer caso, la vida de la persona es amplia y rica, debido a su capacidad para organizarse el tiempo y la agenda. En el segundo, la vida del individuo es estrecha y limitada, debido a su necesidad compulsiva de organizarlo todo. Aunque las actividades compulsivas pueden proporcionarle un alivio transitorio, también es probable que su conducta le haga sentirse atrapada y angustiada.

Si te gusta organizar y eres bueno haciéndolo, esto no es un problema, y no hay ningún motivo para que te consideres «compulsivo». Cuando oímos que existe una etiqueta o un diagnóstico como éste, es fácil preocuparse por que se nos aplique a nosotros. La realidad es que todos reunimos en nuestra persona un «poquito» de cualquier diagnóstico. Hay un fenómeno muy común, y es que los residentes de psiquiatría o los licenciados en psicología están convencidos de que tienen muchos de los trastornos que han estudiado. ¡Cuidado!: no te diagnostiques problemas que no tienes. Sin embargo, si un determinado problema se introduce en tu vida y la complica, es posible que recibir un diagnóstico profesional sea esencial para obtener la ayuda que necesitas.

Parece que soy incapaz de enviar un e-mail o escribir una carta sin revisarlos varias veces. ¿Quiere decir que tengo TOC?

Comprobar repetidas veces los e-mails u otro correo puede ser un síntoma de trastorno obsesivo-compulsivo, pero no tiene por qué serlo necesariamente. La pregunta que debes formularte es: «¿Hasta qué punto me molesta esta conducta?». Digamos que lees un mensaje de correo electrónico cinco veces antes de enviarlo, lo cual consume 2 o 3 minutos de tu tiempo. Si luego lo envías y te olvidas de él, es probable que este comportamiento no sea un síntoma de TOC. Sin embargo, si te pasas una hora leyendo el mismo e-mail y te da la sensación de que no puedes dejar de hacerlo, podría ser un comportamiento significativo que tener en cuenta. Piensa en lo que te dices cuando lees repetidamente el e-mail o la nota. ¿Te dices «No puedo enviarlo hasta que esté perfecto»? ¿O quizá «Sería espantoso que hubiera una falta y alguien la viera»? Si crees que sería una tragedia que tu e-mail tuviera una falta o no estuviera perfecto, es posible que estos pensamientos te creen ansiedad, y te hagan leer y releer lo que has escrito. Algo positivo es cuestionar lo que te di-

ces. ¿Sería realmente tan terrible que enviaras un correo electrónico con una falta de ortografía? Es posible que prefieras no hacerlo
y que sea un incordio, pero está claro que no sería el fin del mundo. De hecho, una de las tareas que se sugieren en la terapia es cometer adrede errores en los mensajes y enviarlos, para que los demás vean que: «Puedo soportar enviar este e-mail, aun cuando
tiene una falta y no es perfecto. No es el fin del mundo».

Algunos de mis amigos me han dicho que mi hijo, de 9 años, tiene TOC. ¿Cómo puedo saber si es verdad?

Es importante distinguir la conducta propia del TOC de los típicos
hábitos de la infancia, y en ocasiones ambas cosas pueden confundirse. La siguiente tabla contrasta la conducta del TOC con los típicos patrones conductuales infantiles (Chansky, 2000):

Conducta TOC	Hábitos infantiles típicos
Requieren mucho tiempo	No requieren mucho tiempo
Obstaculizan la rutina típica	No interrumpen la rutina diaria
Generan estrés o frustración	Pueden ser agradables
Parecen extraños o insólitos	Parecen bastante normales
Se intensifican con el tiempo	Con el tiempo pierden importancia
Deben realizarse exactamente de una manera para evitar resultados negativos	Pueden alterarse u olvidarse sin que pase nada malo

Para ilustrar esta diferencia, veamos el ejemplo de un niño que
se lava los dientes repetidamente. Esta conducta encaja con el TOC
si el niño siente que tiene que cepillarse los dientes ocho veces seguidas porque si no su padre tendrá un accidente con el coche. Por
otra parte, si el niño te ha dicho que le gusta cómo sabe su nuevo
dentífrico, le gusta el envase en el que viene y se cepilla los dientes
cinco, seis o siete veces al día, probablemente lo haga tan sólo porque le gusta.

Soy bastante quisquillosa, y mis amigos dicen que soy «anal». ¿De dónde sale ese apelativo, y qué significa?

La palabra «anal» puede ser bastante extraña para definir la personalidad de alguien, pero está fundamentada en la teoría. Este término procede del psicoanálisis y de sus teorías del desarrollo de la personalidad, remontándose a pensadores como Sigmund Freud. Freud creía que nuestra personalidad se desarrolla en etapas, cada una de las cuales está sometida a la influencia de una parte del cuerpo que produce un intenso placer. Las tres zonas del cuerpo que observó fueron la oral, la anal y la genital. La teoría decía que, si el niño en pleno desarrollo no satisfacía correctamente sus necesidades, podía *fijarse* en el estadio asociado con una zona del cuerpo concreta. Por tanto, si el bebé se fijaba en la primera etapa (la oral, desde el nacimiento hasta el primer año de vida), más tarde podía manifestar una personalidad «oral». Teóricamente, los indicios de esta fijación incluyen conductas como comer en exceso, fumar y consumir drogas o alcohol.

La «zona anal», que está entre la oral y la genital, es el centro del niño entre la edad de uno y tres años. Según la teoría psicoanalítica, en esta etapa el pequeño disfruta al abrir su esfínter anal en cuanto siente el impulso. Al menos en las sociedades industrializadas, se considera importante reservar esta actividad para el lugar adecuado: el inodoro. A medida que el pequeño va obteniendo un control voluntario sobre la defecación, se enfrenta con un dilema: «¿Complazco a mis padres o a mí mismo?». El requisito paternal de control entra en conflicto con el placer de la espontaneidad. Ningún otro músculo es la fuente de semejante lucha. Si un niño quiere rebelarse, puede negarse a usar el inodoro y convertirse en lo que los psicoanalistas llaman «anal explosivo» o «anal sádico».

Sin embargo, el niño puede moverse en dirección contraria y convertirse en anal retentivo. Esto es, por lo general, lo que quiere decir la gente cuando usa el término «anal». El niño que crece con un énfasis en el control y complaciendo (resentido) a sus padres, se vuelve muy controlador en todas las cosas. Reúne y almacena muchos objetos, y también es posible que emociones. Aplica su elevado estándar de defecación correcta a otras facetas de su vida, como el trabajo, el dinero y las limitaciones morales. La idea básica es que su personalidad funciona como su esfínter, reteniéndolo todo. Alguien que tenga una personalidad anal será posiblemente ordenado, puntual y frugal, motivo por el cual será un buen trabajador. Por otra parte, esta misma persona puede aislarse de otros al ser tozuda, cerrada y criticona.

Si bien no existen estudios firmes que demuestren la relación entre las zonas del cuerpo y la personalidad, la cultura popular le ha hecho un hueco a la personalidad «anal».

Creo que mi tendencia a apostar es una adicción, pero la llamamos «apuestas compulsivas». ¿Una adicción es lo mismo que una compulsión?

Las compulsiones y las adicciones son parecidas dada su naturaleza repetitiva, y ambas se llevan a cabo para aliviar cierta sensación de angustia... *temporalmente*. Albert Ellis ha hablado de un concepto llamado **baja tolerancia a la frustración**. También se lo conoce como «noloaguantoitis». En el caso de las compulsiones y las adicciones, hay un aspecto de la persona que piensa: «No lo aguanto si no...» (vuelvo a pasar el aspirador, hago otra apuesta, me fumo un cigarrillo). La suposición de que no puedes soportarlo si no realizas una actividad concreta es errónea, y cuando alguien la altera se beneficia de ello. No obstante, en ese momento, la idea de que no puedes pasarte sin la sustancia o conducta precisa es realmente poderosa. En todas las compulsiones, y la mayoría de las adicciones, si realmente no pudieras aguantar algo te morirías, cosa que no sucede. Ser capaz de decirte «No me gusta esta sensación, pero puedo soportarlo» suele ser el factor clave para resistirse a realizar una compulsión, recurrir a las drogas o tomarse una copa.

Algunos expertos han dicho que el hecho de sumirse en una adicción suele hacer que la persona se sienta bien, que lo considere positivo, mientras que realizar una compulsión puede angustiar bastante. A las personas con TOC les molesta la naturaleza irracional de su conducta, a pesar de que se sientan impelidas a manifestarla. Es más probable que una adicción se relacione con la negación a padecerla. Por último, aunque las adicciones pueden ser psicológicas (en el sentido de que la autocharla te dice que debes conseguir esa sustancia o actuar de esa manera), también pueden ser fisiológicas. Por ejemplo, en el caso del consumo de drogas, tu cuerpo llega a un punto en que necesita una droga concreta, y si tu sistema no la detecta puede activar los síntomas del síndrome de abstinencia (temblores, dolores de cabeza, náuseas). Las adicciones fisiológicas, que también pueden provocar dependencia, pueden ir exigiendo cada vez más cantidad de la sustancia para que la persona se sienta satisfecha.

Tanto en el caso de las adicciones como en el de las compulsiones, es extremadamente útil disponer de alguien que te apoye para cambiar tu conducta. Tener a una persona a quien llamar cuando sientes que necesitas una bebida o a un amigo que te saque de casa cuando sientes la tentación de limpiar compulsivamente puede ser de gran ayuda. Un terapeuta o un programa de tratamiento puede ofrecerte estrategias y recursos para resistir a la compulsión o la adicción. En el caso de adicciones graves de tipo químico, que se distinguen de las compulsiones mediante los síntomas del síndrome de abstinencia, puede ser necesario estar dentro de un entorno protector mientras vas dejando que el agente químico abandone tu sistema.

Capítulo 12

CÓMO TRATAR EL TRASTORNO OBSESIVO-COMPULSIVO

- ¿Cuál es el tratamiento más usado para el TOC?

- ¿Pueden ayudarme los fármacos si padezco TOC?

- ¿Cómo ayuda la terapia a superar el TOC?

- ¿Existe una cura para el TOC?

- No me siento preparado para renunciar del todo a mis compulsiones. ¿Hay alguna manera de que vaya abandonándolas progresivamente?

- Mi hija padece trastorno obsesivo-compulsivo. ¿Cómo puedo ayudarla?

- A menudo tengo pensamientos que me dan miedo, y que intento sacarme de la cabeza. Hay veces en que lo consigo, pero otras no. Mi familia opina que debo buscar ayuda profesional. ¿Es así?

- Me preocupa que decir ciertas palabras en voz alta perjudique a mi familia. Mi terapeuta dice que éstos son pensamientos propios del TOC, no *míos*. ¿Cómo puedo convencerme de eso?

- No entiendo cómo puede ayudarme pensar en esas cosas que me dan miedo. ¿Me lo pueden explicar?

¿Cuál es el tratamiento más usado para el TOC?

Por lo general, los expertos recomiendan que el tratamiento inicial debería ser la terapia cognitivo-conductual por sí sola o combinada con ciertos medicamentos, como los antidepresivos ISRS o el tricíclico clomipramina. Que se opte por recurrir a la combinación de medicación y TCC como tratamiento inicial dependerá de la gravedad del TOC y de la edad del paciente. En el caso de pacientes jóvenes y de personas que presenten síntomas leves de TOC, se recomienda empezar con la TCC sin fármacos. Sin embargo, los expertos suelen considerar que, para la mayoría de los pacientes, el tratamiento más beneficioso es la combinación de esta terapia con una medicación. Si los fármacos consiguen reducir los síntomas agudos de TOC, también será importante mantener la medicación durante un período de tiempo dilatado (p. ej., 1 o 2 años). No es buena idea tomar la medicación sólo uno o dos meses y luego dejar de hacerlo. Además, en el caso de personas que han mejorado repetidas veces de su TOC y luego han recaído (es decir, que volvieron sus síntomas) con el paso de los años, a menudo se recomienda que tomen la medicación durante toda la vida.

¿Pueden ayudarme los fármacos si padezco TOC?

Los antidepresivos ISRS pueden ser eficaces con el TOC. Dependiendo del estudio consultado, el 35-60 % de pacientes que tomó ISRS experimentó una mejora significativa de sus síntomas de TOC, desde el punto de vista clínico. Si bien estos beneficios son importantes para las vidas de los pacientes, a menudo no bastan para eliminar la necesidad de recurrir a otros tipos de tratamiento.

Probablemente la mejor manera de abordar el TOC sea una técnica terapéutica llamada **exposición con prevención de respuesta**, que comentamos en otro punto de este mismo capítulo. Si los síntomas de TOC que padece alguien son tan graves que no tolera la exposición con prevención de respuesta, el profesional de la salud mental podrá decidir si es aconsejable el uso de una benzodiazepina. No obstante, incluso en estos casos, la medicación sólo debería usarse temporalmente, disminuyendo luego su ingesta con el paso del tiempo. Este enfoque permite que el paciente se tranquilice lo suficiente como para tolerar el tratamiento, pero previene el riesgo de dependencia psicológica y física asociada con el uso de las benzodiazepinas. En última instancia, es mejor que los pacientes sean capaces de aprender que pueden tolerar los pensamientos, sentimientos y comportamientos molestos, otorgándose el mérito a sí mismos en lugar de atribuirlo a una medicación.

¿Cómo ayuda la terapia a superar el TOC?

En el caso del TOC, el aspecto más importante de la terapia cognitivo-conductual se llama **exposición con prevención de respuesta**. Mediante esta técnica, se anima a los pacientes a tolerar la angustia asociada con su pensamiento obsesivo sin realizar ningún ritual para aliviarla (p. ej., ensuciarse las manos y no lavárselas, decir alguna palabra malsonante sin tener que orar pidiendo perdón). Con la práctica, la EPR consigue que el paciente se desensibilice al temor obsesivo. El paciente aprende que puede soportar ese pensamiento perturbador sin «estar prisionero» de repetir ciertas conductas para neutralizarlo. La TCC también ayuda al paciente a poner en tela de juicio la importancia de sus pensamientos, su «necesidad» de certidumbre, su sensación de responsabilidad excesiva y su previsión exagerada del peligro.

Por ejemplo, una persona que se lava las manos 75 veces al día puede hacerlo para aliviar la angustia derivada del pensamiento: «No soporto tener gérmenes en las manos. ¡Podría enfermar y morir!». Cada vez que ese hombre se lava las manos, se siente mejor temporalmente, hasta que vuelve a asaltarle el pensamiento obsesivo. Para ayudar a este individuo, la terapia EPR haría que se ensuciara las manos y no se las lavara. Obviamente, esto haría que la persona se angustiase. Al principio, el paciente se sentiría muy incómodo. Sin embargo, esta reacción iría disminuyendo con el paso del tiempo, sobre todo si establecía el patrón de ensuciarse las manos y no lavárselas. Otros ejemplos de la terapia de exposición con prevención de respuesta serían: comprar algo y tirarlo luego; encender las luces o enchufar la plancha antes de salir de casa; y cometer errores deliberados en las postales de Navidad. Al comportarse de estas maneras, los pacientes aprenden que pueden tolerar la ansiedad, y que ésta disminuye a medida que se enfrentan a sus temores en lugar de eludirlos. Este proceso, representado en la gráfica del cuadro inferior, se llama «desensibilización» o «habituación», y es una de las respuestas psicológicas más predecibles que se conocen.

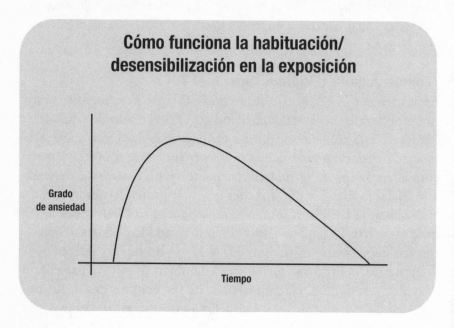

¿Existe una cura para el TOC?

Nos gustaría que así fuera. Sin embargo, como sucede en la mayoría de los trastornos psicológicos, es mejor pensar en «gestionar o enfrentarse al» TOC en lugar de «curarlo». Tener al TOC a raya es un trabajo duro, que requiere tiempo y esfuerzo. Cuanto más pueda una persona aceptar esta realidad, más podrá concentrarse en mejorar su calidad de vida. Adoptar un rol activo para reducir los síntomas del TOC, por mucho que a la persona le gustara no tener que hacerlo, es tremendamente importante con este trastorno. Ten en cuenta que la psicoterapia cognitivo-conductual exitosa junto con la administración de una medicación eficaz puede producir cambios positivos en los cerebros con TOC, de modo que cuando se someten a un escáner se parecen más a los cerebros que no padecen este trastorno. Si bien es imposible erradicar todos los pensamientos invasores, los objetivos realistas para asimilar el TOC incluyen:

1. Reducir la frecuencia y el grado de angustia asociados con las obsesiones.
2. Detener las conductas compulsivas y los actos mentales ritualistas.
3. Mejorar el funcionamiento en áreas importantes de la vida.
4. Desarrollar instrumentos para evitar el regreso de los síntomas.

No me siento preparado para renunciar del todo a mis compulsiones. ¿Hay alguna manera de que vaya abandonándolas progresivamente?

Sí. Dar pequeños pasos, como demorar y alterar los rituales, puede ser muy útil para ayudarte a hacerte con el control de tu TOC. Éstas son algunas estrategias útiles y creativas que sugieren Edna Foa y Reid Wilson:

1. **Pospón el ritual**: Empieza a meter una cuña entre tu persona y la compulsión esperando a hacerla todo el tiempo que puedas. Aunque sólo puedas esperar 30 segundos, ¡ya es un comienzo! Luego prueba a posponerla otra vez. Esta estrategia te ayuda a empezar a controlar tu compulsión, aprendiendo al mismo tiempo a tolerar la angustia que te suele mover a realizarla.

2. **Ralentízalo**: Haz el ritual a cámara lenta. Esto es especialmente útil cuando se trata de rituales de comprobación. Dado que la ansiedad puede hacerte sentir presionado y frenético, reducir la velocidad le arrebata a la experiencia parte de su poder. Además, ir a cámara lenta te ayuda a recordar que lo has hecho, de manera que no tienes que cuestionarte o repetir el ritual. Las técnicas rápidas de relajación, como una respiración lenta y tranquilizadora, pueden ser de ayuda.

3. **Cambia el ritual.** Empieza anotando los pasos de tu ritual como si estuvieras enseñando a alguien cómo se hace. Anota cada detalle, en el orden en que se supone que debe realizarse. Te darás cuenta de que puedes hacer muchos cambios pequeños en tu ritual. Al hacerlo, empezarás a ver que esta respuesta aparentemente automática está bajo tu control.

Mi hija padece trastorno obsesivo-compulsivo. ¿Cómo puedo ayudarla?

Si a tu hija le han diagnosticado TOC, una de las mejores cosas que puedes hacer es comprender el trastorno y su astuto engaño. Una forma excelente para ayudarte a entenderlo y que ofrece herramientas para ayudar a tu hija es el libro titulado *Freeing Your Child from Obsessive-Compulsive Disorder* (Cómo liberar a tu hijo del trastorno obsesivo-compulsivo), de Tamar Chansky. Debes tener en cuenta los siguientes puntos:

1. Ayuda a tu hija a entender que existe una diferencia entre las mentiras del TOC y sus pensamientos como persona: «El mero hecho de que lo *pienses* no hace que sea real. No tienes por qué escuchar ese truco del TOC. Los sentimientos e instrucciones del TOC no son hechos, sino que intentan engañarte».

2. Entiende el intercambio entre el beneficio a corto plazo y el sufrimiento a largo plazo. Cuanto más realice la compulsión tu hija para aliviarse de una obsesión, más tendrá que seguir haciéndolo. Es importante darse cuenta de que *la ansiedad es pasajera, tanto si tu hija realiza la compulsión como si no.* Resistirse a hacerla es una de las mejores maneras de que aprenda que el TOC miente, y de capacitarla para enfrentarse a ese trastorno. Dile a tu hija que, si bien no controla sus pensamientos propios del TOC, puede controlar su conducta.

3. Sé sensible al hecho de que el TOC intenta insistir en que tu hija garantice la certidumbre en un mundo incierto. Imagina lo que debe de ser que tu cerebro te diga constantemente: «Pero, ¡es que tengo que estar segura!». Estar seguro constantemente es imposible, y el intento de alcanzar esta meta es agotador. Ayuda a tu hija a darse cuenta de que los «quizá» y «no estoy segura del todo» son asimilables y saludables cuando se enfrenta al TOC. Contra la duda persistente que el TOC usa como arma, Chansky recomendaba las siguientes preguntas para ayudar a los hijos a distinguir entre los trucos del TOC y sus propias ideas:

Si obtienes las siguientes respuestas, es que se trata de un truco del TOC:

¿Quieres estar pensando en esto?

SÍ ⬤ NO

¿Te gustaría estar pensando en otras cosas o haciéndolas?

⬤ SÍ NO

¿Pensar en eso hace que sientas malestar en la boca del estómago?

⬤ SÍ NO

¿Querrías que un buen amigo pensara lo mismo?

SÍ ⬤ NO

4. Ayuda a tu hija a luchar contra las mentiras del TOC en lugar de permitir que ellas la gobiernen. Explícale que intentar ignorar los pensamientos del TOC suele exigir un mayor esfuerzo al cerebro, y que en última instancia dota de mayor poder a esos pensamientos. Resulta útil saber que el TOC es un embustero y rehusar participar en sus juegos, en lugar de tantear a su alrededor como si tuviera algo importante que decir.

A menudo tengo pensamientos que me dan miedo, y que intento sacarme de la cabeza. Hay veces en que lo consigo, pero otras no. Mi familia opina que debo buscar ayuda profesional. ¿Es así?

El hecho de tener pensamientos invasores, inoportunos, extraños o amedrentadores provoca angustia emocional, y dificulta que la persona se centre en vivir la vida. Como muchas personas, tu reacción visceral a estos pensamientos negativos es intentar eludirlos. Este proceso se denomina **supresión de pensamiento**. Lamentablemente, un elevado porcentaje de la investigación demuestra que ésta no es una estrategia eficaz. En tu situación podría funcionar en algunos momentos, pero no siempre. No hay ninguna manera fiable para que puedas dejar de pensar. Como máximo, la supresión del pensamiento es una estrategia que beneficia a corto plazo y provoca sufrimientos a largo plazo. Aunque el hecho de no pensar en algo que te asusta funciona durante cierto tiempo, por lo general el pensamiento problemático volverá. Un ejemplo frecuente de esta paradoja propia de la supresión de pensamiento es la de pedir a una persona que no piense en un elefante rosa. Cuando a alguien le piden que no piense en algo que acaban de describirle, lo primero que le viene a la mente es precisamente eso, en el ejemplo, un elefante rosa. De forma parecida, cuando por ejemplo no quieres pensar en que puedan secuestrar a tu hija, acabarás teniendo este pensamiento más a menudo.

Para obtener resultados más eficaces a largo plazo, una buena idea es recurrir a la terapia cognitivo-conductual. Puede resultar muy beneficioso aprender a identificar cuidadosamente, evaluar y reaccionar mejor frente a tus pensamientos negativos. Quizá hayas caído en la rutina de sobrestimar el peligro y subestimar tu capacidad de enfrentarte a él; por medio de la terapia y la práctica fuera de las sesiones, puedes aprender a pensar de una forma más realista. Aparte de cuestionar y rechazar los pensamientos negativos, una estrategia muy poderosa (en especial en los casos de TOC) es la de enfrentarte a los pensamientos que temes; esto es lo que se llama «exposición». Cuando te obligas a enfrentarte repetidamente a los pensamientos e imágenes que has estado eludiendo, te concedes la oportunidad de desensibilizarte o habituarte a estos pensamientos. En otras palabras, que lo más normal es que tu ansiedad disminuya tras un período de tiempo adecuado con el pensamiento temido.

Para alcanzar la desensibilización mediante un tratamiento, puedes escuchar una cinta donde hayas grabado una y otra vez tu pensamiento temido. También puedes grabar en una cinta una descripción de la imagen que te resulta más insoportable llevada a sus peores consecuencias, y escucharla al menos una vez al día. Esta idea de grabar y escuchar deliberadamente tus pensamientos o imágenes más temibles puede parecer extraña, pero es una de las mejores maneras de enfrentarte a ellos, de modo que te molesten menos.

Me preocupa que decir ciertas palabras en voz alta perjudique a mi familia. Mi terapeuta dice que éstos son pensamientos propios del TOC, no *míos*. ¿Cómo puedo convencerme de eso?

Date cuenta de que, cuando experimentas una obsesión, hay otra parte de ti que sabe que esos pensamientos no son ciertos. A las obsesiones las llamamos **mentiras TOC** (la forma de pensar inducida por tu enfermedad) y las distinguimos de *tus propios pensamientos*. Para poder mejorar, debes intentar separar tus propios pensamientos de las mentiras que te cuenta el TOC, subiendo luego el volumen de tus pensamientos y reduciendo el del TOC. El pensamiento típico del TOC es tremendamente creativo, y hace que la gente se crea todo tipo de cosas extravagantes, como por ejemplo:

• Tengo que encender y apagar la luz 12 veces para asegurarme de que no le pase nada a mi marido mientras vuelve a casa.
• Si creo que Antonio tendrá un accidente con el coche, seguro que lo tiene.
• A menos que recite esta oración 5 veces antes de dormir, y justo cuando me levante, mi hijo suspenderá los exámenes parciales.
• Tengo que manipular 33 veces la manija de la puerta para asegurarme de que está bien cerrada.

Saber que el TOC te está mintiendo es un instrumento muy importante para luchar contra él. De forma parecida a las ideas que hemos mencionado anteriormente, creer que decir en voz alta determinadas cosas perjudicará a un miembro de tu familia tiene una cualidad «mágica». Sin embargo, para combatir el TOC, es esencial hacer un esfuerzo diligente para considerar las evidencias y la razón. Por ejemplo:

• ¿De qué forma exactamente el hecho de que digas determinadas palabras puede hacer que a otros les pase algo?

- Desde el punto de vista lógico, ¿cómo puede ser? ¿Dónde están los mecanismos que hacen que pase?
- ¿Acaso eres Dios?
- El mero hecho de que pienses algo (¡y todo el mundo, a veces, piensa cosas raras!) ¿hace que sea realidad?

¡Refutar y desafiar los trucos del TOC es esencial! No obstante, aún hay algo más importante que cuestionar los pensamientos del TOC, y es exponerte a tus temores obsesivos. Para mejorar, es necesario que gradualmente te obligues a decir las palabras que te atemorizan. Al principio sentirás mucha ansiedad, pero con el paso del tiempo ésta irá disminuyendo. Cuanto más vayas diciendo las palabras, más te irás desensibilizando o habituando al temor de pronunciarlas. Cuanto más las repitas, más irás entendiendo que tu profecía de que alguien de tu familia iba a salir malparado era incorrecta. Por el contrario, si sigues insistiendo en no mencionar ciertas palabras porque te dan miedo, estas palabras y el TOC mantendrán el control sobre tu persona. ¡La evitación es el mejor amigo de la ansiedad!

No entiendo cómo puede ayudarme pensar en esas cosas que me dan miedo. ¿Me lo pueden explicar?

Para entender realmente cómo funciona la exposición, vamos a imaginar que saltas de cabeza a una piscina de agua muy fría. Al principio, el agua fría te conmociona. Supongamos que no te gusta esa sensación de frío y que sales a toda prisa de la piscina. ¿Cómo te sentirás? Probablemente, mejor, aliviado. Ahora bien, ¿qué pasa si tienes que volver a meterte en la piscina? ¿Qué sentirás? Lo más probable es que el frío extremo vuelva a dejarte encogido. Si sigues entrando y saliendo de la piscina, sentirás un alivio transitorio cada vez que salgas, pero, cada vez que saltes, volverás a sentir el latigazo del frío. Este patrón dentro-fuera se parece a lo que te pasa cuando tienes un pensamiento que te da miedo, lo reprimes, y vuelves a tenerlo: cada una de esas veces sientes un aguijonazo de miedo.

Ahora supón que saltas de cabeza a la piscina de agua gélida, pero te quedas dentro. ¿Qué crees que pasará? Pues un proceso llamado habituación o desensibilización. Al principio no te gustará sentir ese frío, pero te irás acostumbrando y te sentirás más cómodo quedándote en la piscina que saliendo a toda prisa. Lo mismo sucede con los pensamientos desagradables.

Capítulo 13

CÓMO ENTENDER EL TRASTORNO DE ESTRÉS POSTRAUMÁTICO

- ¿Qué es el trastorno de estrés postraumático?

- ¿Es muy frecuente el TEP?

- ¿Cómo se desarrolla?

- ¿Todo el mundo que pasa por un acontecimiento traumático desarrolla TEP?

- ¿Qué puede hacer una persona para superar una experiencia traumática?

- ¿Qué puede empeorar los efectos de un trauma?

- Me han dicho que tengo TEP. ¿Eso quiere decir que estoy loca?

- ¿Cuáles son algunos de los pensamientos frecuentes que tienen las personas que padecen TEP?

- ¿Cómo sé si necesito ayuda profesional para superar los síntomas de mi trauma?

- He quedado con un terapeuta cognitivo-conductual para abordar mis problemas de TEP. ¿Qué puedo esperar?

- Me he enterado de que hay una terapia llamada DRMO que puede ayudar a quien ha tenido un trauma. ¿Qué es la DRMO? ¿Podría ayudarme?

- Creo que tengo TEP. ¿Hay algún medicamento que pueda ayudarme?

- ¿Cómo puedo saber si mi hijo padece TEP?

¿Qué es el trastorno de estrés postraumático?

Según el manual de diagnóstico, DSM-IV, **el trastorno de estrés postraumático o TEP** conlleva los siguientes elementos:

1. La exposición a un acontecimiento traumático en el que la persona: a) piensa que ella u otra persona saldrá gravemente herida o morirá; y b) siente un temor, indefensión o pánico intensos.
2. La repetición del trauma, bajo la forma de pensamientos invasores, pesadillas, recuerdos súbitos o una tremenda angustia cuando se somete a la persona a recordatorios de aquel suceso traumático.
3. La evitación persistente de cualquier estímulo asociado con el trauma. También se produce un embotamiento de las reacciones emocionales. Las personas pueden decir que no sienten amor, o que ya no disfrutan con las cosas que antes tanto les gustaba hacer.
4. Los síntomas persistentes de hipersensibilidad. Ésta se puede manifestar por un cierto insomnio, una irritabilidad acrecentada, estallidos de ira, dificultad para concentrarse, reflejos hiperactivos y ataques de pánico.
5. Para diagnosticar que una persona padece TEP, los síntomas de repetición, embotamiento e hipersensibilidad deben prolongarse al menos durante un mes. Los mismos síntomas, que duren menos de un mes, serán un caso de **trastorno de estrés agudo**.
6. Estos síntomas pueden causarle al individuo una angustia clínicamente importante, o suponerle un obstáculo para el desempeño correcto de sus relaciones sociales, laborales o educativas.

Algunos ejemplos de experiencias traumáticas que pueden dar como resultado TEP incluyen una violación, un atraco, accidentes de coche, una guerra, un incendio, un accidente de minería. Hay evidencias que sugieren que los traumas causados por una persona, como por ejemplo un asesinato violento o una violación, son más difíciles de superar que las catástrofes naturales.

¿Es muy frecuente el TEP?

La frecuencia del TEP parece variar dependiendo del tipo y la duración de la exposición a un acontecimiento traumático. Si bien en Estados Unidos en torno al 75 % de la población está expuesto a uno o más acontecimientos traumáticos que ponen en peligro su vida, sólo un 25 % de ellos llega a manifestar síntomas propios de un TEP desarrollado. Éstos son algunos de los datos recogidos en los diversos estudios:

- Para las víctimas de una violación, el porcentaje que padeció TEP fue de entre el 35 y el 80 %.
- La incidencia de TEP permanente para los veteranos de la guerra de Vietnam y los prisioneros de guerra capturados por los japoneses durante la segunda guerra mundial es del 31 y 50 %, respectivamente.
- En torno al 12 % de las víctimas de un accidente automovilístico desarrollan TEP.
- Alrededor del 32 % de los pacientes con cáncer y del 30 % de los que padecen sida manifiestan síntomas de TEP.
- En general, la incidencia del TEP entre la población ronda el 6-9 %.
- En algún momento de sus vidas, el doble de mujeres (10,4 %) que de hombres (5 %) desarrollan TEP.
- Muy a menudo los hombres desarrollan TEP a consecuencia de una violación, la participación en un conflicto bélico o los abusos o la indiferencia de que fueron objeto de pequeños.
- Para las mujeres, los orígenes del TEP suelen incluir la violación, la agresión física o verse amenazadas por un arma, así como el abuso sexual o físico cuando eran niñas.

¿Cómo se desarrolla?

A continuación incluimos un modelo del trabajo de Foa y sus colegas. Cuando tiene lugar un trauma, en la memoria se forma un **patrón de miedo**. Esta estructura del miedo tiene tres partes:

1. Los **estímulos** del trauma (visiones, sonidos, olores, sensaciones del suceso).

2. Las **respuestas** al trauma (fisiológicas y emocionales).
3. Los **significados** que se atribuyen a los estímulos y las respuestas.

Cuando una persona se enfrenta a un recordatorio del trauma, experimenta recuerdos y síntomas desagradables, que la angustian. Para aliviar su angustia, los afectados por el TEP intentan evitar todo aquello que les recuerde ese acontecimiento. Sin embargo, mientras luchan por eludir o huir de los estímulos que producen intensas emociones negativas, estas personas luchan con la faceta del *significado* del patrón de su miedo. Tienen muchas dificultades para introducir sus nuevas creencias sobre los sucesos en las hipótesis sobre su vida que tenían anteriormente, y la incapacidad para conciliar estos puntos de vista contradictorios (un proceso llamado **acomodación**), fomenta la perpetuación de los síntomas del TEP:

Ejemplo de creencias pretraumáticas	Ejemplo de creencias postraumáticas
El mundo es un lugar seguro y predecible.	El mundo es un lugar peligroso e impredecible.
Mi vida es controlable.	Mi vida está descontrolada.
Puedo superar lo que me sucede.	El peligro puede surgir en cualquier momento, y no podré superarlo.

En general, quienes padecen TEP se sienten impelidos a encontrarle un sentido a lo que les sucedió, porque choca con lo que creían antes del trauma. Sin embargo, si intentan hallarle sentido al significado del trauma, esto también activa la respuesta emocional del patrón del miedo, lo cual puede hacerles sentir terror e impotencia. De modo que viven sumidos en la tensión de intentar encontrarle un sentido al trauma, y el intento de no pensar en él. Foa y sus colegas piensan que la *hiperansiedad* nace de la tensión entre ese intento de explicar el suceso y el de evitar los recordatorios (incluyendo pensar en él).

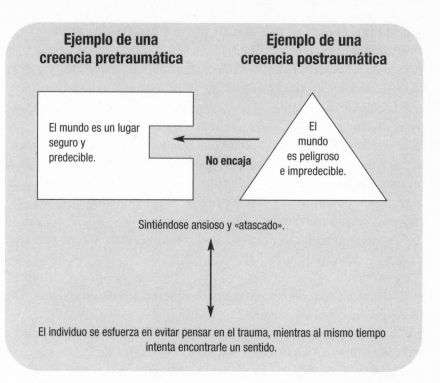

Ejemplo de una creencia pretraumática

Ejemplo de una creencia postraumática

El mundo es un lugar seguro y predecible.

No encaja

El mundo es peligroso e impredecible.

Sintiéndose ansioso y «atascado».

El individuo se esfuerza en evitar pensar en el trauma, mientras al mismo tiempo intenta encontrarle un sentido.

Como si hicieran un puzle, las personas con TEP tienen grandes problemas para reconciliar sus nuevas creencias con las antiguas; no logran que «encajen las piezas», lo cual a menudo, y si no reciben tratamiento, les causa una gran angustia. La terapia cognitivo-conductual puede resultar muy útil para ayudar a una persona a desarrollar un pensamiento más integrado y equilibrado, que promueva el progreso hacia delante en lugar del atascamiento.

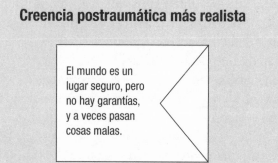

Creencia postraumática más realista

El mundo es un lugar seguro, pero no hay garantías, y a veces pasan cosas malas.

¿Todas las personas que pasan por un acontecimiento traumático desarrollan TEP?

A menudo, las circunstancias muy perjudiciales o que amenazan la vida producen cierta variedad de sentimientos, pensamientos y conductas desagradables. Las personas que pasan por un trauma reviven con frecuencia ese acontecimiento amedrentador, sienten más ira, les cuesta más conciliar el sueño e intentan evitar todo aquello que se lo recuerde. Esas personas también pueden sentir culpa y depresión después del trauma. A pesar de cierta variedad de reacciones emocionales frecuentes frente a un trauma grave, no todo el mundo desarrolla TEP.

Antes que nada, hay una serie de traumas que es probable que den como resultado un TEP:

- Cuando una persona siente su vida amenazada de una forma grave, prolongada e inesperada.
- Cuando se enfrenta a una amenaza procedente de la conducta humana, no de un desastre natural.
- Cuando tiene experiencias que la obligan a actuar en contra de sus valores.

En segundo lugar, los siguientes factores personales se asocian a un aumento de la vulnerabilidad al TEP:

- Ser mujer.
- Una predisposición genética a padecer perturbaciones emocionales.
- Una historia de enfermedad psiquiátrica, como puede ser la depresión, la ansiedad o los trastornos de personalidad.
- Un trauma de la infancia.
- Una capacidad intelectual reducida.
- La presencia de agentes o cambios estresantes.
- Sentir que no se tiene el control sobre la propia vida.
- La ingesta reciente y excesiva de alcohol o drogas.

Por último, una protección importante contra el desarrollo de TEP es el respaldo social. Cuando las personas disponen de alguien con quien pueden comentar su trauma, les va mejor que cuando se guardan para sí sus sentimientos y pensamientos.

¿Qué puede hacer una persona para superar una experiencia traumática?

Después de los acontecimientos que tuvieron lugar el 11 de septiembre de 2001, la Academia de Terapia Cognitiva redactó una lista de cosas que se deben hacer y de otras que no para superar el impacto de un trauma. Éstas son las convenientes:

Sigue con tu rutina cotidiana para aumentar tu sensación de predecibilidad y control, que puede hacer que te sientas más seguro.

Habla con tu familia y amigos para buscar su ayuda. Los estudios demuestran claramente que disponer de un sistema de respaldo es un excelente parachoques contra los efectos perjudiciales de la experiencia traumática.

Gestiona responsablemente los conflictos del día a día para evitar que las tensiones y la irritabilidad provoquen más problemas.

Busca maneras de relajarte. Entre éstas pueden estar el ejercicio, el yoga, la oración o la meditación. Busca la técnica que mejor te vaya.

Habla con las personas que tienes cercanas de los acontecimientos y experiencias. El duelo colectivo puede ser más eficaz en los casos en que el trauma ha afectado a muchos.

Busca momentos para participar en actividades de ocio. A menudo la gente se siente mal cuando pretende pasarlo bien después de un trauma. Sin embargo, recuperar la rutina y hallar motivos de alegría son factores muy importantes para superar las secuelas de un trauma.

Intenta ser compasivo contigo mismo. Recuérdate que el hecho de que haya pasado algo traumático no socava tu valor como persona, tu competencia o tu derecho a ser querido.

Permítete experimentar situaciones que te recuerden el trauma. Enfréntate a las personas y los lugares que asocias con el suceso traumático, incluso aunque, cuando lo hagas, sientas una gran ansiedad. Cuanto más afrontes tus temores, más fuerzas desarrollarás para reducirla.

Recuerda que no puedes controlarlo todo, y que en este mundo no hay certidumbre que valga; sin embargo, a pesar de todo puedes disfrutar de una vida muy plena y satisfactoria.

Intenta enfocar el futuro con optimismo. Cuando piensas que una situación traumática tiene unos límites temporales, y no tiene por qué ser una indicación de lo que pasará en el futuro, te recuperas antes.

Recuérdate lo resistentes que somos las personas. Según los estudios, la mayoría de las personas que experimentan un trauma se recuperan en cuestión de pocos meses. Permítete pensar que te sentirás mejor.

Admite cuándo necesitas ayuda profesional, y estate dispuesto a buscarla. Tras un trauma, sufrir a solas puede aumentar los efectos negativos de éste. Hay tratamientos eficaces que pueden ayudar a las personas a superar la ansiedad y la depresión posteriores a un trauma.

¿Qué puede empeorar los efectos de un trauma?

La Academia de Terapia Cognitiva sugiere una serie de cosas que no deben hacerse:

No veas reportajes televisivos incómodos si crees que éstos contribuyen a aumentar tu ansiedad.

Intenta no huir de tus pensamientos dolorosos ni erradicarlos. Cuanto más intentes suprimirlos, más te rondarán por la cabeza.

Intenta pensar de forma realista sobre la posibilidad de un peligro, en lugar de creer que ahora que ha sucedido eso tan terrible el peligro es inevitable.

Intenta no empeorar el problema más de lo que está, asumiendo constantemente que sucederá lo peor que pueda pasar.

No evites las situaciones que te recuerdan el trauma. Cuanto más las evites, más perpetuarás a largo plazo tu ansiedad.

No recurras a conductas escapistas perjudiciales para afrontar el trauma, como consumir demasiado alcohol o dormir excesivamente. A largo plazo, estas conductas de huida pueden aumentar tu ansiedad.

Intenta no juzgarte por cómo te sientes después de un trauma. Recuerda que la ansiedad, la depresión y la ira son frecuentes después de un trauma, y que a menudo van disminuyendo solas. Si te flagelas porque sientes esas emociones, empeorarás tu situación.

No te culpes por algo que crees que deberías haber hecho o no. No podías prever el futuro. No sabías qué iba a pasar. Echarte la culpa exacerba tu angustia.

Me han dicho que tengo TEP. ¿Eso quiere decir que estoy loca?

Las personas que padecen TEP sufren un grado elevado de ansiedad y tensión, y pueden sentirse como si estuvieran perdiendo la razón. También pueden deprimirse. Tristemente, algunas caen en las drogas o el alcohol como vías de tratamiento. No obstante, los adjetivos «loco» o «psicótico» suelen significar que la persona ha perdido el contacto con la realidad; la ficción empieza a dominar la vida: es una realidad imaginaria que sólo tú conoces. Las personas que padecen una psicosis pueden tener alucinaciones; los pacientes con TEP pueden tener recuerdos. La diferencia es que estos recuerdos son, en realidad, imágenes vívidas del suceso traumático, que se infiltran por propia voluntad en la mente del paciente. Sin embargo, a pesar de que las personas sufren cuando piensan en esas imágenes, la víctima del TEP sabe distinguir entre lo real y presente y lo que es un recuerdo doloroso. De forma que la respuesta es no: tener TEP no quiere decir que estés loca. Resulta útil recordar que los síntomas de TEP son versiones prolongadas de una reacción *normal* a una situación *anormal*.

Ten en cuenta que, a menudo, la sensación de estar loca nace de sentir que has perdido el control. Los recuerdos traumáticos se adentran en tu vida por mucho que quieras protegerte de ellos. La ironía estriba en que estos recuerdos aparecerán con más frecuencia *cuando* intentes protegerte de sus intrusiones. Por eso, la mejor manera de recuperar el control es afrontar el trauma por medio de la terapia.

¿Cuáles son algunos de los pensamientos frecuentes que tienen las personas que padecen TEP?

Como resultado de un acontecimiento traumático aterrador o que ha puesto en peligro la vida, las personas pueden empezar a pensar de formas distorsionadas y perjudiciales. Algunos de los pensamientos frecuentes del TEP son los siguientes:

- «Si ha pasado, es por mi culpa. Tendría que haber sabido lo que iba a pasar. Tendría que haber hecho algo para evitarlo.»
- «Si fuera más fuerte, podría superar esta situación.»
- «No puedo superar este sufrimiento. No puedo seguir. En cualquier momento pasará algo malo.»
- «No puedo fiarme de nadie.»
- «Soy débil y estoy indefenso.»
- «El mundo es peligroso. Nada volverá a salir bien.»
- «Si pierdo el control, sería horrible / una amenaza para mi vida / intolerable.»
- «Después de todo lo que he pasado, merezco un trato especial.»
- «Los demás van a por mí. Nadie me protegerá.»
- «Si no sigo las reglas, puedo morir.» (Esto es lo que suele pasarles a los veteranos de guerra, que se pueden obsesionar con cumplir las normas, una secuela de las circunstancias bélicas en las que podían morir si no lo hacían.)

A menudo, las personas con TEP pueden no ser conscientes de estos pensamientos, de modo que su tratamiento conlleva identificar los pensamientos y sustituirlos por otros que los ayuden a dejar el trauma atrás.

¿Cómo sé si necesito ayuda profesional para superar los síntomas de mi trauma?

Si crees que tu rendimiento social, laboral o académico se está resintiendo a consecuencia de tus experiencias traumáticas, es buena idea que recurras a un profesional. No tienes que reunir todos los síntomas de la lista para que esté justificado que hables con un profesional de la salud mental. A menudo, el mero hecho de relatar la historia de los acontecimientos traumáticos es muy beneficioso, sobre todo si puedes comentarlo con alguien neutral, que no sea de tu círculo familiar o de amigos. Si experimentas los siguientes síntomas, un tratamiento puede ayudarte:

- Estás siempre «con los nervios de punta» o irritable.
- Tienes problemas para responder emocionalmente a tus seres queridos.
- No logras dormir.
- Has empezado a tomar alcohol u otras drogas para superar tu problema.
- Te estás dedicando demasiado al trabajo para eludir los efectos del trauma.
- Tienes recuerdos o pesadillas angustiosos.

Si no tienes a nadie con quien hablar, piensa seriamente en visitar a un médico; hazlo también si no te sientes cómodo hablando con tu familia o amigos, o si te concentras demasiado en proteger a tus seres queridos del relato de tu experiencia.

He quedado con un terapeuta cognitivo-conductual para abordar mis problemas de TEP. ¿Qué puedo esperar?

Al principio del tratamiento, puedes esperar que hablaréis del TEP, los motivos del tratamiento y los objetivos concretos. El tratamiento puede incluir lo siguiente:

- La **exposición interoceptiva** puede ser un primer paso para que te desensibilices frente a los síntomas físicos del pánico. Si te acuerdas del capítulo 7, esta técnica conlleva inducir tus propios ataques de pánico para arrebatarles su poder.
- La **exposición visualizada** exige recrear vívidamente los detalles del trauma, con ayuda de un terapeuta. Esta técnica es importante para ayudarte a desensibilizarte frente a los recuerdos que temes. Se usa un enfoque jerárquico (paso a paso) para ayudarte a enfrentarte paulatinamente a los recuerdos evitados. Al principio, la exposición visualizada tiene lugar en la consulta del terapeuta, y luego de ella hay que hacer trabajos en casa, como por ejemplo escribir y releer periódicamente la historia de tu trauma. También puedes grabarlo en una cinta para escucharla en casa. A alguien que ha tenido un trauma, esta experiencia puede parecerle muy extraña o amedrentadora. Sin embargo, cuanto mayor sea la evitación, más tiempo perdurarán los problemas; enfrentarse a los miedos nos permite desensibilizarnos frente a ellos. (Imagina cómo te sientes al ver una película de miedo cien veces y cómo te sentiste al verla por primera vez; o meterte en una piscina de agua helada y dejar que tu cuerpo se aclimate al frío en lugar de entrar y salir veinte veces, con lo cual, cada vez que entres, te dará más frío.) Queremos que los recuerdos negativos «intocables» se conviertan en meros malos recuerdos.
- Después, la **exposición en directo**, por medio de un proceso gradual y colaborador, te ayuda a desensibilizarte ante los aspectos reales de la situación traumática, por ejemplo, el lugar donde ocurrió el trauma.
- La **reestructuración cognitiva** te ayuda a pensar de una forma más útil y realista sobre el trauma, tu papel en él y las consecuencias futuras. Éstos son algunos ejemplos de cómo puedes cambiar tu forma de pensar:

Autocharla negativa	Autocharla más realista
Si me violaron, fue por mi culpa.	NO FUE CULPA MÍA, sino del violador.
Tendría que haberme ofrecido a llevarla.	No podía saber que habría un conductor borracho circulando por la carretera. Seguramente habría muerto con ella, y los niños me necesitan.
Podría haber hecho algo para impedir que le cayese encima aquella máquina.	Nadie podía suponer que aquella máquina iba a estropearse. Pesaba 500 kilos. Nadie podría haber detenido su caída.
Seguro que pasa algo malo.	No puedo ver el futuro.
Nunca volveré a sentirme bien.	Puede que cueste tiempo y esfuerzo, pero puedo empezar a sentirme bien de nuevo.

- Las **técnicas de gestión de la ansiedad** (relajación muscular progresiva, reacondicionamiento respiratorio, visualización y distracción) también se usan para mejorar tu capacidad de superar los síntomas.

Me he enterado de que hay una terapia llamada DRMO que puede ayudar a quien ha tenido un trauma. ¿Qué es la DRMO? ¿Podría ayudarme?

DRMO significa «desensibilización y reprocesamiento por el movimiento ocular». La idea de la DRMO es recrear el tipo de movimientos oculares que experimentas cuando sueñas, para reducir la intensidad de los recuerdos y los sentimientos angustiosos. El tratamiento estándar consiste en las siguientes fases:

Fase I: Elaboración de la historia personal y evaluación de si el paciente está listo para iniciar la DRMO. El cliente y el terapeuta identifican posibles objetivos para cada sesión, como exponer al paciente a un olor o una imagen que recuerde el estrés originado por el trauma.

Fase II: Evaluación y potenciación de la capacidad de superación del cliente, preparándolo para la DRMO.

Fase III: Durante el tratamiento, el terapeuta te hará mover los ojos de un lado a otro, siguiendo el movimiento de su mano, mientras recuerdas un trauma concreto. Aparte de la repetición, existe un componente cognitivo. Aquí identificas una creencia negativa sobre ti mismo asociada con el trauma, y al final la sustituyes por una creencia positiva y preferida. Al cabo de varios intentos, el recuerdo dejará de generar en ti sensaciones tan terribles.

Fase IV: Conclusión. El terapeuta solicita al cliente que lleve un diario donde deberá anotar cualquier material relevante que aparezca durante la semana, mientras emplea las técnicas calmantes que aprendió en la fase II.

Fase V: Evaluación de las sesiones y del progreso realizado.

Muchas personas dicen qu, al cabo de varias sesiones de DRMO, su ansiedad, terror o humillación desaparecen. Hoy día, en ocasiones los terapeutas emplean el golpeteo suave y repetitivo en lugar de los movimientos oculares, o colocan al cliente unos auriculares que, de forma alterna, reproducen en cada oído un sonido agradable.

Dado que el DRMO se centra directamente en los recuerdos traumáticos, pueden tener lugar reacciones adversas, que generalmente están relacionadas con recuerdos que vienen a la mente del cliente después de una sesión. Siempre es buena idea corroborar que tu terapeuta ha recibido una formación avanzada sobre DRMO, y que tiene experiencia para seleccionar a sus clientes y realizar con éxito este proceso terapéutico. Un factor especialmente importante, si el trauma fue grave o prolongado, es la evaluación meticulosa de tu capacidad para tolerar el tratamiento. Dependiendo de tu historia, del tipo y la gravedad del trauma y de tu estructura psicológica, la duración del tratamiento puede prolongarse de tres a doce o más sesiones de DRMO.

Los estudios han demostrado los beneficios de la DRMO, aunque no queda claro por qué funciona exactamente, y sigue siendo un tratamiento controvertido. Algunos estudios sugieren que quizá los efectos beneficiosos se deben a la exposición y desensibilización frente a los recuerdos traumáticos.

Creo que tengo TEP. ¿Hay algún medicamento que pueda ayudarme?

La buena noticia es que hay diversos medicamentos que pueden ayudarte. Quizá los antidepresivos, especialmente los ISRS, sean lo mejor que hay para aliviar los síntomas del TEP. Los fármacos contenidos en este grupo incluyen Prozac, Luvox, Paxil, Zoloft, Celexa, Lexapro y Effexor (parecido a un ISRS). La dificultad estriba en decidir cuál es el que te irá mejor, y pueden pasar semanas antes de que percibas sus beneficios. Las medicinas que pueden actuar con mayor rapidez son las benzodiazepinas como Valium, Xanax y Klonopin. Lamentablemente, estos fármacos pueden crear fácilmente dependencia. Los investigadores están estudiando también el uso de Clonidine, un fármaco utilizado para tratar la hipertensión, y los betabloqueantes como Inderal.

Aunque estos medicamentos pueden aliviar los síntomas, no se puede depender totalmente de ellos para recuperar tu antiguo yo. Además de tomarlos deberás poner de tu parte, y mucho. Lo mejor es buscar la ayuda profesional de un psiquiatra, un psicólogo o un consejero. Un psiquiatra puede recetar medicamentos, aunque algunos ofrecen terapias y otros no. Si no es así, siempre podrá remitirte a otro profesional. Muchos clientes trabajan con un terapeuta mientras, periódicamente, consultan con un psiquiatra acerca de su medicación. Normalmente, el psicoterapeuta es esencial para la recuperación plena, como también lo es hacer muchos «deberes». En última instancia, lo mejor que puede hacer una persona es exponerse a la situación traumática, enfrentándose a sus temores. El uso de la psicoterapia, la medicación y, a menudo, un grupo de apoyo, facilita este proceso.

Incluso cuando sigues un tratamiento que tiene éxito, es posible que, en algún momento del futuro, probablemente cuando tu vida sea bastante estresante, los síntomas recurran. De todos modos, no te desesperes, porque puedes reaprender estrategias terapéuticas con bastante rapidez. Por lo general, volver a encontrar el rumbo requiere menos tiempo.

¿Cómo puedo saber si mi hijo padece TEP?

El origen del TEP puede ser cualquier suceso que una persona crea que amenaza su vida, y que origine un intenso temor, sensación de indefensión u horror. Por lo general, los niños expresan su horror y sus miedos mediante una conducta desorganizada y agitada en el momento del incidente. Más tarde, el recuerdo de ese suceso puede reaparecer en los temas de sus juegos y en las pesadillas, aunque es posible que los niños no logren explicar lo que pasaba en su sueño. Cuando se le expone a los elementos del trauma, un niño puede reaccionar con una gran ansiedad y emplear conductas de evitación. Si se le dice que debe ir al lugar donde ocurrió el suceso traumático, puede sentirse mareado de repente o decir que le duele el estómago. Lo mismo puede pasar si se le dice que comente el suceso. Es posible que desarrolle la incapacidad de recordar el incidente o alguna parte del mismo. También puede eludir el contacto con sus amigos o las actividades de ocio con los miembros de su familia. Algunos niños creen que su futuro se ha acortado: «No llegaré a ser mayor». Otros desarrollan la técnica de las profecías: creen que son capaces de vaticinar sucesos futuros desagradables.

Si detectas en tu hijo este tipo de cambios, es importante que busques la ayuda profesional de expertos en psicología o psiquiatría infantil. La terapia basada en conversaciones no siempre funciona con los niños, de modo que a menudo los terapeutas permiten que éstos se expresen mediante juegos y juguetes. Aunque no suelen usarse a menudo, a veces es necesario administrar a un niño los fármacos que toman los adultos que padecen TEP. También puede ser positivo implicar a tu hijo en actividades que lo ayuden a ser autónomo y fortalezcan el concepto de sí mismo (p. ej., un grupo de excursionismo, la práctica de artes marciales).

- Desde que me atracaron, vivo siempre con miedo. Me avergüenza no poder superar esta situación. ¿Qué me pasa?

- ¿Por qué después de un trauma las personas se distancian de sus seres queridos?

- Padezco TEP, y me parece que mi problema más grave es mi sentimiento de culpa por sobrevivir mientras que otros lo pasaron peor. ¿Es un sentimiento normal?

- Odio pensar que soy víctima de un trauma. No logro pensar en lo que ha pasado sin enfurecerme. ¿Puede tratarse de TEP?

- Tuve un accidente de coche, y ahora me da miedo conducir. ¿Qué debo hacer?

- Mi esposo es soldado, ha estado en combate y pronto volverá a casa. Sé que ha pasado por mucho. ¿Qué puedo esperar cuando regrese?

- ¿Cómo puedo ayudar a un miembro de la familia que ha combatido en una guerra?

- Cuando estaba trabajando en el extranjero, dormía tan poco que pensaba que, al regresar, me pasaría los días durmiendo. Sin embargo, padezco insomnio. ¿A qué se debe?

- Mi hermano volvió de combatir en la guerra sintiéndose muy afectado emocionalmente. Ha estado bebiendo mucho, y tiene un aspecto muy abatido, casi apático, sin alegría ni entusiasmo por nada. ¿Debo intentar animarlo?

- ¿Qué es lo que hace que vuelva a pensar en un trauma, y cómo puedo evitarlo?

**Desde que me atracaron, vivo siempre con miedo.
Me avergüenza no poder superar esta situación.
¿Qué me pasa?**

Lo que te pasa es que te atracaron, y tu organismo sigue reaccionando al trauma que experimentaste. El estrés y la ansiedad posteriores a un trauma son respuestas *normales* a una situación *anormal*. Cuando aquel día saliste de casa, no esperabas que nadie te asaltara. La experiencia del trauma incluyó, seguramente, sentimientos de indefensión, y quizá pensaste que ibas a morir. A la mente le cuesta procesar ese tipo de situación, que va acompañada de una intensa emoción. Puedes sentirte dividida entre intentar no pensar en aquel atraco y buscarle sentido a lo que pasó o por qué tuvo que pasar.

La vergüenza que sientes debido a tus síntomas no es infrecuente; sin embargo, eludir el problema no hará más que aumentarlo. La investigación ha revelado que la mejor manera de superar los efectos de un trauma es enfrentarse a él dentro de un entorno seguro, junto a un terapeuta o un grupo de apoyo. En ocasiones nos cuesta admitir que un trauma nos sigue afectando; sin embargo, aceptar esto es el primer paso para mejorar.

¿Por qué después de un trauma las personas se distancian de sus seres queridos?

Los tipos de trauma que conducen al TEP no sólo son angustiosos por propio derecho, sino que también tienden a alterar la forma de ver el mundo que tiene la víctima. Para la persona que ha pasado por un trauma, la esperanza que la mayoría de nosotros tenemos en que la vida es básicamente buena y justa se hace trizas. Como resultado, el superviviente tiene miedo de invertir emocionalmente en cosas que solían ser muy importantes para él o ella; esto incluye a su propia pareja, sus hijos o su deporte favorito. Casi inconscientemente, desconecta de sus emociones para protegerse y evitar que le vuelvan a robar su fe y su esperanza. Puede pensar algo así: «Si no hay nada que me importe, no tendré que preocuparme por si lo pierdo». Afortunadamente, para la mayoría de las personas los síntomas del TEP van remitiendo por sí solos en un plazo de seis meses. Sin embargo, hay una minoría que sigue padeciéndolo a largo plazo. Por supuesto, un tratamiento hace que la probabilidad de padecerlo sea menor.

Está claro que este trastorno no sólo causa sufrimiento a la víctima, sino también a quienes la aman y sienten que se está convirtiendo en una persona fría o incluso arisca. Es frecuente que sus seres queridos se sientan heridos y desanimados, y eso cuando no se enfurecen. Puede que vivan con los nervios de punta, preocupándose de cuándo ocurrirá el siguiente estallido emocional. Cuando hay otras personas que empiezan a sentir ansiedad y a compartir el padecimiento de la víctima, a esto lo llamamos **trauma vicario**. Por todos estos motivos, es importante que los seres queridos se apoyen unos en otros, además de apoyar a la víctima del TEP e incitarla a buscar ayuda.

Padezco TEP, y me parece que mi problema más grave es mi sentimiento de culpa por sobrevivir mientras que otros lo pasaron peor. ¿Es un sentimiento normal?

Sí, y con demasiada frecuencia. La culpa de supervivencia es una reacción normal a un acontecimiento en el que unas personas murieron o salieron gravemente heridas y una quedó ilesa. Parece ser que en la composición psicológica de muchas personas hay un elemento que las lleva a sentirse mal por otros y a preocuparse de que tales personas les guarden rencor por no haber muerto. Por lo general, el TEP conlleva un alto grado de ansiedad y de tensión, o justo lo contrario, la insensibilidad emocional. Pero la culpa que describes es frecuente. La culpa puede erigir un obstáculo grave para el tratamiento, dado que la persona puede creer que merece sufrir. Otra emoción frecuente en el TEP es la vergüenza. El TEP nos hace sentirnos tan extrañamente faltos de control que podemos sentirnos avergonzados y humillados al no poder (supuestamente) tomar las riendas de nuestro pensamiento.

También podemos sentirnos tontos al meternos en las situaciones que conducen al trauma. Por ejemplo, te puedes culpar de un accidente de tráfico, incluso aunque no fueras el conductor. Puedes decirte algo así: «Si aquella noche no hubiera ido a la fiesta, nunca habría estado involucrado en ese accidente. ¡Qué estupidez cometí al ir! ¡Qué mal me siento por haber salido con vida!». Cuando la analizamos, esta forma de pensar es ilógica, pero a algunos nos cuesta mucho liberarnos de ella. Esto mismo puede interferir también en la terapia. A veces a algunas personas les cuesta salir a la calle, porque están seguras de que los demás las juzgan o se burlan de ellas.

Nuestra esperanza es que te reconforte saber que en realidad no eres el único que tienes estos sentimientos, y que busques alivio para a tu congoja permanente. Un grupo de apoyo para el TEP (en tu barrio o en Internet) puede ponerte en contacto con otros que luchan con problemas semejantes, y la terapia puede ayudarte a sustituir las creencias que fomentan la culpa por afirmaciones más precisas y cariñosas sobre tu persona. Algunos ejemplos de estas afirmaciones pueden ser:

- Si hubiera resultado herido, eso no hubiera mejorado las cosas, sino que habría hecho sufrir a mis seres queridos.
- No podía prever que pasaría algo así.
- Tuve suerte al salir con vida.

Odio pensar que soy víctima de un trauma. No logro pensar en lo que ha pasado sin enfurecerme. ¿Puede tratarse de TEP?

La ira es un modo frecuente en que nos protegemos del peligro. También es un factor frecuente del TEP. Todos tendemos tendencia a protestar cuando las cosas no salen como queremos. Sin embargo, hay personas que se enfurecen mucho contra la situación, incluso contra lo que *todavía* les está sucediendo. Las víctimas del TEP recuerdan los detalles más escabrosos de su trauma, sueñan siempre lo mismo, reaccionan con pánico si ven algo por el rabillo del ojo que se parezca a la situación traumática, y formulan la pregunta que no tiene respuesta: «¿Por qué me ha pasado a mí?». Así que, como es lógico, la ira se convierte en parte del cuadro.

Si realmente te preocupa que, debido a tu ira, puedas herir a alguien, debes protegeros a ambos, a ti y a los demás, recurriendo a alguien que te ayude. Un psiquiatra puede ayudarte a evaluar esta preocupación y recetarte medicamentos, o incluso recomendarte el ingreso en un hospital en caso necesario. Por supuesto, si sientes que se avecina una crisis, siempre vale la pena llamar al teléfono de urgencias médicas. Lo que pasa más a menudo es que la ira te hiere y disfraza otros sentimientos dolorosos.

Cuando las personas sentimos algo tan profundo como lo que tú sientes, podemos enfurecernos porque parece que «nadie me entiende». No sentirse comprendido puede generar resentimiento. También podemos sentirnos tan avergonzados de nuestra vulnerabilidad que nos enfadamos como una forma de mantener alejados a los demás. Aunque la ira es comprensible, en última instancia es una mala solución, porque nos aliena de la ayuda que necesitamos. Es mejor dejar que otros entren en nuestra vida si queremos curarnos. Busca un grupo de apoyo del TEP. Puedes localizarlos en tu ciudad o incluso en Internet. Es bastante probable que alguno de ellos «te entienda».

Es importante tener en cuenta que un **grupo de apoyo** es un método de autoayuda, mientras que un **grupo de terapia** para el TEP dispondría de un moderador formado y experto tanto en el trastorno como en la dinámica de grupos. Algunas personas se sienten más seguras en un grupo de terapia, sabiendo que disponen de un líder preparado para guiar el proceso. Es posible que otras prefieran sólo un grupo de apoyo o bien combinarlo con la terapia individual; otras querrán trabajar a solas con un terapeuta. Lo importante es encontrar la ayuda que te haga sentir seguro y, al mismo tiempo, responda a tus necesidades.

Tuve un accidente de coche, y ahora me da miedo conducir. ¿Qué debo hacer?

Debes tener presente que, después de pasar por un trauma como es un accidente de coche, es normal que una persona evite las situaciones o estímulos que le recuerdan ese trauma. Por tanto, después de un accidente de coche, la gente suele mostrarse reacia a conducir o tener miedo a subir al coche. Puede que formulen predicciones del tipo: «Si me vuelvo a subir al coche tendré otro accidente», o «Ahora que he tenido un accidente sé que no podría superar otro». Obviamente, estas predicciones generan un grado elevado de ansiedad. Para evitar la ansiedad que generan estos pensamientos, es lógico que alguien se niegue a conducir. Sin embargo, cuanto más lo evites, más profundas serán las raíces que echen tus predicciones negativas, y más poder tendrán para evitar que vuelvas a conducir.

Aprende a cuestionar algunas de tus predicciones negativas. En esta vida no hay garantías, pero echa un vistazo a los datos sobre el tiempo que llevas conduciendo. ¿Cuántas veces has conducido un coche? ¿Cuántos accidentes has tenido? Es posible que estés hablando de un accidente que tuvo lugar una de las 20000 veces que has conducido. Si estás dispuesto a estudiar los hechos, podrás empezar a ver la situación de una forma más equilibrada. Si bien es importante generar pensamientos más realistas sobre la conducción, un aspecto crucial de este problema radica en volver a subirte a un coche y conducir. Lo más beneficioso es hacer esto de forma gradual, por etapas. En otras palabras, debes empezar a dar pasos cortos que te vayan acercando al coche y que al final te permitirán volver a conducir. Gradualmente, irás pasando a actividades que te resulten más difíciles. Puedes dividir el proceso en todas las etapas que quieras, pero la clave para superar el temor a conducir está en subirte al coche y conducir.

Mi esposo es soldado, ha estado en combate y pronto volverá a casa. Sé que ha pasado por mucho. ¿Qué puedo esperar cuando regrese?

Por mucho que deseen regresar a casa, los veteranos de guerra al principio pueden tener dificultades para reajustarse a la realidad de la vida más tranquila y predecible lejos del campo de batalla. Si tu marido participó en combate, las probabilidades de que tenga dificultades son mayores. Éstos son algunos de los problemas que pueden surgir:

- Para distanciarse del trauma de la guerra, el veterano puede insensibilizarse emocionalmente, y los miembros de su familia pueden sentirse rechazados.
- Sus sentimientos pueden manifestarse bajo la forma de irritabilidad.
- Puede que no sienta mucho deseo sexual, y que se distancie de ti.
- Es posible que detectes cierto estado de alerta constante en su persona, y el deseo permanente de proteger a la familia del peligro.
- Puede tener dificultades para dormir o relajarse.

Lo mejor es estar preparada para estas posibilidades, de modo que no te lo tomes como algo personal. Los miembros de la familia, que arden en deseos de relacionarse con el veterano que vuelve, pueden sentir que esa transición es dura. A menudo, esos síntomas de estrés disminuyen durante los días y semanas posteriores al regreso del soldado. Sin embargo, si él o ella experimenta angustia o tiene problemas para funcionar en el quehacer cotidiano, o bien si los síntomas siguen empeorando, es probable que padezca una reacción más grave.

¿Cómo puedo ayudar a un miembro de la familia que ha combatido en una guerra?

Antes de nada, lo ayudas por el hecho de estar ahí. La presencia de los familiares puede contribuir a reducir el distanciamiento por parte del veterano. Los rituales familiares, como el de comer juntos, ir a la iglesia o ir de vacaciones como siempre, ayudan a insuflar en el veterano una sensación de normalidad y predecibilidad.

No te tomes estas cosas como algo personal. Cuando el soldado se distancie o se irrite, recuerda que éstas son reacciones normales a las secuelas del combate, que todavía arrastra.

Cuida de ti misma. Para poder ofrecerle tu apoyo, puede que necesites un lugar donde airear tus frustraciones. Recuerda las pautas básicas de la nutrición, el ejercicio y el descanso.

Infórmate. En Estados Unidos, el National Center for PTSD (Centro Nacional para el TEP) dispone de una página muy completa en www.ncptsd.va.gov.

Ofrécete a ayudarlo. Que el miembro de la familia que ha vuelto al hogar sepa que estás dispuesta a escucharlo (y prepárate: escuchar las historias que provocan un trauma pueden ser estresantes también para el oyente). En concreto, a los veteranos varones puede que no les parezca natural hablar de sus sentimientos directamente, pero pueden adaptarse a alguna otra actividad. Dar paseos regularmente o jugar al golf (sin la expectativa de entablar una conversación sobre la guerra) pueden ofrecerle el tipo de consuelo que hace que las palabras fluyan más fácilmente. Si bien hablar del trauma y los sentimientos asociados con él es muy útil, forzar la conversación suele resultar perjudicial.

Ofrece información. A veces, si un veterano tiene recuerdos súbitos y vívidos o pesadillas puede pensar que se está volviendo loco. Asegura a esa persona que ésta es una reacción *normal* a una situación *anómala*, no un indicio de debilidad o desequilibrio. Por otro lado, también ayudarás a tu ser querido cuando creas que necesita ayuda profesional.

Participa en el tratamiento de la persona veterana. Si tu ser querido padece una gran angustia o tiene problemas para funcionar, anímalo a buscar ayuda y *ve* con él o ella. El trastorno de ansiedad agudo y el TEP son muy tratables, y una intervención a tiempo puede evitar una angustia innecesaria.

Acepta la ayuda de otros. Concédete el permiso de recibir el respaldo de amigos militares o civiles, sobre todo de aquellos que han pasado por situaciones parecidas a la tuya. Usa los recursos comunitarios disponibles por medio de tu iglesia, tu base militar o las organizaciones gubernamentales para los veteranos y sus familias.

Cuando estaba trabajando en el extranjero, dormía tan poco que pensaba que, al regresar, me pasaría los días durmiendo. Sin embargo, padezco insomnio. ¿A qué se debe?

Los problemas para dormir son frecuentes después de haber prestado servicio militar. Éstos son algunos de los motivos:

- A pesar de que has vuelto, tu cerebro puede seguir funcionando como si estuvieras alerta para detectar el peligro. Los cambios biológicos asociados con la respuesta de lucha o huida pueden seguir activos, haciendo que el corazón te lata aprisa, tus sentidos estén activos y no te permitan asentarte y relajarte.
- Preocuparse por el insomnio puede reforzar el problema. Lo único que logras al pensar: «Esto es terrible. *¡Tengo* que dormir!» es aumentar tu grado de ansiedad y por lo tanto contribuir al insomnio.
- El consumo de alcohol o drogas puede interferir en el sueño.
- Las pesadillas pueden airear viejos traumas e insertarlos en el presente, agobiándote y dificultando que vuelvas a dormirte. De

igual manera, la evitación de los sentimientos y los recuerdos puede impedir que te reintegres a tu vida.

• Las preocupaciones por la salud o alguna herida pueden impedir conciliar el sueño.

• La hipersensibilidad a cualquier sonido o movimiento, por mínimo que sea (una habilidad que desarrollaste en la guerra), puede persistir y hacer que no duermas profundamente.

Para conocer algunos recursos destinados a conciliar el sueño, consulta el capítulo 16. Si persisten los síntomas relacionados con el trauma, consulta con un profesional para que te evalúe y te someta a tratamiento.

Mi hermano volvió de combatir en la guerra sintiéndose muy afectado emocionalmente. Ha estado bebiendo mucho, y tiene un aspecto muy abatido, casi apático, sin alegría ni entusiasmo por nada. ¿Debo intentar animarlo?

Dos de las complicaciones del TEP son la depresión y el abuso o dependencia de alguna sustancia intoxicante. A veces, los síntomas del TEP son tan debilitadores que quien los padece empieza a sentirse indefenso, desesperanzado y deprimido. La depresión es un trastorno psiquiátrico igual de limitador y, sobre todo si se combina con el abuso de una sustancia, puede conducir al suicidio. El alcohol perturba el sentido común y ofrece a la persona una falsa sensación de coraje, y al mismo tiempo reduce sus inhibiciones. Los factores que frenan a una persona cuando está sobria desaparecen cuando está intoxicada.

Si tu hermano no está recibiendo un tratamiento, necesita hacerlo. Es necesario hablarle a su terapeuta de su depresión y abuso del alcohol, y pedirle que lo someta a una evaluación para determinar sus probabilidades de intentar suicidarse. En ocasiones, lo más misericordioso que puede hacer un miembro de la familia es solicitar un tratamiento para un ser querido, aun cuando éste no lo desee. Hoy día disponemos de muchos tratamientos eficaces, incluyendo los fármacos y la psicoterapia. Con ayuda, tu hermano tiene muchas posibilidades de mejorar.

¿Qué es lo que hace que vuelva a pensar en un trauma, y cómo puedo evitarlo?

Esos recuerdos súbitos parecen nacer del modo en que el cerebro almacena los recuerdos traumáticos. Normalmente, «reproducimos» mentalmente los acontecimientos angustiosos hasta que dejan de producirnos ansiedad. Nos desensibilizamos al suceso gracias a los pensamientos repetidos, o porque hemos hallado alguna solución para la crisis. Esta repetición de pensamientos no se traduce en imágenes, sino en recuerdos o historias orales. Los *flashbacks* traumáticos son distintos. Funcionan como una proyección cinematográfica del suceso. También se repiten, pero en lugar de perder su capacidad de asustarnos o angustiarnos, como los recuerdos problemáticos, nos agobian una y otra vez. Es como si no pudiéramos acostumbrarnos al acontecimiento origen del trauma.

A veces, los fármacos usados en psiquiatría pueden contribuir a detener esos recuerdos. Los antidepresivos ISRS pueden ser eficaces, pero su mejor efecto es el de aliviar el letargo emocional y los síntomas excesivos de ansiedad propios del TEP. El Lithium o un anticonvulsivo llamado Tegretol pueden resultar beneficiosos. Hay un betabloqueante llamado Propanolol que también ha ayudado a los veteranos de guerra a reducir las imágenes de sus experiencias bélicas.

En última instancia, necesitamos procesar nuestras experiencias, y los recuerdos súbitos pueden dificultar esta tarea. Es esencial trabajar con un profesional con el que te sientas a gusto. Un grupo de terapia de TEP o de apoyo puede ser también una forma útil de compartir información con otros que experimentan esos *flashbacks*.

Éstas son algunas de las técnicas que se usan para interrumpir esas experiencias:

- Tararear una canción, recitar un poema favorito o una lista de cosas que nos gusten.
- Centrarse en una pared y mover los ojos de un objeto brillante a otro, cambiando de vez en cuando la velocidad del movimiento para evitar que se convierta en una rutina.
- Sostener en la mano un cubito de hielo y apretarlo con fuerza, ofreciendo así a la memoria una sensación alternativa.

- Mojarse la cara con agua fría. Esto produce de inmediato el «efecto de inmersión»: disminuye el ritmo cardíaco, aumenta la presión sanguínea y la circulación se concentra en el centro del cuerpo. El cerebro recibe este estímulo e, inmediatamente, se centra en él olvidando otras cosas.

- Pedirle a un amigo que cuente en voz alta, pero con los números desordenados y usando de vez en cuando palabras en lugar del número previsible (es decir: «Uno, dos, tres, diez, cinco, seis, siete, flor, nueve, perro», etc.).

Capítulo 15

LA ANSIEDAD Y LOS RETOS DE LA VIDA

- ¿Cómo puede afectar la ansiedad a la relación con mi pareja?

- ¿Cómo puede afectar la ansiedad a la relación con mis hijos?

- ¿Cómo afecta la ansiedad a mi trabajo?

- ¿Cómo contribuyen a la ansiedad las transiciones de la vida?

- He oído muchas veces la expresión «crisis de los 40».
  ¿En qué consiste esta crisis?

- ¿Cuáles son algunas de las maneras correctas de enfrentarse
  a los cambios de la madurez?

- Tengo más de 70 años y he descubierto que me preocupo
  mucho más de lo que solía antes. ¿Por qué me pasa?

- Mi marido me causa cierta ansiedad cuando espera al último
  momento para pagar nuestros recibos. Nunca se pasa de la
  fecha, pero creo que debería pagarlos antes. ¿Qué puedo hacer?

- A mi padre le han diagnosticado la demencia de Alzheimer.
  Me preocupa tanto que me parece que ya no logro disfrutar
  de la vida. ¿Qué puedo hacer para mejorar la situación?

- ¿Qué puedo hacer para aliviar mi ansiedad al enfrentarme
  a los exámenes?

- Estoy esperando que me comuniquen si me dan el puesto
  de trabajo para el que hice la entrevista. ¡La espera me vuelve
  loco! ¿Cómo puedo reducir mi ansiedad mientras espero
  a saber algo?

- ¿Qué pautas de conducta serían las más adecuadas mientras
  me dicen algo sobre el trabajo?

- ¿Cómo puedo aliviar la ansiedad que me produce tener una cita?

- Me cuesta mucho decir que no. Este problema me está
  causando bastante ansiedad. ¿Qué puedo hacer al respecto?

- Si padezco un trastorno de ansiedad, ¿puedo pedir la baja
  por incapacidad laboral?

¿Cómo puede afectar la ansiedad a la relación con mi pareja?

La ansiedad puede afectar a las relaciones íntimas de diversas maneras. Éstas son algunas de las circunstancias:

1. Una persona ansiosa puede sentir más ansiedad si su pareja no está cerca. Puede volverse exigente pidiéndole que siempre esté a su lado. Algunos individuos con ansiedad creen que deben tener siempre a mano a una «persona segura». Es posible que la pareja quiera distanciarse de esa conducta «pegajosa»; eso aumenta la ansiedad de la persona afectada y la induce a ser más exigente, con lo que se inicia un círculo vicioso.

2. Si a la persona ansiosa le preocupa que su pareja esté a salvo, no sólo puede limitarse a exigirle tenerla al lado siempre, sino también verla periódicamente. Puede insistir en que su pareja haga las cosas de una forma muy concreta, que induzca a quien padece ansiedad a creer que ésta estará a salvo. En ocasiones, la persona ansiosa se vuelve irritable si los demás no siguen sus instrucciones. A su pareja puede darle la sensación de que la persona con ansiedad es dominante, metomentodo y poco razonable.

3. Frecuentemente, una persona con ansiedad puede esperar que su pareja le aporte seguridad frente a sus temores e inquietudes. Para complacer al individuo con ansiedad, su cónyuge puede darle un consuelo que, temporalmente, alivia el temor de esa persona. Sin embargo, ese alivio es sólo pasajero, e inserta en la relación un patrón conductual de búsqueda de consuelo. Esto puede ser todo un problema para el miembro de la pareja que debe proporcionar ese alivio.

4. Algunas personas sienten atracción por quienes padecen ansiedad porque necesitan que otros las necesiten. Estas personas pueden considerar a su pareja ansiosa como un pájaro herido. En estos casos, los problemas pueden surgir si la persona con ansiedad se somete a un tratamiento que la hace mejorar y ya no necesita tanto a su cónyuge.

5. Algunos trastornos de ansiedad hacen que quien los padece se sienta aislado de otros, y su pareja puede sentirse olvidada. Si la

ansiedad es muy intensa e interfiere en las relaciones personales de quien la padece, es posible que su pareja se vea forzada a sobrellevar un mayor grado de responsabilidad por la familia. La respuesta de la pareja a esta situación puede ir desde enfurecerse por la injusticia de esta obligación extra, hasta sentirse culpable por no hacer lo suficiente, pasando por la búsqueda de alivio en conductas escapistas (como el consumo de alcohol) o bien recurrir a abandonar directamente la relación.

¿Cómo puede afectar la ansiedad a la relación con mis hijos?

El mero hecho de vivir en una casa donde la sensación predominante es de tensión y preocupación tiende a contagiar tales cosas a los niños. En este sentido, intentar solventar tu propia de ansiedad no es tan sólo un regalo que te haces a ti mismo/a, sino un beneficio para tus hijos. Éstas son algunas de las maneras en que la ansiedad puede afectar a la relación entre padres e hijos:

1. Los padres ansiosos pueden volverse sobreprotectores, preocupándose en exceso de la seguridad de sus hijos. Algunos niños disfrutarán de esta atención extra, aunque también pueden identificarse con el progenitor que se preocupa demasiado y sentir igualmente ellos ansiedad. Otros pueden rebelarse y mantener la distancia del padre ansioso y sobreprotector.
2. Si el padre está agobiado por la ansiedad y tiene problemas funcionales, un niño puede asumir prematuramente el papel de cabeza de familia. La inquietud por su padre puede ocultar un resentimiento interno por tener que adoptar su rol. Entonces, la emoción de la ira puede provocar sentimientos de culpa, una mezcla que provoca una gran dosis de conflicto interno.
3. En ocasiones, es el niño quien aporta ansiedad al sistema familiar. Éste puede ser el caso de un niño especialmente sensible, que soporta poco el estrés y el desorden. Los padres pueden reaccionar mediante la sobreprotección o, yéndose al otro extremo, distanciarse de él motivados por la frustración.
4. En algunos casos, la relación entre padre e hijos puede definirse mediante una evitación colectiva. Las actividades se mantienen

dentro de los límites del hogar y la familia, y las relaciones sociales externas están limitadas o no existen. Este sistema puede echar los cimientos para una respuesta fóbica a las relaciones y desafíos contenidos en el mundo exterior.

Cuando percibes que la relación con tu hijo o hijos es tensa o no es saludable, la terapia familiar puede ser un recurso valioso. La terapia individual también puede ofrecer a los padres un lugar donde enfrentarse a su ansiedad y trabajar el tema, de modo que haya menos probabilidades de que la transmitan a sus hijos.

¿Cómo afecta la ansiedad a mi trabajo?

El aspecto más positivo de la ansiedad es que puede motivarnos a trabajar. Sin embargo, el exceso de ansiedad puede interferir en nuestro rendimiento. Éstos son algunos de los modos en que puede pasar algo así:

- Podemos centrarnos tanto en nuestras preocupaciones que desatendamos nuestro trabajo.
- Las consecuencias de la ansiedad, como la fatiga, la astenia y la tensión muscular, pueden dificultarnos el desempeño de nuestro trabajo.
- No podemos acabar el trabajo debido a distracciones, vacilaciones y dudas e indecisiones.
- Nos preocupamos tanto por el rendimiento que tememos exponer nuestro trabajo a la vista de otros. Esto conduce a la falta de resolución y, en ocasiones, a la inmovilidad.
- La fobia social puede conducir a la evitación de interacciones importantes con los compañeros de trabajo y, en última instancia, al abandono de éste.

El hecho de no poder cumplir con nuestras responsabilidades debido a la ansiedad puede tener un impacto poderoso sobre el concepto que tenemos de nosotros mismos, lo cual provoca sentimientos de indignidad y una posible depresión clínica. Esto puede ser especialmente así en el caso de los hombres, que tienden a identificarse más intensamente con su vida laboral y que, incluso en nuestra sociedad liberal, siguen sintiendo las presiones internas de ganar el pan de la familia.

¿Cómo contribuyen a la ansiedad las transiciones de la vida?

Hay muchas teorías que han descrito los estadios concretos de la vida, y los reajustes que la persona debe hacer al pasar de uno a otro. Sin embargo, las investigaciones realizadas en distintas culturas y épocas han puesto en tela de juicio la aplicabilidad general de estos períodos de transición socialmente prescritos. Por ejemplo, muchas de las parejas de nuestro tiempo pueden seguir cuidando de sus hijos cuando la teoría prescribe que deberían estar en la fase del «síndrome del nido vacío».

A pesar de todo, si nos fiamos de nuestra intuición, tiene sentido que los desafíos propios del crecimiento generen ansiedad. Por ejemplo, cuando un bebé empieza a dar sus primeros pasos tiene que enfrentarse a la frustración de intentar coordinar su cuerpo para caminar, cuando su mente ya está dispuesta a correr. Pasar de la primera infancia a los estadios posteriores implica pasar cada vez más tiempo en la escuela, fuera de casa. Entonces llega la adolescencia, con sus nuevos retos: las citas y el deseo sexual. Las presiones de las decisiones a que nos somete la vida durante los primeros años de la edad adulta dan paso a la responsabilidad de tener un trabajo y cuidar de una familia.

¿Qué pasa cuando has invertido tanto en cuidar de la familia, y ahora tus hijos van progresando en su camino para aprender a cuidar de sí mismos? Si bien es posible que algunos de nosotros celebremos una fiesta y nos alegremos de disponer de más tiempo para viajar o dedicarnos a nuestros intereses personales, cabe que otros tengan dificultades para ajustarse a esa disminución de la responsabilidad paterna. Después de haberse volcado tanto en los hijos, la pregunta «¿Y ahora qué?» puede generar estrés e incomodidad, al menos durante un tiempo. Éstas son las mismas preguntas que pueden surgir cuando una persona domina a la perfección su trabajo, hasta el punto en que se aburre.

Aunque las transiciones presentan sus propios desafíos, también nos ofrecen la oportunidad de crecer e introducir cambios que deseamos. La clave radica en aceptar la sensación extraña que nos invade en los primeros momentos de la transición, extraer fuerza de nuestros éxitos pasados y abrirnos al cambio.

He oído muchas veces la expresión «crisis de los 40». ¿En qué consiste esta crisis?

La «crisis de los 40» es una expresión popular que, según han demostrado los estudios, es más un mito que una realidad. La buena noticia es que la investigación sobre la estabilidad emocional de hombres y mujeres de mediana edad sugiere que, en general, tales personas no experimentan aumentos de su angustia vital durante los períodos típicos «del nido vacío» o «la crisis de los 40». De hecho, parece ser que el bienestar tiende a estabilizarse con el paso de los años.

A pesar de ello, la sabiduría acumulada relativa a la edad madura puede resultar útil a aquellos que se ven inmersos en un período de dudas y confusión sobre su vida. En este sentido, «la vida madura» no está definida tanto por una edad como por el viaje personal de cada individuo. Es un momento en el que has conseguido las grandes cosas que te propusiste hace tantos años, como tener una carrera, una familia o, simplemente «especializarte» en una forma de vida. Ahora estás en una etapa en la que contemplas todo lo que has hecho y decides si es lo que quieres realmente. Puede que te des cuenta de que te queda menos tiempo, y quieres aprovechar cada instante.

Un psiquiatra suizo llamado Carl Jung creía que la edad madura es el momento en que podemos sacar a la luz los «opuestos» que llevamos dentro. Una persona extrovertida puede sumirse en sí misma y dedicarse a la jardinería o la pintura. Una persona tímida puede desear ampliar sus relaciones, e incluso empezar a darse ciertos aires. Sorprendentemente, las cualidades que vamos descubriendo son a menudo las que antes devaluábamos. Si fui una persona tímida, puede que me dijera a mí mismo que no quería ser como esos bocazas que socializan en una fiesta. Ahora estoy cambiando de opinión. A fin de cuentas, ¿quién soy? Las preocupaciones sobre nuestra identidad pueden hacernos sentir a la deriva, ansiosos. Hay otros factores, como el envejecimiento físico, los cambios hormonales, la jubilación y los roles familiares cambiantes, que pueden contribuir a este problema de identidad. En esta época de nuestra vida, muchos sentimos que vamos a la deriva, que necesitamos un cambio, algo que nos produzca alguna satisfacción. Aunque esto puede llevarnos a la respuesta estereotipada de comprarnos un deportivo y buscarnos una amante joven (¡algo que es más mito que realidad!), es igual de probable que nos conduzca a un renacimiento personal.

¿Cuáles son algunas de las maneras correctas de enfrentarse a los cambios de la madurez?

Primero, debes ser capaz de admitir el cambio de nuestros pensamientos, sentimientos y objetivos. Segundo, puedes interpretar los vientos cambiantes de la edad madura como un llamamiento para introducir mejoras en tu vida, cosas que has estado posponiendo durante mucho tiempo. La madurez es un período normal para empezar una terapia, dado que en esta etapa de la vida las personas suelen estar en un punto más reflexivo. También ayuda compartir tus experiencias con otros que puedan estar pasando por las mismas circunstancias. Cuando intercambies anécdotas con tu familia y amigos, te sentirás menos alarmado por lo que estás experimentando, e incluso puede que le veas el punto gracioso. En ocasiones también es bueno hablar con un amigo mayor, que ya haya pasado por esos cambios. Por último, incluimos algunos factores que se ha demostrado que alivian el estrés:

La comprensión. El hecho de entender por qué te sientes perdido y de aprender de la experiencia puede convertir tu «crisis» en una oportunidad importante.

La socialización. Compartir tus experiencias con otros puede convertir las dificultades en vínculos, y los días malos en anécdotas entretenidas.

El pensamiento realista. Puedes sacar partido de aprender a contemplar de una forma más equilibrada y precisa tus circunstancias, tus puntos fuertes y débiles, y tus objetivos.

El ejercicio. Ha demostrado ser un buen antidepresivo, te ayuda a mejorar tu estado de ánimo, tu grado de energías y tu deseo sexual.

El descanso. La privación de sueño puede activar los mismos síntomas que la depresión y la ansiedad. La falta del sueño necesario hace que los problemas parezcan mayores, interfiere en el pensamiento claro y aumenta la irritabilidad. El equilibrio entre los días activos y las noches de descanso fomenta la buena salud física y mental.

Asegúrate de que le comentas a tu médico cualquier enfermedad y sus posibles complicaciones, además de los fármacos que tomas y sus efectos secundarios. Resiste la tentación de no tomarte en serio estas cuestiones, dado que un sencillo cambio en el tratamiento puede suponer, a menudo, una inmensa diferencia. Por último, no es infrecuente que las personas que durante buena parte de su vida adulta han sido consumidoras de alcohol empiecen a depender más de él en un momento avanzado de su vida. Siempre es buena idea hacer inventario de lo que te metes en el cuerpo.

Tengo más de 70 años y he descubierto que me preocupo mucho más de lo que solía antes. ¿Por qué me pasa?

A menudo, las personas mayores tienen más problemas de salud; más responsabilidad para cuidar no sólo de ellas, sino también de un cónyuge enfermo; disponen de menos ingresos económicos y de unas condiciones precarias en el hogar. Es posible que su pareja haya fallecido, y deben hacer todo lo que antes hacía ella, incluyendo cocinar, limpiar, ir de compras, pagar los recibos, arreglar los desperfectos en casa, cuidar el jardín o arreglar el coche. Al tener estos nuevos roles y responsabilidades, puede que se sientan mal.

A medida que envejecemos, con frecuencia nos sentimos más vulnerables si nuestros cuerpos no funcionan bien. Es posible que no veamos, oigamos o nos movamos como antes. Podemos sentirnos bastante más débiles y menos capaces de defendernos solos en la vida. Es posible que nos dé vergüenza que otros nos vean en estas circunstancias tan comprometidas. Además, es posible que las personas que nos proporcionaban una sensación de seguridad hayan fallecido o estén enfermas o desvalidas. Puede que ya no tengamos protectores. También cabe que nuestras mentes no sean tan ágiles, y que asimismo nos falle la memoria. Todos estos factores pueden combinarse para socavar nuestra sensación de que podemos gestionar la vida de una forma que nos satisfaga.

Si bien los agentes estresantes pueden contribuir en gran manera al aumento de las preocupaciones, puede ser buena idea decidir si padeces un trastorno médico subyacente o si estás tomando alguna medicación que pueda causar síntomas de ansiedad. También has de tener en cuenta que la American Psychological Association (Asociación Psicológica Norteamericana) trabaja en ideas que las personas mayores puedan llevar más fácilmente a la práctica, sometiéndose a un tratamiento psicoterapéutico eficaz.

Mi marido me causa cierta ansiedad cuando espera al último momento para pagar nuestros recibos. Nunca se pasa de la fecha, pero creo que debería pagarlos antes. ¿Qué puedo hacer?

Debes tener en cuenta que nadie genera tu ansiedad. Eres tú misma la que crea esa ansiedad debido a lo que te dices. Piensa en lo que te dices cuando tu marido no paga los recibos exactamente cuando le indicas que debe hacerlo. ¿Te dices «¡Esto es terrible!»? Éste es el tipo de autocharla que fomenta la ansiedad. Para sentirte mejor, puedes aprender a contemplar esta situación desde un punto de vista menos desagradable. Si no se ha saltado ninguna fecha tope, ¿qué problema hay en que espere a pagar las facturas al último momento? Si realmente quieres que tu esposo sea el responsable de pagar los recibos, te puedes liberar permitiéndole que use su propio sistema. Quizá no le has concedido del todo la responsabilidad que debe tener; en tu mente, es posible que si la factura se paga más tarde de la cuenta te culpes a ti misma. Intenta olvidarte de todo esto, y para eso debes decirte: «No es problema mío: él se encarga». Luego, concéntrate en las tareas que son tu responsabilidad. O, si realmente quieres ocuparte del tema de las facturas, ofrécete a hacerlo. Los problemas relacionales a menudo nacen cuando intentamos controlar la conducta de otra persona. Lo que puedes controlar es tu propia conducta (p. ej., pagando las facturas en persona) o tu reacción a la conducta de tu pareja (p. ej., cambiando tu autocharla). La idea central es que nadie te produce ansiedad. Su origen eres tú misma, y tú sola puedes liberarte de ella.

A mi padre le han diagnosticado la demencia de Alzheimer. Me preocupa tanto que me parece que ya no logro disfrutar de la vida. ¿Qué puedo hacer para mejorar la situación?

Dada una circunstancia difícil como aquella a la que se enfrenta tu padre, está claro que te sentirás preocupada y triste. Le quieres y no deseas que sufra. Sin embargo, a menudo convertimos la preocupación en una inquietud repetitiva e improductiva que interfiere en el trabajo, las relaciones y la salud emocional y física. Aunque no puedes impedir la enfermedad de tu padre, puedes aprender a pensar en ella desde un punto de vista que te cause menos ansiedad. Un factor muy importante para superar mejor la situación radica en mejorar tu autocharla. Piensa en lo que te estás diciendo ahora mismo. ¿Es algo parecido a lo que incluimos a continuación?

Pensamientos angustiosos e inútiles:
- Tengo que mejorar su situación, y no puedo.
- Esto es lo peor que nos ha pasado nunca; no podremos superarlo.
- Tendría que haber hecho algo para impedir que pasara esto.
- Para ser una buena hija, tengo que preocuparme por él.
- Dado que papá ya no puede disfrutar como antes de las cosas, yo tampoco debo hacerlo.

Si éste es el tipo de diálogo interno que tienes, no es de extrañar que te sientas ansiosa, deprimida y culpable, y que seas incapaz de disfrutar de la vida. Te has impuesto unas exigencias imposibles de cumplir. ¿Le hablarías así a tu mejor amiga, le impondrías las mismas normas? ¿O admitirías que también era importante que ella cuidase de sí misma y querrías que lo hiciera? Lo mejor que puedes hacer es aplicarte las mismas palabras de consuelo que le dirías a una amiga. No cabe duda de que la enfermedad de tu padre es angustiosa, pero hay ciertas formas de pensar que te pueden ayudar a sobrellevarla mejor o peor.

Pensamientos menos angustiosos y más útiles:
- Voy a hacer todo lo que pueda por él, pero hay cosas que no podré hacer.
- La situación es muy triste, pero la superaremos.
- No había manera de haber evitado que pasara esto, pero ahora puedo hacer cosas para ayudar a mi padre.
- Preocuparme excesivamente por mi padre no me convierte en una hija mejor; lo único que consigue es agobiarme.
- Puedo preocuparme sin necesidad de arruinar mi vida.
- Si cuido de mí misma, estaré más preparada para cuidar de mi padre.

Para aprender a pensar de una forma más realista y menos rígida sobre esta situación, es importante evitar que tus emociones se descontrolen. Las conductas que fomentan el cuidado de uno mismo también son esenciales. Algunas personas se sienten muy culpables por organizar actividades agradables cuando un miembro de la familia está enfermo, porque piensan que es una actitud egoísta. Recuerda que existe una enorme diferencia entre *egoísta* (cuando ignoras o violas las necesidades de otros y quieres salir ganando a sus expensas) y *cuidado de uno mismo* (cuando admites que, para desempeñar como debes las tareas propias de tu vida, lo primero que debes hacer es cuidar de ti misma adecuadamente).

¿Qué puedo hacer para aliviar mi ansiedad al enfrentarme a los exámenes?

La ansiedad relacionada con los exámenes es un problema frecuente al que se enfrentan muchas personas. Si tienes como meta sacar buenas notas, en especial si de éstas depende entrar en la universidad a la que aspiras, o aprobar un examen de licenciatura, lo normal es que desees que el examen te vaya bien. Es evidente que debes preocuparte lo bastante como para prepararte bien para ese examen. Sin embargo, recuerda que los exámenes, por sí solos, no hacen que nadie se sienta ansioso. Más bien, lo que determina lo nervioso o tranquilo que estés antes de un examen o en su transcurso es lo que te digas a ti mismo.

Otro método clave para superar la ansiedad de los exámenes es prepararse bien para ellos. A continuación incluimos una lista de conductas que suelen ayudar a alguien que va a hacer un examen.

- Ir a clase.
- Esclarecer qué se pedirá en el examen.
- Tomar bien apuntes y repasarlos regularmente.
- Leer atentamente el material.
- Dedicar un tiempo ininterrumpido al estudio.
- Estudiar en un lugar lejos de posibles distracciones.
- Estudiar por partes (en lugar de saturarte de una sentada).
- Elaborar esquemas para destacar las ideas principales.
- Pedir ayuda cuando no entiendas el material (quizá a un tutor).
- Participar en un grupo de estudio.
- Recompensarte *después* de estudiar, en lugar de antes o durante el estudio, lo cual puede prolongar los deseos de no hacerlo.
- Practicar técnicas de relajación.
- Dormir y comer lo suficiente, y hacer ejercicio.

Durante el examen, debes ampliar las probabilidades de hacerlo lo mejor que puedas. Es buena idea echar una ojeada al examen, leer atentamente las instrucciones y tener una idea de cómo distribuir el tiempo. Contesta primero a las preguntas más fáciles. Señala aquellas para las que no tengas respuesta; más vale volver a ellas más tarde que perder el tiempo al principio. Si empiezas a ponerte nervioso y a quedarte en blanco, recuérdate que has estudiado, y verás cómo vuelven a tu mente las respuestas. Vale la pena anotar todo lo que recuerdes sobre esa pregunta, porque eso activará la respuesta en tu mente. Durante el examen, acuérdate también de emplear técnicas de relajación cada vez que lo necesites, para mantener la calma.

Autocharla que genera ansiedad	Autocharla que reduce la ansiedad
Debo sacar la nota máxima.	Haré todo lo que pueda; si pretendo ser perfecto sólo conseguiré ponerme más nervioso.
Nunca podré aprenderme todo esto; seguro que suspendo.	Dividiré los capítulos en secciones más asequibles, y aprenderé todo lo que pueda. Decirme que suspenderé no sirve de nada.
Cuando suspenda este examen, mi profesor verá lo tonto que soy.	No tengo forma de saber que voy a suspender el examen, y mi profesor no me va a juzgar sólo porque suspenda o apruebe un examen.
Sacar una mala nota en este examen demostrará a todos que soy un negado. Todos se han preparado mejor que yo para este examen.	Un examen no me puede etiquetar de negado, sea cual fuere la nota. Centrarme en lo que han hecho o han dejado de hacer otros no me ayudará; me centraré en hacer el examen lo mejor que pueda.
No puedo hacer un examen: me pongo demasiado nervioso y me quedo en blanco.	Aunque en el pasado me ha costado, no hay motivos por los que no pueda hacer un examen. Incluso cuando estoy nervioso, puedo funcionar y responder a las preguntas del examen. Me irá mejor si soy paciente y escribo las partes que no domino. Cuanto más escriba, más recordaré.

Estoy esperando que me comuniquen si me dan el puesto de trabajo para el que hice la entrevista. ¡La espera me vuelve loco! ¿Cómo puedo reducir mi ansiedad mientras espero a saber algo?

Si realmente deseas ese puesto de trabajo, es muy frecuente que te impacientes por conocer el resultado. Obviamente, quieres saber si te han dado el trabajo o no, y cuanto antes mejor. Sin embargo, ahora es buen momento para considerar qué factores controlas y cuáles no. Ya has hecho la entrevista de trabajo, y eso no lo puedes cambiar. Si te pones a darle vueltas a cómo te fue en la entrevista (si dijiste o hiciste algo que ojalá no hubieras hecho), lo más probable es que te pongas más nervioso o incluso te desanimes. No obstante, puedes anotar las cosas que has aprendido en esta entrevista y que quieres estar seguro de recordar la próxima vez. Ten en cuenta que no eres tú quien decide qué están buscando los empleadores. Sus decisiones están influenciadas no sólo por el currículum o la entrevista, sino por muchas otras cosas. Acuérdate de que no puedes controlar la decisión de los empleadores.

¿Qué puedes controlar? ¡Tus pensamientos y tu conducta! Lo que te digas después de la entrevista determinará tu grado de ansiedad:

Pensamientos que generan ansiedad	Pensamientos que reducen la ansiedad
¡Esta espera me vuelve loco!	La espera es molesta, pero puedo soportarla.
No soporto no saber qué pasará.	No me gusta no saberlo, pero puedo soportarlo.
¿Y si no les han gustado mis respuestas?	No controlo sus reacciones a mis respuestas. Lo he hecho lo mejor que he podido.
Seguramente no me contratarán.	No sé si me darán el trabajo o no.
¿Y si nadie quiere contratarme? *Debo* conseguir este trabajo.	*Quiero* este trabajo, pero no hay motivo por el que deba tenerlo.
¡Si no me lo dan, será terrible!	Será una decepción, pero no el fin del mundo.

Durante el período de espera resulta fácil quedarse paralizado. Sin embargo, puede ser el momento idóneo para abrir otras puertas, de modo que no te quedes con una sola opción. También puede ser buen momento para analizar tus propios sentimientos sobre ese puesto de trabajo potencial. Es tan fácil centrarse en cómo nos evalúan que a veces olvidamos nuestros sentimientos sobre esa situación. Siempre vale la pena clarificar lo que queremos y lo que no.

¿Qué pautas de conducta serían las más adecuadas mientras me dicen algo sobre el trabajo?

Después de una entrevista, a menudo las empresas aprecian cierto grado de seguimiento. Puedes hacerlo mediante una carta de agradecimiento para que los empleadores potenciales sepan cuánto aprecias que te hayan dedicado su tiempo. También puedes reiterar por qué crees que respondes al perfil necesario para el trabajo. (Hazlo con tacto y moderación: ¡está claro que no quieres molestarlos!)

Aparte de esto, puedes plantearte que, durante el día, sólo te vas a preocupar un cuarto de hora. En este caso, apartas un tiempo concreto para pensar sólo en ese trabajo: la entrevista, los comentarios que hiciste, la idea de no obtener el puesto. Al permitirte concentrarte en esta preocupación durante un tiempo limitado, te quedarás libre de ella el resto del día. Cuando te vengan a la mente preocupaciones asociadas con ese trabajo, debes decirte con firmeza: «Me ocuparé de esto en mi rato de preocupación, ¡pero ahora no!».

Por último, recuerda que vivimos en una sociedad en la que todo el mundo quiere resultados rápidos. A nadie le gusta esperar, pero la espera forma parte de la vida. Puede ser muy beneficioso distraerte con actividades agradables (p. ej., dar un paseo, ir al cine o al gimnasio, tomar un café con un amigo, ir a la iglesia). También es buena idea seguir buscando trabajo: recuerda que éste no es el único puesto que te gustaría conseguir.

¿Cómo puedo aliviar la ansiedad que me produce tener una cita?

Este tipo de ansiedad puede surgir de cualquiera de los factores siguientes, o de una combinación de ellos:

1. El temor excesivo al rechazo/la crítica.
2. La dificultad para relacionarnos con otros que creemos tener, y la atención negativa en uno mismo.
3. Las dificultades reales de relación.
4. Las malas experiencias previas con una cita.
5. La evitación de las oportunidades para tener una cita.

Básicamente, es posible que las personas con una ansiedad relacionada con las citas carezcan de las habilidades comunicativas necesarias para asimilar una cita, o quizá *piensen* que carecen de ellas y actúen en consecuencia. También es posible que los fracasos del pasado puedan ir unidos a sentimientos de angustia, hasta el punto de que alguien no se plantee ni siquiera volver a tener una cita, quizá por miedo al rechazo. Cuanto más evite esa persona salir con alguien, más se arraigarán en su psique las acusaciones que se formula y más se perpetuará la ansiedad.

Una historia famosa de la psicología es la que habla de la práctica de Albert Ellis (fundador de la terapia racional emotivo-conductual), que se obligó a pedir una cita a 100 mujeres en Central Park, Nueva York. Sólo consiguió unas pocas, y algunas de aquellas mujeres le dieron plantón, ¡pero consiguió desensibilizarse frente a los efectos del rechazo! De hecho, a menudo una técnica terapéutica consiste en pedir una cita a las personas que sabes que te van a decir que no. (Si la persona dice que sí, ¡también está muy bien!) La experiencia de exponernos a que nos rechacen nos enseña: «Aunque no me guste, puedo soportar pedir una cita y que me digan que no». A pesar de esa incomodidad inicial, aprender a tolerar el rechazo es liberador y esencial para tener menos problemas con las citas. ¡Para reducir la ansiedad que éstas te causan, tu forma de pensar sobre ellas es tan importante como tus experiencias reales! (Consulta la tabla de la página siguiente.)

Me cuesta mucho decir que no. Este problema me está causando bastante ansiedad. ¿Qué puedo hacer al respecto?

Es indudable que los problemas para decir que no o para marcar límites en nuestras relaciones personales pueden generar ansiedad. Es posible que te cueste aprender a decir que no, porque te sientes incómodo, pero eso no quiere decir que no puedas hacerlo. Cuando optamos por no negarnos, a menudo es porque pensamos determinadas cosas sobre el hecho de decir que no. Son cosas como éstas, entre otras:

Autocharla que genera ansiedad	Autocharla que reduce la ansiedad
Nadie querrá salir conmigo.	No podré saber si alguien quiere salir conmigo a menos que se lo pida.
No puedo hablar con miembros del sexo opuesto: nunca sabré qué decir.	Al principio me costará hablar con alguien del sexo opuesto, pero puedo aprender técnicas para ello. Cuanto más practique, más fácil me resultará.
Es terrible que me rechacen.	El rechazo es molesto, pero no es el fin del mundo. ¡Forma parte de las citas!
No soporto que una cita salga mal. ¿Para qué me voy a tomar la molestia?	Tener una mala cita es decepcionante, pero puedo soportarlo. Puedo considerar esa cita como una práctica, y para decidir qué quiero y qué no quiero en mi pareja.
Esto de citarme con alguien no debería costar tanto. Seguro que no funciono bien.	Ojalá fijar una cita fuera más fácil, ¡pero a todo el mundo le cuesta algo!

- «Sería terrible decirle que no a esa persona.»
- «No puedo herir los sentimientos de nadie.»
- «Si alguien me pide que haga algo, debo estar siempre dispuesto a ayudar.»
- «Un verdadero amigo diría que sí.»

Si te riges por este tipo de normas, tiene sentido que hagas algo que te piden, incluso cuando no quieres. Para aprender a decir que no, lo primero que hay que hacer es aprender a cambiar las normas sobre lo que significa hacerlo. En lugar de pensar que es horrible negarse a algo, recuerda que en ocasiones incluso los verdaderos amigos tienen que declinar hacer favores. También te puedes decir: «Si el hecho de ayudar a alguien hace que sienta rencor hacia él, esto perjudicará más mi amistad que el hecho de no hacerlo». Es más probable que este tipo de autocharla te motive a decir que no y a conservar los buenos sentimientos sobre tus amistades. También puedes examinar lo que has aprendido de tus padres y de otros adultos sobre este tema de decir que no. Resulta fácil adoptar automáticamente las conductas y creencias de aquellos a los que hemos observado, en lugar de decidir por nuestra cuenta qué es lo que tiene más sentido.

Decir que sí a todo puede producir una agenda repleta de asuntos pendientes, a veces demasiados. Si al examinar tus obligaciones te das cuenta de que te queda muy poco tiempo para el ocio, para ti mismo, no es de extrañar que luches con la ansiedad. En capítulos posteriores hablaremos de la asertividad y la gestión del tiempo, cosas que pueden ayudarte a dar los pasos necesarios para obtener más de lo que quieres de la vida, y menos de lo que *no* quieres.

Si padezco un trastorno de ansiedad, ¿puedo pedir la baja por incapacidad laboral?

Toda enfermedad que suponga un problema de funcionamiento puede hacer que una compañía de seguros o el gobierno te conceda la baja. Dado que las enfermedades mentales se diagnostican por medio del informe personal del paciente y de la observación de su conducta, y no tanto por medio de las pruebas de laboratorio, las agencias de determinación de discapacidad piden más pruebas de que existe un trastorno mental. La mayoría de estos trastornos son bastante angustiosos, e interfieren claramente en el funcionamiento cotidiano. Sin embargo, es infrecuente que por sí solos provoquen una disfunción. Muy a menudo, esa disfunción llega cuando están presentes varios trastornos mentales que, juntos, originan un problema grave.

Aunque obtener la baja laboral pueda resolver algunos problemas, dar este paso conlleva correr ciertos riesgos psicológicos. Los trastornos de ansiedad generan sentimientos de dudas acerca de uno mismo y de incompetencia; la etiqueta de «discapacitado» puede agravar esta sensación. Estar de baja tiende a provocar la conducta de evitación, y éste es uno de los coadyuvantes más poderosos a la ansiedad permanente. A menudo, los problemas económicos pueden mejorar un poco al obtener la baja laboral, pero el bienestar emocional de la persona puede salir perjudicado. Antes de dar este paso, asegúrate de haber agotado todos los demás recursos.

Capítulo 16

CÓMO CALMAR TU ANSIEDAD

- Me han dicho que me sentiría mejor si aprendiera a aceptar mi ansiedad. ¿Cómo se supone que puedo aceptar algo que me hace sentir tan mal?
- ¿Puede la meditación aliviar mi ansiedad?
- ¿Contribuye el ejercicio a mejorar la ansiedad?
- ¿Tener una mascota alivia la ansiedad?
- ¿Afecta lo que como a mi grado de ansiedad?
- ¿Llevar un diario puede beneficiarme?
- ¿Cuáles son algunas de las pautas prácticas para empezar a llevar un diario?
- ¿La terapia mediante masajes reduce la ansiedad?
- Aunque trabajo muchas horas y tengo mucha responsabilidad, durante la semana todo va bien. Entonces, el domingo, cuando se supone que debo descansar y relajarme, es cuando siento ansiedad. ¿No es un poco contradictorio?
- ¿Por qué siento tanta ansiedad a la hora de tomar decisiones? Parece que da igual si es un problema grande o pequeño: ¡odio tener que tomar decisiones!
- ¿Cómo puedo recordar formas de pensar más positivas?
- He oído que mucha gente tiene falta de sueño. ¿Es cierto? ¿Dormir poco aumenta la ansiedad?
- ¿Cuáles son algunas de las maneras de mejorar mis pautas de sueño sin recurrir a los fármacos?
- ¿Qué tipo de autocharla puedo usar cuando intento conciliar el sueño?
- Cuando tengo que enfrentarme a alguien o decir que no, me invade la ansiedad. Acabo haciendo cosas que no quiero sólo para no decepcionar a otros. ¿Por qué soy tan «blandengue»?
- Mis amigos me dicen que no hay nada malo en decir que no o en pedir lo que quiero, pero para mí es todo un problema. ¿Por qué me cuesta tanto?
- ¿Cómo puedo evitar sentirme incómodo cuando quiero decir que no a alguien o pedirle lo que deseo?
- ¿Cuáles son algunas de las actividades cotidianas que me ayudarían a reducir mi ansiedad?

Me han dicho que me sentiría mejor si aprendiera a aceptar mi ansiedad. ¿Cómo se supone que puedo aceptar algo que me hace sentir tan mal?

Cuando estás dispuesto a aceptar una situación, dejas de luchar contra la realidad. Si te sientes ansioso, decirte «No lo soporto» y «Esto no tendría que pasarme» sólo logra contribuir a la ansiedad. Que aceptes tu ansiedad no es lo mismo que te *guste*; sólo quiere decir que estás dispuesto a tolerarla. Piensa en el acrónimo de Beck, Emery y Greenberg, AWARE (que hemos adaptado como AC-TOR), que te ayudará a recordar técnicas básicas para superar la ansiedad:

A: Acepta la ansiedad. Intenta decir: «Muy bien, ansiedad, ven para acá. Eres un agobio, pero puedo soportarlo». Con esta actitud, descubrirás que con el tiempo tu cuerpo se siente mejor, y que te sientes menos molesto. Intenta no odiar tu ansiedad o culpabilizarte por sentirla. Un comentario frecuente en los tratamientos de trastornos de ansiedad es: «Si *no* estás dispuesto a tenerla, la tendrás».

C: Controla tu ansiedad. Observa la ansiedad, sin considerarla terrible. Date cuenta de cuándo sube y baja tu nivel de ansiedad, como las olas en el océano. La ansiedad es transitoria: no puede permanecer indefinidamente. Al observar tu ansiedad, te das cuenta de que a veces desciende. Cuanto más puedas despegarte de los síntomas de ansiedad, menos te molestarán.

T: Trabaja con la ansiedad. Puede que esto suene un poco difícil. Cuando alguien siente ansiedad, a veces piensa que no puede funcionar, que no puede trabajar, conducir, cuidar de sus hijos. Todo esto es falso. Es cierto que resulta incómodo experimentar los síntomas de la ansiedad, pero puedes desempeñar con total seguridad tus actividades cotidianas. Es importante que entiendas esto. Sigue haciendo lo que necesites hacer, aunque tengas síntomas de ansiedad. Si lo necesitas, baja el ritmo, pero no eludas hacer esas tareas normales. Cuanto más las eludas, mayor será el poder que tenga la ansiedad sobre ti.

O: Oblígate a esperar lo mejor. Seguramente te habrás dado cuenta de que casi nunca sucede lo que más temes. Por la mañana, cuando estás en la cama preocupado, debes decirte a ti mismo/a: «No sé qué va a pasar, pero lo superaré». No esperes funcionar bien durante el día sin sentir nada de ansiedad, pero recuérdate que puedes seguir adelante incluso aunque tengas síntomas de ansiedad.

R: Repite los pasos. Beck y sus colegas animan a la gente a seguir aceptando su ansiedad, vigilarla y actuar con ella hasta que se reduzca a un grado más tolerable.

¿Puede la meditación aliviar mi ansiedad?

Hay muchas actividades, como la relajación muscular y el ejercicio, que ayudan a reducir o a gestionar mejor la ansiedad. La meditación funciona de otra manera. Nos enseña a recibir cualquier emoción que sintamos, tanto si es dolorosa como alegre. La idea central es que, si nos permitimos sentir plenamente cada emoción, podremos deshacernos de ella más rápido y dejar que nos invada otra. Las personas que meditan regularmente sienten un enriquecimiento emocional y menor agarrotamiento. Además, las pruebas clínicas con la meditación han revelado una reducción en la presión sanguínea, el cortisol (la «hormona del estrés»), el colesterol y las arritmias cardíacas.

El trabajo de Jon Kabat-Zinn en el Center for Mindfulness (Centro de Consciencia) del Medical Center (Centro de Medicina) de la Universidad de Massachussets ha ayudado a personas que tenían fuertes dolores crónicos y problemas emocionales, incluyendo trastornos de ansiedad. Por medio de la práctica de la meditación concentrada (p. ej., sentarte y examinar tu respiración, analizar tu cuerpo para observar lo que sientes, algunos tipos de yoga), la gente logra aceptar mejor sus experiencias vitales, juzgándolas menos, y eso incluye los momentos de sufrimiento. Los individuos llegan a comprender que la vida se compone de una serie de momentos; pensar en el pasado o preocuparse por el futuro interfiere en la apreciación de la plenitud de cada instante de que disponemos. El fondo de este programa es el aumento de la conciencia, y la comprensión del valor de ser frente al de hacer. Dentro de la práctica de la meditación, se fomentan y subrayan las siguientes actitudes (fuente: *Vivir con plenitud las crisis*, de Jon Kabat-Zinn):

La ausencia de juicio: Observa tus experiencias sin el hábito de etiquetarlas como buenas o malas.

La paciencia: Aprecia que cada experiencia es tu vida en este momento, sin apresurarte para cambiar las cosas ni pensar que tienes que mejorar la situación.

La mente del principiante: Debes estar dispuesto a ver las cosas con unos ojos nuevos, sin asumir que lo sabes todo. Date cuenta de que cada instante es único.

La confianza: Confía en ti mismo y en tu propia sabiduría, sin intentar constantemente conformarte a los demás y a sus estándares.

La ausencia de lucha: Permítete «ser» sin intentar alcanzar ninguna meta concreta.

La aceptación: Permítete ver las cosas como son, en lugar de permitir que te ciegue el cómo crees que deberían ser.

El saber renunciar: Practica cómo dejar que las experiencias fluyan, de modo que puedas vivir más en el presente.

Estos valores también son útiles para responder a tus síntomas de ansiedad. Por medio de la meditación regular, las personas aprenden a observar sus pensamientos, sentimientos y conductas, sin quedarse atrapadas en ellas. La concentración induce a ver los pensamientos de ansiedad como acontecimientos mentales (no necesariamente reales), y a desarrollar una relación de mayor aceptación y menos exigente frente a esos pensamientos y sentimientos.

¿Contribuye el ejercicio a mejorar la ansiedad?

Todos hemos oído que el ejercicio ayuda a la gente a sentirse mejor. Puede que esto suene bien, pero hay muchas personas que tienen dificultades para atenerse a un programa de ejercicios. Apreciar claramente los beneficios del ejercicio puede aumentar la posibilidad de que lo practiques. Numerosas investigaciones han revelado lo valioso que puede ser el ejercicio para mejorar la ansiedad, la depresión, para asimilar el estrés, mejorar la imagen física que tenemos de nosotros mismos y nuestra salud; los beneficios del ejercicio se han *demostrado* repetidas veces. Los mecanismos que proporcionan esos beneficios son, entre otros: un aumento de riego sanguíneo en el cerebro; algunos cambios bioquímicos, como la liberación de endorfinas que fomentan el bienestar; la distracción frente a las preocupaciones, y el desarrollo de la sensación de que dominamos una actividad física.

Cuando empieces un programa de ejercicios después de obtener la aprobación de tu médico, ten en cuenta que tu grado de ansiedad puede aumentar durante los primeros minutos del entrenamiento. Sin embargo, a medida que sigas haciendo ejercicio, el grado de ansiedad irá disminuyendo. Al final del entrenamiento, el nivel de ansiedad será menor que cuando empezaste. Algunos estudios han afirmado que el ejercicio tiene un efecto «tranquilizador» sobre la ansiedad.

Aquí van algunos consejos sobre cómo empezar una rutina de ejercicios:

- Elige una actividad que te guste. Algunas de las opciones son caminar, hacer *footing*, clases de aeróbic, musculación, danza, yoga, tenis, golf, baloncesto y voleibol.
- Haz lo posible para realizar esa actividad con un amigo o un grupo de personas, para aumentar tu disfrute de la misma y tu motivación para llevarla a cabo regularmente. También hay personas a quienes les gusta hacer deporte mientras escuchan su música favorita.
- Empieza el ejercicio lentamente y ve con cuidado. Intenta no impacientarte y hacer demasiado de golpe. Recuérdate que es preferible ir aumentando gradualmente la intensidad de tu ejercicio

y su duración, en lugar de hacerlo de un día para otro. Presta atención a las reacciones de tu cuerpo.

- Intenta realizar algún tipo de ejercicio al menos 4-5 veces a la semana. Date cuenta de que, a medida que te ejercitas regularmente, la actividad dejará de ser una obligación y se irá convirtiendo en un hábito que te hará sentir bien.
- Concédete crédito por los esfuerzos que haces durante el ejercicio. A menudo, a las personas les resulta útil llevar un diario donde anoten sus progresos. Éste puede ser especialmente útil para controlar los niveles de ansiedad antes y después de la sesión de entrenamiento, de modo que veas cómo el ejercicio beneficia a tu estado de ánimo.

¿Tener una mascota alivia la ansiedad?

Hay algunos estudios que sugieren que las interacciones con los animales pueden reducir los síntomas relacionados con el estrés y la ansiedad. Por ejemplo, los estudios han demostrado que el mero hecho de acariciar a un animal reduce la presión sanguínea, y uno de ellos demostró que este beneficio permanece incluso cuando la mascota no está presente. Otro estudio descubrió que observar cómo nadan los peces de un acuario funciona igual de bien que la hipnosis para reducir la ansiedad de pacientes a punto de ser intervenidos. Las mascotas también pueden ser útiles después de una operación; los propietarios de animales han manifestado un proceso de recuperación más rápido tras una intervención, y son más los que se recuperan tras una enfermedad grave. Un estudio australiano demostró que los dueños de gatos y perros necesitaban medicarse menos para controlar el colesterol, la presión sanguínea alta o baja, los trastornos del sueño o los problemas cardíacos.

Algunas de las actividades relacionadas con el cuidado de una mascota, como sacar a pasear al perro, también pueden reducir el estrés. Las mascotas nos hacen compañía y nos proporcionan una sensación de bienestar. La responsabilidad hacia un animal puede distraernos de nuestros propios problemas e inquietudes. Está claro que muchas personas consideran que sus mascotas forman parte de la familia. Todos queremos sentirnos necesarios y protegidos. Si vives solo, tener una mascota puede ayudarte a satisfacer esas necesidades, aumentando tu sensación de bienestar y reduciendo la ansiedad.

¿Afecta lo que como a mi grado de ansiedad?

Tomar mucha cafeína puede aumentar tu ansiedad. La nicotina puede tener un efecto parecido, aunque muchas personas afirman que les relaja. La relajación que sentimos después de una comida típica del día de Navidad se debe al aminoácido triptófano, que se encuentra en el pavo y la leche de los canelones. Esta sustancia es precursora de la serotonina, y se ha descubierto que tranquiliza e induce al sueño. La sabiduría de tomarse un vaso de leche antes de dormir parece tener cierto fundamento. También parece que es útil comer menos cantidad de alimentos pero más veces al día, para mantener los niveles de glucosa, evitando así los altibajos energéticos y anímicos.

Todos establecemos asociaciones psicológicas con determinados alimentos, y podemos hacer una lista de las comidas que nos «tranquilizan». Esos alimentos pueden ser buenos para nosotros o no, pero nos ofrecen cierto grado de consuelo psicológico. Por ejemplo, si tu madre, con todo su amor, te daba sopa de pollo cuando estabas enfermo, al tomarla de mayor puede embargarte una sensación de tranquilidad y consuelo.

¿Llevar un diario puede beneficiarme?

Cuando pasamos por malos momentos, a menudo lo único que deseamos es olvidar esas malas experiencias. La sociedad nos proporciona muchas distracciones: el alcohol, las películas, los libros, los parques temáticos y la televisión. Sin embargo, disponemos de estudios que demuestran que las personas que ponen por escrito sus experiencias difíciles y los sentimientos asociados con ellas ven cómo sus síntomas mejoran. Pudiera ser que el mero hecho de plasmar en el papel nuestros sentimientos nos permita distanciarnos de la intensidad de la situación, evaluando mejor las cosas. A menudo, escribir nos permite analizar los sentimientos y alcanzar una nueva visión y claridad. Además, escribir nos hace bajar el ritmo, lo cual es un auténtico beneficio para las personas con ansiedad. Las pruebas de laboratorio revelan que las personas que acaban de escribir experimentan una reducción en el ritmo cardíaco y la presión sanguínea, además de una mayor sequedad en la piel. Todos estos cambios están asociados también a la relajación.

El «diario terapéutico», o el hecho de escribir tus sentimientos y preocupaciones, se ha asociado con la reducción de los síntomas de la depresión y la ansiedad. De hecho, la investigación de James Pennebaker descubrió que escribir aumentaba la función inmunitaria de los sujetos que plasmaban en el papel sus sentimientos más profundos, frente a otros a quienes se les pidió que escribieran sobre asuntos triviales.

Llevar un diario también puede ser un instrumento útil para la terapia, porque aumenta tu conciencia y aporta a las sesiones materiales interesantes.

¿Cuáles son algunas de las pautas prácticas para empezar a llevar un diario?

Debes recordar que la escritura terapéutica es para que la uses, de modo que no tiene que preocuparte la calidad literaria de tu diario, que otros no leerán. Éstas son algunas recomendaciones para que aproveches al máximo la experiencia:

1. Busca un momento y un lugar para escribir el diario. Dedica de 15 a 20 minutos al día cuando nadie te moleste, elige un lugar donde te sientas cómodo y protegido, y ten dispuesto en ese lugar un bloc de notas o un diario y un bolígrafo a mano.
2. Cuando te sientas a escribir, empieza con aquello de lo que eres consciente en ese momento. Puedes optar por la técnica de empezar a escribir lo que se te pase por la cabeza (asociación libre) o bien explorar, más activamente, los sentimientos de los que eres consciente. Puedes abordar un problema o una preocupación, centrándote en puntos concretos, tales como «¿Cuándo me siento así?» o «¿Qué hay en esa situación que me sigue molestando?».
3. Date todo el permiso del mundo para olvidarte de la puntuación, la gramática y la organización. Si quieres convertir tu diario en un ensayo elegante, interferirás en el flujo de tu escritura. Por el momento, piensa que ese diario es un proceso de descubrimiento. Si quieres, siempre puedes volver atrás más tarde y darle una forma más literaria.

4. A medida que escribes pueden ir surgiendo emociones fuertes. Por lo general, vale la pena conservar esos sentimientos y escribir sobre ellos, dado que abordar las emociones más difíciles tiende a proporcionar los mayores beneficios. Permítete la oportunidad de consultar con un terapeuta si los sentimientos se vuelven aplastantes. Es también útil vincular los sentimientos a acontecimientos y pensamientos específicos. Ten en cuenta que la exposición reiterada a los recuerdos difíciles, incluso aunque sea en la imaginación, ayuda a reducir el impacto de éstos.

5. Si te cuesta escribir de forma desestructurada, hay muchos diarios estructurados que puedes consultar como pauta (hablamos de estas cosas más adelante, en el Apéndice A: Herramientas de autoayuda).

6. El diario terapéutico va destinado a liberarte para que vivas tu vida, pero no debe ser un sustituto de ella. Escribir un diario se vuelve contraproducente si se usa como una forma de escapismo, o para eludir las relaciones y responsabilidades de tu vida.

7. Recuerda que tu diario es sólo tuyo. Sólo tú puedes decidir si quieres compartir alguna de tus anotaciones y, si es así, cómo hacerlo.

¿La terapia mediante masajes reduce la ansiedad?

Las personas son distintas, y todas tienen preferencias diversas sobre cómo aliviarse de la ansiedad. Si bien desarrollar una autocharla más realista es muy importante para reducir la ansiedad, es igual de necesario incorporar conductas útiles. La terapia a base de masajes se ha usado para ayudar a las personas que padecen problemas de artritis, mujeres embarazadas, enfermos de depresión y cáncer de mama, por mencionar sólo unos pocos. Tras investigar los resultados de más de 30 estudios científicos, los expertos descubrieron que una sesión de masaje terapéutico ayudaba a reducir la ansiedad transitoria (temporal), la presión sanguínea y el ritmo cardíaco. Además, las sesiones reiteradas de masaje terapéutico produjeron reducciones en la ansiedad duradera (a largo plazo), la depresión y el dolor crónico. También pueden surgir beneficios si el cliente espera que el tratamiento vaya bien, y si tiene una buena relación con el o la masajista. Si la terapia a base de masajes es una de las opciones que tienes en mente, es buena idea averiguar si el terapeuta tiene licencia. Puedes solicitar recomendaciones al médico de cabecera o bien a amigos que conozcan a algún masajista profesional.

Aunque trabajo muchas horas y tengo mucha responsabilidad, durante la semana todo va bien. Entonces, el domingo, cuando se supone que debo descansar y relajarme, es cuando siento ansiedad. ¿No es un poco contradictorio?

No estás sola. Las personas con problemas de ansiedad suelen sentirse mejor cuando realizan actividades productivas; éstas pueden ser una buena distracción frente a las preocupaciones, y ayudarlas a olvidar las fluctuaciones de su cuerpo. Sin embargo, ésta es sólo una solución transitoria. Inevitablemente, habrá algún tiempo libre, que querrás disfrutar en lugar de temerlo. Éstos son algunos de los factores que contribuyen a «la ansiedad dominical»:

1. Si te has fijado la norma estricta «Se supone que debo descansar y relajarme, y no sentirme tan ansiosa», te estás preparando para sentir ansiedad. Recuerda que, cuanto más intenta alguien resistirse a la ansiedad, más suele ésta persistir. Seguramente sería mejor si te crearas el hábito de decirte: «¿Y qué pasa si estoy un poco ansiosa? A pesar de eso puedo encontrar maneras de disfrutar del día». También puedes cuestionarte la norma de que «tienes que» relajarte; quizás un vigoroso partido de tenis encaje mejor con tu estado de ánimo.

2. También es posible que pienses: «Tengo cosas que hacer... No debería estar descansando». Una vez más, este tipo de autocharla te presionará y te generará más sensación de ansiedad. Practica la técnica de darte permiso para ser totalmente improductiva.

3. Otra cosa que suele pasar es que, cuando estás descansando, eres más consciente de los cambios que experimenta tu cuerpo. Puede que notes cómo el corazón te late a más velocidad de la que consideras normal y entonces te alarmes, percibas que respiras entrecortadamente, te alarmes más, y así en aumento. Es muy probable que el corazón te lata al mismo ritmo que siempre; lo que pasa es que ahora eres más consciente de él.

4. Por último, si te pasas toda la semana a un ritmo vertiginoso, necesitas un poco de tiempo para desacelerar. No es infrecuente que cuando reduzcas la marcha te sientas ansiosa, o incluso un tanto deprimida o aburrida. Esto también puede pasar durante las vacaciones, cuando debe transcurrir cierto tiempo hasta que nos acostumbramos a un ritmo más lento y relajante. Deja que los sentimientos negativos pasen sobre ti como una ola, y date tiempo para ajustarte a ese ritmo más pausado. También puede ayudarte si vas apartando tiempo de descanso durante la semana, de modo que el sábado puedas empezar a relajarte, en lugar de esperar al domingo. Practicar las transiciones en el ritmo te ayudará a reducirlo con mayor facilidad.

¿Por qué siento tanta ansiedad a la hora de tomar decisiones? Parece que da igual si es un problema grande o pequeño: ¡odio tener que tomar decisiones!

Las decisiones, por sí solas, no generan ansiedad. Lo que determina tu reacción emocional e influye en tu conducta es tu autocharla sobre la toma de decisiones. A menudo, cuando las personas se angustian por tener que tomar una decisión, se están diciendo algo parecido a esto:

- No sé qué decir... Debería saberlo, y es espantoso que no sea así.
- Tengo que tomar la decisión correcta.
- Si siempre elijo mal, será un desastre.
- Siempre tengo que asegurarme de que mis decisiones complazcan a mi familia, amigos, etc.

Si estos ejemplos se parecen a tu forma de pensar sobre las decisiones, no es de extrañar que te sientas ansioso o postergues la toma de una decisión. Te estás cargando con unas exigencias tremendas, las de cumplir los elevadísimos estándares propios o de otra persona.

Para sentir menos ansiedad al tomar decisiones, te iría bien hablarte de otra forma al pensar en ellas. Veamos algunos ejemplos de autocharla más útil y realista:

- Teniendo en cuenta mi información actual, tomaré la mejor decisión posible y luego la sostendré.
- Casi nunca hay una sola decisión correcta, y está claro que la decisión perfecta no existe.
- Si luego resulta que esta opción es problemática, será incómodo, pero podré superarlo.
- No puedo estar seguro de que mis decisiones siempre complazcan a otros, porque eso depende de ellos. Si a otra persona no le gusta mi decisión, puede resultarme inconveniente, pero no es el fin del mundo.

Si aprendes a dejar de lastrarte con tantas presiones inútiles relativas a la toma de decisiones, hay bastantes oportunidades de que sientas interés en vez de ansiedad. Además, si tu emoción se tradujera en interés, seguramente encontrarías más recursos para tomar una decisión que no cuando estás ansioso.

Aunque el cambio de autocharla es necesario en gran medida para reducir la ansiedad sobre las decisiones, también puedes obtener provecho si mejoras tus habilidades de resolución de problemas en esta área. Realizar un análisis de costes y beneficios es un gran instrumento para tomar decisiones. En lugar de darle vueltas a la cabeza con un montón de «¿y si... ?», lo cual es agotador, plantéate poner tus ideas por escrito. Todas las decisiones tienen ventajas e inconvenientes; puede ser muy productivo ponerlas por escrito de modo que puedas sopesarlas y tomar tu decisión con más confianza. (Para ver cómo practicar esto, consulta el apéndice A.)

¿Cómo puedo recordar formas de pensar más positivas?

Hay quien usa tarjetas para recordarse formas de pensar más útiles y realistas en los momentos en que son especialmente susceptibles al exceso de ansiedad, depresión, ira y otras emociones extremas y negativas. La idea es usar una tarjeta de 8 × 10 cm (o más grande) como instrumento para «pararse y pensar», en lugar de dejarse arrastrar por un razonamiento emocional inútil. En una cara de la tarjeta, escribe los pensamientos negativos automáticos que conducen a los sentimientos y conductas indeseadas. En la otra cara de la tarjeta, escribe afirmaciones más realistas, útiles y equilibradas, las cuales es más probable que generen emociones asimilables y conductas beneficiosas. Muchas personas llevan consigo sus tarjetas, en el bolso, la agenda, el maletín, la cartera o el bolsillo. Otras prefieren colgar la tarjeta en un sitio destacado, como en el coche, junto al ordenador del trabajo, en la nevera o junto al espejo del baño. El aspecto más importante de usar tarjetas es que las consultes activa y frecuentemente. Recuerda que cambiar la forma de pensar requiere una práctica diligente, ¡pero que los beneficios emocionales y de conducta compensan sobradamente! Éste es el aspecto que tendrán tus tarjetas:

En una cara:

Mis pensamientos negativos / predicciones:

Conducta / sentimientos resultantes:

En la otra cara:

Mis pensamientos más realistas, equilibrados, beneficiosos:

Conducta / sentimientos resultantes:

He oído que mucha gente tiene falta de sueño. ¿Es cierto? Dormir poco, ¿fomenta la ansiedad?

Los trastornos del sueño son la tercera queja de mayor frecuencia en las consultas médicas, después de los dolores de cabeza y los resfriados. Más de 40 millones de norteamericanos padecen trastornos del sueño persistentes cada año, y 20 millones los tienen periódicamente. Estos trastornos suponen un gasto de 16.000 millones de dólares anuales, aparte de los costes indirectos relativos a la baja productividad. Si las personas quieren usar medicación para mejorar su sueño, suelen recetárseles benzodiazepinas, con la recomendación de que las usen poco tiempo. Hay algunos antidepresivos que también pueden tener un efecto sedante que mejora el sueño. Sin embargo, los fármacos no deberían ser la única forma de abordar los trastornos del sueño. Hay muchas cosas que la gente puede hacer para aliviar su problema, sin necesidad de medicarse. Ten en cuenta que el sueño es un hábito, y que cambiarlo requiere su tiempo. Afortunadamente, la investigación sobre los trastornos del sueño ha ofrecido mucha información sobre cómo corregir esos problemas. En el caso de la ansiedad, uno de los hábitos que es más importante cambiar es el modo en que nos hablamos antes de irnos a dormir. Ponerse nervioso y preocupado por la falta de sueño no funciona, de modo que la clave está en hablarnos de tal modo que nos calmemos.

¿Cuáles son algunas de las maneras de mejorar mis pautas de sueño sin recurrir a los fármacos?

- Duerme siempre las mismas horas y levántate a la misma hora. Aunque duermas menos de lo que te gustaría, levántate cada día a la misma hora y no te permitas dormir mucho los fines de semana.
- No mires el reloj. Una vez hayas puesto el despertador a la hora, dale la vuelta o aléjalo para no verlo.
- Reduce o elimina las siestas durante el día.
- Haz ejercicio cada día, pero no durante las cuatro horas previas a acostarte.
- Durante el día, exponte lo suficiente a la luz solar.
- Usa la cama sólo para dormir o para el sexo. No uses la cama para pagar facturas, comer, leer o ver la tele.

- No uses la hora de acostarte para preocuparte. Debes decirte: «Ya me ocuparé de eso mañana». Deja en la mesilla junto a la cama un pequeño bloc donde puedas anotar un par de palabras que, al día siguiente, te recuerden cosas importantes que debes hacer.
- Prueba una técnica de relajación o mira un CD relajante.
- Evita cenar mucho; la cena ligera sienta mejor.
- No bebas mucho antes de acostarte.
- No tomes alcohol, cafeína o nicotina antes de dormir.
- Cada noche, prepárate para acostarte mediante un tiempo de relajación (p. ej., ducharse, lavarse los dientes, leer en una silla cómoda, escuchar música relajante).
- Crea un entorno propicio al sueño, con una temperatura confortable, silencio y oscuridad.
- Si no logras dormirte a los 15-20 minutos, sal de la cama y haz alguna actividad relajante (p. ej., leer un libro tranquilo, ver una película que no sea de acción) hasta que te sientas más cansado; luego, prueba a dormirte de nuevo. Si al cabo de 15-20 minutos no te duermes, vuelve a levantarte y a hacer algo relajante. Debes asociar la cama con el sueño, no con las vueltas y el insomnio.
- No te etiquetes de insomne o te digas cosas como: «Esto es espantoso, nunca lograré dormir a gusto». En vez de eso, recurre a cosas como: «Es una molestia, pero seguiré funcionando bien».
- No intentes obligarte a dormir, porque eso crea cierto tipo de ansiedad de actuación que te hace obtener el efecto totalmente opuesto. Paradójicamente, hay mucha gente que consigue dormirse obligándose a mantenerse despierta.
- Intenta llevar un diario del sueño (incluimos un ejemplo en el Apéndice A) para detectar patrones de lo que contribuye a tu sueño o lo perjudica. Si tus problemas para dormir parecen graves, pregúntale a tu médico de cabecera si sería aconsejable concertar una visita con un especialista en trastornos del sueño.

¿Qué tipo de autocharla puedo usar cuando intento conciliar el sueño?

Antes que nada, éstos son algunos ejemplos del tipo de afirmaciones que nos activan y nos ponen nerviosos:

- «Debo dormir ocho horas.»
- «Mañana en el trabajo no voy a rendir.»
- «¡Cielo santo! ¡Ya son las cuatro de la mañana!»

Estas apreciaciones aumentan tu grado de angustia e interfieren en el sueño. En lugar de eso, prueba alguno de los comentarios que siguen a continuación, o crea los tuyos propios. La actitud más útil hacia ti mismo es la de tener confianza y tranquilidad, cosas que una buena madre haría sentir a su hijo:

- «De vez en cuando, todo el mundo tiene una mala noche».
- «Aunque no duerma todo lo que quiero, mañana funcionaré igual de bien.»
- «No tengo que obligarme a dormir; mi cuerpo se dormirá cuando esté listo.»
- «Ahora mismo hay mucha gente que trabaja. No soy el único que está despierto.»

Cuando tengo que enfrentarme a alguien o decir que no, me invade la ansiedad. Acabo haciendo cosas que no quiero sólo para no decepcionar a otros. ¿Por qué soy tan «blandengue»?

No está claro que seas «blandengue», pero sí puede ser que te comuniques de una manera que piensas que protege a otros. Las personas que tienen problemas para decir que no suelen pensar según una pauta ganar-perder: una persona gana y la otra pierde. Si decir que no parece una derrota agresiva de la otra persona, es normal que intentes eludir esa situación. Quizá creas que es mejor aceptar tu propia derrota. Las personas que prefieren este resultado suelen comunicarse pasivamente. Puede que tu estilo comunicativo sea éste:

Comunicación pasiva:
- No expresar las ideas directamente.
- Parecer que te autoinculpas, que pides perdón.
- Centrarse en complacer a otros.
- Evitar los conflictos, pero no satisfacer sus necesidades.
- Puede dar como resultado decepción y resentimiento.

Mensaje: Tú importas, yo no.

Hay personas que adoptan la postura opuesta, sintiendo que deben ganar, y se comunican agresivamente. Éstas son las características de esta postura:

Comunicación agresiva:
- Expresar las ideas de forma dominante.
- Parecer hostil o exigente.
- Centrarse en dominar e intimidar.
- Produce los resultados deseados a costa de otros.
- Da como resultado problemas de relación.

Mensaje: Yo importo, tú no.

Existe otra opción disponible e intermedia, que se llama *asertividad*. La asertividad tiene en cuenta tanto tus derechos como los de los demás, y fomenta la negociación en lugar de la dominación o la sumisión. Si bien la asertividad significa expresar tus deseos, necesidades y opiniones honesta y directamente, no es una garantía de que te salgas con la tuya. Ésta es la parte difícil. A veces a las personas a quienes no les gusta decir que no, ¡les molesta que otros lo digan! La asertividad permite que ambas partes digan que no. Sin embargo, permitirte ser asertivo y dejar que otros lo sean aumenta las posibilidades de alcanzar un compromiso creativo, y ambas partes obtienen lo que quieren. Ganar-perder se convierte en ganar-ganar. Éstas son las características de la comunicación asertiva:

Comunicación asertiva:
- Expresa las ideas directamente.
- Parece directa, confiada.
- Se centra en transmitir eficazmente la información.

- Suele producir los resultados deseados.
- Puede aumentar la autoestima *y* las relaciones firmes.

Mensaje: Ambos importamos (igualdad de derechos).

Desarrollar un estilo de comunicación asertivo requiere cambiar algunas viejas creencias y practicar nuevas conductas, pero si logra que obtengas más de lo que quieres, menos de lo que no quieres y mejores relaciones, ¡vale la pena el esfuerzo!

Mis amigos me dicen que no hay nada malo en decir que no o en pedir lo que quiero, pero para mí es todo un problema. ¿Por qué me cuesta tanto?

Las dificultades que tienes para ser asertiva pueden surgir de lo que has llegado a creer sobre la expresión de tus sentimientos. Por ejemplo, si siempre que expresabas tus sentimientos te decían que estabas «siendo respondona» con tus padres, puede que hayas aprendido que hacerlo es de mala educación. Otro de los factores puede ser tu propio temperamento. Por ejemplo, si eres tímida, es posible que te sientas incómoda diciendo a otros lo que piensas y sientes. Aquí incluimos algunos otros obstáculos que puedes encontrarte cuando te expresas:

- Sobrestimación del peligro, amenaza («Me odiará.»).
- Subestimación de tu capacidad de superación («Me sentiré fatal.»).
- Recuerdos de críticas recibidas por expresar sentimientos.
- Miedo al rechazo.
- Emociones intensas (demasiado furiosa para hablar).
- Considerar los sentimientos como exigencias, no preferencias.

No obstante, sea cual fuere el origen de tu problema, puedes desafiar las antiguas ideas y abordar las cosas desde una nueva perspectiva. Si te cuesta demasiado hacerlo sola, busca la ayuda de un terapeuta o recurre a un programa de formación de la asertividad, que puede serte de provecho.

¿Cómo puedo evitar sentirme incómodo cuando quiero decir que no a alguien o pedirle lo que deseo?

Primero, veamos cuáles pueden ser los obstáculos. Éstas son algunas de las cosas que la gente cree y que pueden dificultar que nos expresemos:

- Debo gustarle a todo el mundo.
- No soporto enfadar a nadie.
- No soportaría herir sus sentimientos.
- Decir algo no serviría de nada.
- Sería muy feo no ayudarlo.
- No puedo decir que no.

Una vez entiendas mejor cuáles son las trabas, puedes empezar a olvidarte de lo que creías y practicar maneras nuevas y más precisas de ver las cosas. Éstos son algunos ejemplos del pensamiento asertivo:

- Es correcto que actúe según mi interés.
- Tengo derecho a expresar mis opiniones.
- No controlo las reacciones ajenas, sólo las mías.
- Ayudaré cuando pueda, pero no debo sentirme obligado.
- Aunque a veces resulte incómodo, puedo decir que no.
- Puedo tolerar que alguien no esté de acuerdo conmigo.

Por último, a medida que practicas nuevas conductas, sé tu mejor entrenador. Éstas son algunas de las maneras en que puedes hablarte:

- Ahora me resulta difícil, pero con la práctica mejoraré.
- Acepto la responsabilidad de mis sentimientos. ¡Puedo hacerlo!

¿Cuáles son algunas de las actividades cotidianas que me ayudarían a reducir mi ansiedad?

Una estrategia sencilla es dedicar un tiempo a preocuparse. ¿Te sorprende? En realidad, puede ser un estupendo sistema para recortar la cantidad de preocupaciones que te incordian durante el día. Te preocupas voluntariamente en un momento y lugar concretos, para reducir la cantidad de «vueltas extra» que da tu cabeza a lo largo del día. Funciona de la siguiente manera:

1. Cada día, dedica 15-30 minutos a preocuparte, y céntrate en hacerlo.
2. En esos momentos, escribe una lista de preocupaciones y céntrate plenamente en cada una. Métete de lleno.
3. Si descubres que te estás preocupando en otros momentos, debes decirte, con firmeza y activamente: «Eso ya lo he tratado en mi tiempo de preocupación» o «Ya pensaré en eso mañana, cuando me preocupe».
4. Con el paso del tiempo, obtendrás una visión más objetiva de tus preocupaciones, y te molestarán menos las predicciones negativas. Tu capacidad de llenar tu momento de preocupación irá disminuyendo. Ten en cuenta que inquietarse y planificar el futuro es productivo; por otro lado, preocuparse en exceso suele hacer que la gente se bloquee.

A lo largo de este libro, y con objeto de asimilar mejor la ansiedad, hemos enfatizado el valor de un pensamiento y una conducta más positivos. El Apéndice A contiene algunas ideas para practicar nuevas técnicas de afrontamiento.

HERRAMIENTAS DE AUTOAYUDA

Mi medidor de estrés

No todas las ansiedades son iguales. Si somos conscientes de ello, podemos sentirnos más tranquilos. Crea tu propio medidor de estrés nombrando los acontecimientos de tu vida o de tu imaginación que se correspondan con el grado numérico de estrés. Esto te proporcionará medidas tangibles para saber cuál es tu grado de ansiedad.

Nivel	Acontecimiento
100 (los peores sentimientos)	_____
90	_____
80	_____
70	_____
60	_____
50 (angustia moderada)	_____
40	_____
30	_____
20	_____
10	_____
0 (sin sentimientos negativos)	_____

Secuencias de control de la ansiedad

Siempre es útil abordar tu ansiedad como lo haría un detective. Anota la situación en la que te angustias, qué te dices al respecto, tu grado de ansiedad y cómo reaccionas a ella. Este rastreo te ayudará a ver las conexiones entre tus pensamientos, sentimientos y conducta, haciendo que te sientes en el lugar del conductor, dejando de cedérselo a tu ansiedad.

Situación	Qué me digo	Grado de ansiedad (0-100)	¿Evito el temor o me enfrento a él?

Nadar y guardar la ropa...

Recuerda que la ansiedad conlleva dos errores de pensamiento: 1) sobrestimamos lo peligrosa o amenazante que es la situación; y 2) subestimamos nuestra capacidad de superarla. Usa esta hoja para anotar información que sugiera que la situación no es tan mala como piensas y que, incluso aunque pase lo peor, podrás salir adelante.

Adaptado con permiso del Dr. Thomas Ellis, ABPP

Esta *situación* estaría bien	Incluso aunque pase lo peor, *yo* estaré bien
Evidencia: • • • •	Evidencia: • • • •

Hoja para trabajar la toma de decisiones

Recuerda: no existe la decisión perfecta, sólo opciones que tienen sus ventajas y sus inconvenientes. ¿Qué opción tolerarías mejor o cuál superarías más fácilmente? Es muy importante pensar en los beneficios y los costes a largo plazo, no sólo a corto.

Opción A	
Ventajas	**Inconvenientes**

Opción B	
Ventajas	**Inconvenientes**

Desafía los pensamientos negativos automáticos

Pensamiento negativo automático: _____

Ansiedad (0 = ninguna; 100 = máxima): _____

Conducta: _____

¿Qué evidencias hay de que este pensamiento es cierto? ¿Y de que no lo es? _____

_____

_____

¿Qué otra explicación puede haber? ¿Desde qué otro punto de vista puedo enfocarlo?

_____

_____

¿Adónde me lleva este pensamiento? ¿Me ayuda o me perjudica?

_____

_____

¿Este pensamiento es un hecho? ¿Está basado en la lógica o en las emociones?

_____

_____

Si un amigo o amiga estuviera en esta situación y tuviera este pensamiento, ¿qué le diría?

_____

_____

¿Qué es lo peor que podría pasar en estas circunstancias, y cómo lo solucionaría?

_____

_____

Usa esta hoja para reforzar el valor de practicar una autocharla más útil.

Hoja de trabajo de autoayuda y autocharla
Situación: _____

_____

Autocharla que crea angustia (Qué me digo o imagino)	Sentimientos de ansiedad (0 = ninguna; 100 = máxima)
•	•
•	•
•	•
•	•

Autocharla de superación (Pensamientos más realistas, equilibrados, útiles)	Nuevos sentimientos (0 = ninguna; 100 = máxima)
•	•
•	•
•	•
•	•

Hoja de resolución de problemas

Teniendo en cuenta que no puedes cambiar el pasado ni predecir el futuro, ¿cómo puedes abordar este problema ahora? ¡Deja fluir las ideas, y anótalas todas!

Especifica el problema: _____

Opciones para mejorarlo	Ventajas de esta opción	Inconvenientes de esta opción
•	•	•
•	•	•
•	•	•
•	•	•

¿Qué opción parece la más ventajosa y cuál la menos beneficiosa?

_____

¿Estoy dispuesto a aceptarla? _____

¿Cómo me fue tras elegir esa opción? _____

_____

¿Estoy satisfecho con los resultados, o quiero considerar otra opción?

_____

Recuerda que la preocupación puede ser una técnica de evitación y que darle vueltas a muchos «¿y si... ?» te mantendrá atascado. Usa esta hoja para desafiar a tu preocupación.

Para y piensa: La hoja de trabajo de la preocupación

Lo que me preocupa es: _____

Al preocuparme por esto...	Señala con un círculo	
... ¿haré que no suceda?	Sí	No
... ¿hallaré la forma de eludirlo?	Sí	No
... ¿estaré listo para lo peor?	Sí	No
... ¿estaré motivado para actuar?	Sí	No
... ¿puedo estar *verdaderamente interesado* (en vez de preocupado) y abordar el problema como algo que puede solventarse?	Sí	No

¿Qué podría *pensar y hacer* para sentirme menos contrariado y solventar mejor el problema?

_____
_____
_____
_____
_____
_____

El diario del sueño

Rellena las casillas cada mañana para reunir datos que te sirvan para mejorar tus hábitos de sueño.

	L	M	X	J	V	S	D
Me acosté a las...							
Me levanté a las...							
Hora aprox. a la que me dormí							
N° de veces que me desperté							
Tiempo total que pasé despierto							
Tiempo que pasé dormido							
¿Hice alguna siesta ayer? ¿De cuánto?							
Grado de cansancio*							
Grado de irritabilidad**							

* = totalmente despierto   2 = muy alerta   3 = algo cansado   4 = muy cansado
** = ninguno   2 = bajo   3 = moderado   4 = alto

Relajación muscular progresiva

La relajación muscular progresiva es una técnica bien estudiada y que ha demostrado su eficacia. Tensar y destensar sistemáticamente los grupos musculares induce la relajación. Además, la práctica de contraer y distender te ayuda a aprender la diferencia que existe entre la sensación de un músculo rígido, tenso, y la de uno relajado. Al saber esto, puedes identificar y tensar partes de tu cuerpo para que se relajen. Al realizar la siguiente actividad (adaptada de Goldfried y Dawison, 1994), la congestión de los distintos grupos musculares debe crear tensión, pero nunca dolor. Tensarás y relajarás cada grupo muscular al menos una vez (si es dos mejor), manteniendo la tensión durante 5 o 10 segundos, y luego dejando que el músculo se distienda durante otros 15 o 20. Lo esencial es realizar esta actividad regularmente; prueba a grabar tu propio casete del programa y a usarlo cada día.

Ponte cómodo en la silla (o la cama), y fíjate en tu respiración. Empieza a ralentizarla. Concéntrate en apreciar lo bien que sienta respirar hondo y lento. Cuando inspires, imagínate respirando paz. Cuando espires, imagina que liberas tensión.

Cierra el puño izquierdo con fuerza durante 5 o 10 segundos. Mantenlos apretados. Ahora, abre la mano 15 o 20 segundos, dejando que tu mano izquierda repose cómodamente, con los dedos relajados. Date cuenta de lo relajados y sueltos que sientes los dedos.

Cierra el puño derecho. Mantén la posición. Ahora, abre la mano. Date cuenta de la diferencia entre la tensión y la relajación. Aprecia de verdad lo agradable que es tener los dedos relajados.

Dobla las dos manos hacia atrás, de forma que tus dedos apunten al techo. Mantén la posición. Ahora, relaja las manos. Descansa las muñecas, apreciando la sensación de distensión.

Tensa los bíceps cerrando los puños y subiendo los antebrazos hacia los hombros. Imagina que estás posando para una revista de culturismo. Mantén la posición, siente la tensión y la dureza. Ahora, relaja los brazos.

Ahora encoge los hombros, alzándolos como si quisieras tocarte con ellos las orejas. Percibe la tensión. Ahora relájalos. Date cuenta de la diferencia entre la sensación que produce un músculo tenso y la de tener los hombros relajados y sueltos.

Tensa los tríceps extendiendo los brazos y los codos. Mantén la posición. Siente la tensión, estudia la rigidez. Ahora, descansa.

Tensa los músculos de la frente levantando las cejas. Mantén la posición, siente el movimiento de los músculos, la tensión. Ahora, relaja la zona. Que tu frente esté lisa y se sienta relajada. Date cuenta de que esto te hace sentir mucho mejor.

Ahora, tensa los músculos en torno a los ojos, cerrando con fuerza los párpados. Mantén la posición, sintiendo la tensión. Ahora, relaja los ojos. ¿Te das cuenta de lo bien que se siente uno cuando la zona en torno a los ojos está distendida?

Tensa las mandíbulas apretando los dientes. Nota la tensión, pero no aprietes tanto que te haga daño. Percibe lo que significa tener las mandíbulas tensas. Analiza la tensión, la rigidez. Ahora, relaja los músculos. Deja que los labios se entreabran, y sé consciente de la diferencia entre la tensión y la relajación.

Tensa los músculos cervicales apretando la nuca contra el respaldo de una silla o de la cama. Recuerda que debes sentir tensión, pero no dolor. La mayoría de nosotros concentramos la tensión en la zona cervical. Siente la tensión y la dureza. Ahora, relájate. Disfruta de ese estado relajado de tu cabeza y cuello, que descansan cómodamente.

Ahora, arquea la espalda. Saca pecho y estómago. Imagina que intentas que tus omóplatos se toquen. Mantén la tensión, siente la presión. Ahora, relájate. Percibe la agradable sensación de ver cómo la tensión se difumina.

Tensa los músculos pectorales respirando hondo. Contén el aliento durante unos 10 segundos. Siente cómo se tensan los músculos del pecho. Siente cómo tiran. Ahora, relájalos. Disfruta de lo agradable que es espirar y sentir cómo desaparece la tensión del pecho. Imagina que la tensión abandona tu cuerpo por medio del aliento. Muchos de nosotros contenemos el aliento durante las épocas de estrés. Date cuenta de lo que es respirar regular y cómodamente.

Tensa los músculos abdominales contrayendo el estómago, como si quisieras tocar con él el respaldo de la silla. Mantén la posición, sintiendo la presión y la rigidez. Ahora, descansa. ¿Sientes lo bueno que es relajar los abdominales?

Ahora, para tensar los músculos de los muslos hasta las rodillas, extiende las piernas. Una vez estiradas del todo, inclina los dedos de los pies hacia delante. Siente el tironeo y la tensión. Imagina que quieres endurecer mucho los músculos de los muslos. Ahora, relájalos. Permítete sentir lo agradable que es la relajación de esos músculos tan grandes. Disfruta de ella.

Tensa los músculos de las pantorrillas moviendo los dedos de los pies hacia dentro. Mantén la posición, tensa a fondo y nota la dureza. Y ahora, relájalos. Disfruta de la sensación de relajación que se va extendiendo por tus pantorrillas y el resto de las piernas.

Ahora que has tensado y relajado tus principales grupos musculares, analiza tu cuerpo para ver si queda algo de tensión, y deshazla. Disfruta de esa sensación tan agradable y esa paz que recorre todo tu cuerpo.

Las visualizaciones

Para contribuir a la relajación, puedes grabar en una cinta las siguientes visualizaciones, o comprar una que refleje el entorno que más te guste:

Escena al aire libre

Imagina un día soleado de otoño, cuando el aire es fresco y estimulante. El cielo es de un brillante color azul, con unas pocas nubes blancas y ondulantes. La temperatura es muy agradable, y te apetece estar fuera de casa. Decides dar un paseo por el parque. Te pones una chaqueta ligera, y te diriges hacia allí. Una suave brisa te acaricia el rostro, y disfrutas viendo los colores cambiantes de las hojas de los árboles. Mira qué hermosos son los tonos: amarillos intensos, rojos y anaranjados... casi como confetis en el cielo. Muchas de las hojas ya han caído al suelo, y algunas crujen bajo tus pies sobre la hierba. Te gustan los sonidos del otoño, y sientes cómo te invade una gran calma. Descubres que te gusta ver cómo juegan los niños en los columpios. Es agradable verlos reír y aprovechar al máximo el día.

Mientras caminas por el parque, descubres un sendero que se adentra en el bosque. Ves una pista despejada, y decides seguirla. A medida que avanzas por ella, la luz se reduce debido a las copas de los árboles que te sirven de techo. Levantas la mirada y ves robles, pinos y abetos. Sorpréndete al constatar qué grandes son algunos de ellos, y piensa en el tiempo que llevan allí. Mira sus gruesos troncos, y admira cómo sus ramas intrincadas forman un tapiz que cubre el cielo azul. Date cuenta de cuántas hojas han caído ya al suelo. Mientras sigues caminando, oyes cada vez más el sonido de las hojas y las ramitas que crujen, pero es un sonido que te gusta mucho. Disfrutas de sentir las hojas bajo tus pies a medida que te adentras por el sendero. Sigues caminando, y te das cuenta de que aquí hace un poco más de fresco, dado que los árboles detienen los rayos solares. Sientes cómo por tu cuerpo se extiende una sensación de frescor. Al adentrarte en el bosque sientes con mayor intensidad el olor de la tierra, y cada vez estás más tranquilo y sientes cómo la paz se va adueñando de tu cuerpo. Es como si pudieras dejar a un lado todas tus preocupaciones y disfrutar del hermoso paisaje que te ofrece la Madre Naturaleza.

La playa

En este hermoso día de sol sin nubes, con un cielo azul radiante, decides acercarte a la playa. Caminas entre las altas hierbas hasta la pasarela de madera. Decides dejar sobre ella tus zapatos. Mientras bajas hasta la orilla, cada vez te sientes mejor, anticipando el momento de llegar hasta la arena. Al mirar alrededor, sientes un asombro reverente al contemplar la hermosura y la grandeza de la playa. Se extiende hasta donde se pierde la vista. La arena blanca es muy fina, y brilla como el cristal bajo el sol. Es estupendo sentirla deslizándose entre tus dedos mientras caminas. Percibe realmente la sensación cálida y sólida de la arena, y qué bien te hace sentir esta sensación en un precioso día de verano. Hasta las olas espumeantes que acarician la arena te aportan serenidad cuando las ves venir y alejarse. El color azul del agua es tan brillante y vívido que el océano parece refulgir. La calma y la relajación se extienden por tu cuerpo mientras sigues contemplando el paisaje. El aroma del aire, salado y fresco, parece intensificar la calma. El trino de los pájaros que vuelan por encima de tu cabeza, el calor del sol sobre la piel y la brisa que viene del mar son aún más relajantes. Al pensar lo hermosa que está la playa y qué día tan hermoso hace, decides quedarte un rato. Cuando te sientas, y al final acabas tumbándote, te sobrecoge lo cómoda que es la arena, y tu tranquilidad sigue aumentando. Descubres que cada vez te hundes más en un estado de relajación. Siente el sol en tu rostro... escucha el sonido de la espuma en la orilla y el ciclo constante de las olas que vienen y van. Todas estas sensaciones te proporcionan una sensación de paz y tranquilidad. Permítete sentir la alegría de estar en la playa, y aprecia la hermosura de la naturaleza.

El menú del placer

Disponer de momentos y de medios para disfrutar no sólo te hace sentir bien, sino que te rejuvenece frente a los elementos estresantes de la vida. Cada persona tiene una manera distinta de disfrutar, y la clave radica en encontrar algo que te guste y comprometerte a realizar esa actividad regularmente. Señala con un círculo las actividades que te gustaría introducir en tu vida.

Pasear
Escribir una carta
Recibir un masaje
Escuchar música
  agradable
Llamar a un amigo
Leer un cuento a tu
  hijo
Quedar con alguien
  para tomar café
Que te hagan la
  manicura/pedicura
Ir al cine
Planificar las
  vacaciones
Darte un baño de
  burbujas
Escribir un diario
Ir al gimnasio
Leer un buen libro
Visitar a un familiar
Unirte a un club de
  lectura
Ir de compras
  (siempre que no
  te excedas
  comprando)
Ir a nadar
Pedirle a tu pareja
  un masaje en la
  espalda

Dar una vuelta con
  el coche por una
  zona bonita
Tener relaciones
  sexuales
Hacer un álbum de
  recortes
Cocinar
Cantar
Coser
Ir a la iglesia
Cuidar el jardín
Hacer pesas
Ir de pesca
Ir a ver un ballet
  o un encuentro
  deportivo
Practicar la
  ornitología
Ir a tomar un helado
Hacer senderismo
Lavar el coche
La fotografía
Jugar con una
  mascota
Lanzar el *frisbee*
  (disco volador)
El voluntariado
Hacer punto
Pintar
Dibujar

Hacer manualidades
Regar las plantas
Hacerte una
  mascarilla facial
Hacer *footing*
Encender velas
Orar
Hacer un ejercicio
  de relajación
Hacer yoga
Bailar
Contemplar las
  hojas del otoño
Hacer de canguro
Poner flores en los
  jarrones
Trabajar en el garaje
Lavar el coche
Enmarcar retratos
Abrazar a un
  miembro de
  la familia
El tenis
El golf
La ebanistería
La meditación
La cocina
Ver la televisión

¿Alguna otra idea? _____

_____

_____

_____

_____

Monitor de actividad

Para gestionar bien la ansiedad, es importante mantener un equilibrio entre el trabajo y el descanso. Intenta usar el «Monitor de actividad» de las páginas siguientes para tener una idea general de cómo estás empleando tu tiempo. Usa la primera página para saber cómo pasas cada hora de un día típico:

- ¿Te consume el tiempo el trabajo y las obligaciones?
- ¿Tienes ocupadas casi todas las horas? ¿Cuántas horas duermes?
- ¿Cuánto tiempo dedicas (si es que lo haces) a actividades que te gustan?

Ahora emplea la segunda página para planificar cómo te *gustaría* que fuera tu día:

- ¿Cuáles son tus máximas prioridades, y cómo te aseguras de cumplirlas?
- ¿Dónde puedes meter un poco de «tiempo de relax» y para actividades agradables?
- ¿Qué responsabilidades puedes delegar en otros miembros de la familia?

También puedes evaluar tu grado de satisfacción con las actividades que realizas (0 = ninguno; 10 = máximo). Date cuenta de cómo fluctúan tus niveles de estrés y de disfrute.

Monitor de actividad: Un día normal

Hora	L	M	X	J	V	S	D
7							
8							
9							
10							
11							
12							
13							
14							
15							
16							
17							
18							
19							
20							
21							
22							
23							
24							
1-7							

Monitor de actividad: Un día ideal

Hora	L	M	X	J	V	S	D
7							
8							
9							
10							
11							
12							
13							
14							
15							
16							
17							
18							
19							
20							
21							
22							
23							
24							
1-7							

Apéndice B

Adams, K. A., *Journal To The Self*, Warner Books, 1990.

American Psychiatric Association, *DSM-IV TR: breviario: criterios diagnósticos*, Masson, Barcelona, 2003.

Barlow, D. H., y Craske, M. G., *Mastery of Your Anxiety and Panic II*, Graywind Publications, Albany, Nueva York, 1994.

Basco, M. R., *Never Good Enough: How to Use Perfectionism to Your Advantage without Letting it Ruin Your Life*, Simon & Schuster, Nueva York, 1999.

Beck, A. T. (1976), *Cognitive Therapy and the Emotional Disorders*, Penguin Books USA Inc., Nueva York, 1976.

—, *Con el amor no basta*, Paidós Ibérica, Barcelona, 1998.

—, Emery, G., y Greenberg, R. L. (1985), *Anxiety Disorders and Phobias: A Cognitive Perspective*, Basic Books, Nueva York, 1985.

Beck, J., *Terapia cognitiva*, Gedisa, Barcelona, 2000.

Bourne, Edmund, *The Anxiety and Phobia Workbook (2nd Edition)*, New Harbinger Publications, 1995.

—, *Supere la ansiedad con métodos naturales*, Oniro, Barcelona, 2005.

Bower, S. A., y Bower, G. H. (1991), *Asserting Yourself: A Practical Guide for Positive Change: Updated Edition*, Addison-Wesley Publishing Company, Reading, Massachusetts, 1991.

Burns, D. D., *Intimate Connections*, A Signet Book, New American Library, Nueva York, 1989.

—, *El manual de ejercicios de sentirse bien*, Paidós Ibérica, Barcelona, 2002.

Chansky, T. E., *Freeing Your Child from Obsessive-Compulsive Disorder*, Three Rivers Press, Nueva York, 2000.

Ciarrocchi, J. W., *The Doubting Disease: Help for Scrupulosity and Religious Compulsions*, Paulist Press, Nueva York, 1995.

Copeland, M. E., *The Worry Control Workbook*, New Harbinger Publications, Inc., Oakland, California, 1998.

Craske, M. G., Barlow, D. H., y O'Leary, T., *Mastery of Your Anxiety and Worry*, Graywind Publications, Albany, Nueva York, 1992.

Davis, M., Eshelman, E. R., y McKay, M., *The Relaxation and Stress Reduction Workbook: Fourth Edition*, New Harbinger Publications Inc., Oakland, California, 1995.

Ellis, A., *Cómo controlar la ansiedad antes de que ella le controle a usted*, Paidós Ibérica, Barcelona, 2002.

Foa, E. B., y Wilson, R., *Venza sus obsesiones*, Robinbook, Teià, Barcelona, 1992.

Freeman, A., y DeWolf, R., *The 10 Dumbest Mistakes Smart People Make and How to Avoid Them: Simple and Sure Techniques for Gaining Grater Control of Your Life*, HarperCollins Publishers, Inc., Nueva York, 1992.

Garber, S. W., Garber, M. D., y Spizman, R. F., *Monsters Under the Bed and Other Childhood Fears: Helping Your Child Overcome Anxieties, Fears, and Phobias*, Villard Books, Nueva York, 1993.

Goldfried, M. R., y Davison, G. C. (1994), *Clinical Behavior Therapy: Expanded Edition*, John Wiley and Sons, Inc., Nueva York, 1994.

Granet, R., y McNally, R. A. (1998), *If You Think You Have Panic Disorder (A Dell Mental Health Guide)*, 1998.

Greenberger, D., y Padesky, C. A., *Mind Over Mood: Change How You Feel by Changing the Way You Think*, The Guildford Press, Nueva York, 1995.

Helgoe, L., *Boomer's Guide to Dating (Again)*, Alpha Books, Nueva York, 2004.

Kabat-Zinn, J., *Vivir con plenitud las crisis*, Kairós, Barcelona, 2004.

Levine, P. A., y Frederick, A., *Curar el trauma*, Urano, Barcelona, 1999.

Pennebaker, J. W., *Opening Up: The Healing Power of Expressing Emotions*, Guilford Press, Nueva York.

Penzel, F., *Obsessive-Compulsive Disorders? A Complete Guide to Getting Well and Staying Well*, Oxford University Press, Nueva York, 2000.

Peurifoy, R. Z., *Venza sus temores: ansiedad, fobias y pánico*, Robinbook, Teià, Barcelona, 1993.

Rapoport, J., *El chico que no podía dejar de lavarse las manos*, Ultramar, Barcelona, 1990.

Ross, J., *Triumph Over Fear: A Book of Help and Hope for People with Anxiety, Panic Attacks, and Phobias*, Bantam, Nueva York, 1994.

Schwartz, J. M., *Brain Lock*, Regan Books, Nueva York, 1996.

Shay, J., *Achilles in Vietnam: Combat Trauma and the Undoing of Character*, Scribner, Nueva York, 1994.

Steketee, G. S., y White, K., *When Once Is Not Enough: Help for Obsessive Compulsives*, New Harbinger Publications, Oakland, CA, 1990.

Weekes, C., *Autoayuda para tus nervios*, Edaf, Madrid, 1998.

Wilson, R. Reid, *Don't panic: Taking control of anxiety attacks*, Harper Perennial Publishers, Nueva York, 1987.

Young, J. E., y Klosko, J. S., *Reinventa tu vida*, Paidós Ibérica, Barcelona, 2001.

Zuercher-White, E., *An End to Panic: Break Through Techniques For Overcoming Panic Disorder*, New Harbinger Publications, Oakland, CA, 1995.

Acerca de los autores

Laurie A. Helgoe es psicóloga clínica con más de 15 años de experiencia y una reconocida experta en relaciones humanas. Trabaja en Family Psychiatric Services en Charleston, West Virginia, donde ofrece evaluaciones y diagnósticos psicológicos, psicoterapia y consejería. Es autora del libro *Boomer's Guide to Dating (Again)*, que Penguin Group/Alpha publicó en 2004. Además, es columnista y participante frecuente en programas de televisión. Imparte enseñanza y consultas a estudiantes universitarios, licenciados y estudiantes de posgrado, aparte de organizar consultas, conferencias y talleres no sólo para médicos nuevos o ya practicantes, sino destinados también al público general. Es posible contactar con ella en www.wakingdesire.com.

Laura R. Wilhelm obtuvo su título doctoral en psicología clínica en la Universidad de Ohio en el año 2000. Trabaja como profesora adjunta en el Departamento de Medicina y Psiquiatría Conductual en el Robert C. Byrd Health Sciences Center, West Virginia University School of Medicine en Charleston, West Virginia. Su práctica no académica se centra en el tratamiento de los trastornos de ansiedad, la depresión y los problemas de ira entre los adultos. Otros de sus intereses clínicos son la adaptación a los problemas de salud, la gestión del estrés, la asertividad y la terapia de grupo. También es directora del Programa de Formación de Terapia Cognitivo-Conductual de su departamento, en el que enseña y supervisa a los residentes psiquiátricos, internos de psicología y estudiantes de medicina.

El doctor Martin J. Kommor es presidente del Departamento de medicina y psiquiatría conductual en el Robert C. Byrd Health Sciences Center de la West Virginia University School of Medicine, en Charleston, West Virginia, donde ha sido profesor durante más de 30 años. Aparte de su labor docente, el Dr. Kommor ofrece consultas de psicoterapia y medicina general, y participa activamente en numerosas asociaciones relacionadas con la salud mental y la psiquiatría. También ha dado cursos sobre técnicas de control de estrés a sanitarios a nivel de comunidad y estatal, bomberos y policías. El doctor Kommor, psiquiatra de orientación psicodinámica, hace hincapié con sus alumnos en que los pacientes que tienen una enfermedad psiquiátrica «son siempre individuos únicos, y no se les puede considerar una enfermedad o un conjunto de síntomas que haya que medicar».

EL MIEDO Y OTRAS EMOCIONES INDESEABLES

*Cómo hacer frente a los pensamientos
negativos que provocan infelicidad*
HARRIET LERNER

256 páginas
Formato: 15,2 x 23 cm
Libros singulares

EL GRAN LIBRO DE LOS JUEGOS PARA ALIVIAR EL ESTRÉS

*Un enfoque divertido e innovador
de las técnicas de relajación*
ROBERT EPSTEIN

216 páginas
Formato: 19,5 x 24,5 cm
Libros singulares

SUPERE LA ANSIEDAD CON MÉTODOS NATURALES

*Estrategias para atenuar el miedo,
el pánico y las preocupaciones*
EDMUND J. BOURNE, ARLEN BROWNSTEIN
Y LORNA GARANO

216 páginas
Formato: 13,3 x 21 cm
Terapias naturales 21

APRENDER A RELAJARSE
Descubra cómo eliminar el estrés
y controlar las emociones negativas
Mike George

160 páginas
Formato: 16,5 x 23,5 cm
Libros ilustrados

APRENDER A DORMIR BIEN
Estrategias infalibles para combatir
el insomnio
Chris Idzikowski

160 páginas
Formato: 16,5 x 23,5 cm
Libros ilustrados

APRENDER A DESCUBRIR
LA PAZ INTERIOR
Guía ilustrada para alcanzar
la iluminación interior
Mike George

160 páginas
Formato: 16,5 x 23,5 cm
Libros ilustrados

APRENDER PENSAMIENTO POSITIVO
Estrategias para cambiar las pautas de pensamiento
Caterina Rando

160 páginas
Formato: 16,5 x 23,5 cm
Libros ilustrados

APRENDE A SER OPTIMISTA
Visualiza el camino hacia el éxito
Recupera la confianza y la felicidad
Lucy MacDonald

160 páginas
Formato: 16,5 x 23,5 cm
Libros ilustrados

APRENDE A EQUILIBRAR TU VIDA
Hazte con el control - Encuentra tiempo - Alcanza tus objetivos
Michael y Jessica Hinz

160 páginas
Formato: 16,5 x 23,5 cm
Libros ilustrados

1/08　3　8/08.
1/12　⑥　1/10
2/14　⑨　4/14
3/19　⑭　1/16.